24個比利

作者◎丹尼爾・凱斯
譯者◎小知堂編譯組

【關於作者】

丹尼爾・凱斯（Daniel Keyes）

一九二七年生於美國紐約。在布魯克林學院修完心理學之後，曾擔任雜誌編輯、時裝攝影等工作，繼而擔任高中老師，其間，即開始從事小說創作。

一九五九年首次發表中篇小說《獻給阿爾吉儂的花束》，初試啼聲即榮獲「雨果獎」。到了一九六六年又以長篇化之《獻給阿爾吉儂的花束》獲得「星雲獎」。

一九七二年後，在俄亥俄大學擔任英語與小說創作課程的教授一職，進而朝多重人格寫作的領域邁進。

一九八○年發表《第五位莎莉》，八一年發表《24個比利》。作品雖然不多，但已紛紛被改編成舞台劇與電影。其中的《24個比利》於一九九四年拍攝成電影。而《獻給阿爾吉儂的花束》則在一九六八年改編成著名電影《查理》，飾演查理一角的演員克里夫・羅伯森，更因該片而榮獲奧斯卡金像獎最佳男主角之殊榮。

目前，丹尼爾・凱斯與家人居住在俄亥俄州的雅典市（Athens）。

亞倫的油畫——「蕭恩」

亞倫的鉛筆畫——「擁抱克麗斯汀的雷

亞倫的油畫——「大衛」

亞倫的鉛筆畫——「亞瑟」

亞倫的鉛筆畫——「克麗斯汀」

亞倫的油畫——「阿達娜」

雷根在富蘭克林郡立監獄時的畫作——「克麗斯汀的碎布娃娃」。上圖的克麗斯汀懷中抱的也是這個布娃娃。

亞倫的油畫——「女流氓：艾浦芳」

亞倫與丹尼在利巴嫩監獄比利的獨居囚室裡完成的作品——「高貴的凱撒琳」。最初是比利的署名，後來又加上亞倫與丹尼的名字。

Why do I gots to say in A Cage And cant got out an play
Do you Like Icream
I Love you
My Anter say you going to help us
A giant big hug AN A Kiss For Miss Judey

From
Christene

克麗斯汀寫給律師茱迪的信

亞倫的油畫——「郭大衛醫師」

湯姆的油畫——「風景」

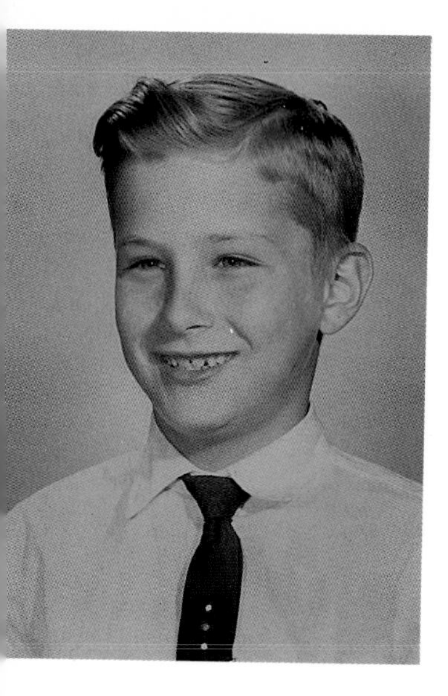

1965 年、 10 歲時的比利

1981 年 2 月 20 日、攝於戴頓司法中心的比利。

全家照。左起為傑姆、凱西、比利，前排中央為桃樂絲。

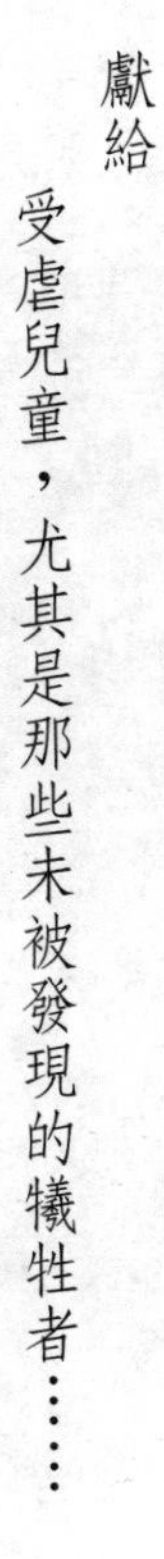
獻給

受虐兒童，尤其是那些未被發現的犧牲者……

謝辭

除了與比利進行數百次的對話及會議外，筆者還曾與其他六十二位與比利接近的人士進行訪談，本書也因此才得以付梓出版。雖然這些人多半都已在本書內文中提及，但我仍想在此向他們表達無上的謝意。

同時，我還要感謝以下人士的合作，他們在本書的撰寫、研究及調查方面，均扮演了極為重要的角色。

郭大衛醫師——雅典心理健康中心治療主任；喬哈丁醫師——哈丁醫院院長；吳可妮博士；史凱瑞與茱迪——公設辯護律師；戈愛蘭與湯普森——律師；桃樂絲與戴摩——比利的母親及現在的繼父；凱西——比利的妹妹；以及比利的好朋友瑪麗。

我同時還要感謝下列各機構的工作同仁；雅典心理健康中心、哈丁醫院、俄亥俄州立大學校警隊、俄亥俄州檢察官辦公室、哥倫布市警察局、蘭開斯特市警察局。

對於俄亥俄州立大學的兩位受害者戴凱莉（假名）以及魏達娜（假名）小姐，所提供的受害者觀點，本人深表敬意。我也必須感謝我自己的律師唐納德，由於他的信心與支持，本計畫才得以展開；並感謝我的編者彼得，由於他的熱心及敏銳的眼光，協助我將所有材料加以整理。

雖然大多數的人均渴望能提出幫助，但也有一些人不願與我交談。在此，我願意針對資料來源加以說明。茲分述如下：

曾經為十五歲時的比利治療的布朗醫師，提供了當時的病歷及記錄作為他意見的表達；西南社區心理復健中心的柯絲薇醫師，她是第一位發現並治療比利的多重人格病症的醫師。

米查曾是比利的繼父，他拒絕回答有關針對他的指控內容，也拒絕我們報導他的故事。因此，有關米查的報導，是出自於公開的審判文件、媒體報導或者是其他的來源，例如親人以及鄰居們親口的證言。

我尤其要對我女兒希洛莉及莉絲表達特別的謝意，感謝她們在我研究這些材料的困難日子裡所給予的幫助及諒解，還有我妻子奧麗亞，她曾協助我聽了數百小時以上的錄音帶，她提供我編輯上的建議，沒有她的鼓勵及協助，我可能必須再耗上好幾年的時間，才可能讓本書出版。

目錄

序言

本書敘述的是一則眞實故事——威廉．密里根是美國史上第一位犯下重罪，結果卻獲判無罪的嫌犯，因爲他是一位多重人格分裂者。

他不像精神病或一般小說上所記載的其他多重人格病患一樣使用杜撰的假名，從被逮捕到被控訴開始，他一直都是爭論性的公衆人物。他的面孔出現在各報章雜誌的頭版和封面上，心智檢查的結果不僅出現在夜間電視新聞節目，更成了報紙的頭條新聞，迅速傳遍全世界。他同時也是第一位住院接受徹底檢查的多重人格病患，檢查結果則由四位精神科醫師和一位心理學家共同宣誓證明。

初次見到這位廿三歲的年輕人，是在俄亥俄州雅典市的雅典心理健康中心，那時他剛被法院送來不久。他要求我寫下他的故事時，我直接告訴他，那就得看看除了媒體的報導之外，是否還有其他値得寫的部分，他向我保證他內心深處的事從未告訴過任何人，甚至他的律師和檢查他的精神科醫師也都不知道。現在，他希望世界上的人均瞭解他精神上的疾病，雖然我有點懷疑，但又十分感興趣。

幾天之後，《新聞週刊》一篇名爲《比利的十個面孔》文章最後一段結語更激起了我的好奇心：

無論如何，其中還有一些未解開的疑點；威廉・密里根是如何學習到由湯姆（其中一個人格）所展現霍迪尼似的逃脫技巧呢？他對那些被強暴者聲稱的『游擊隊』和『殺手』指的究竟是什麼？醫師們認爲，威廉・密里根或許還有未經揭露的其他人格——其中的一些人或許犯過一些未被發現的罪行。

在雅典醫院單獨與他在病房時，我發現走進來的比利與第一次見到的比利非常的不一樣，他說話呑呑吐吐，膝蓋緊張得抖個不停，記憶力非常差，而且有很長一段時間由於健忘症而呈現空白，他可以大約談到記憶不甚清晰的過去，聲音因痛苦的回憶而發顫，但無法提供細節部分，我嘗試多次仍無法成功，此時我準備放棄了。

然後有一天，令人驚異的事情發生了。

威廉・密里根第一次完全融合在一起，呈現出全新的個體，是所有人格的混合物。融合之後的威廉・密里根對於過去發生的事物記得非常清楚——所有人格的思想、行爲、關係、不幸的經驗以及可笑的冒險經驗等等。

本書一開始時我就提到了這一點，讀者們可以瞭解我是如何將比利過去的事件、個人的感受、孤獨的會話給一一記錄下來。本書中所有內容均得自融合後的比利、其他的人格以及他生命中不同階段所有接觸的六十二位人士。對話與景象是比利的記憶重組，治療的過程則直接取材於錄影帶。書中沒有一絲一毫是經由我創造或改編而成。

開始下筆時，我們面對一個嚴重的問題，那就是整個事件發展的年代順序。由於比利經常「遺失時間」，他很少注意時鐘或日曆，對於自己不知道幾年幾月幾日深感難為情。後來，經由我從一些帳單、收據、保險報告、學校記錄、員工記錄，以及他母親、妹妹、雇主、律師與內科醫生交給我的許多其他文件，最後才整理出事件發生的先後順序。比利很少在信件上註明日期，但他以前的女友保留有數百封他兩年坐監時寫給她的信，我可以從信封上的郵戳日期找到寫信日期。

我與比利同意兩項基本原則：

第一，所有的人物、地點與機構均須使用他們的眞正名稱，但是，有三類的個體必須受到保護而使用假名：其他的精神病患、參與的罪犯，以及那些我無法直接與他們面談的人士；加上俄亥俄州立大學三位遭到強暴的受害者。

第二，為了保護威廉·密里根不會因為其他人格揭露所犯過的罪行而遭控訴，我們同意我將以戲劇化的「遊戲規則」方式說明事件情景。至於威廉·密里根已在法院遭起訴的案件，我則不對細節部分加以描述。

那些曾經與比利共事過、見過或成為受害者的人，他們大都接受比利具有多重人格的事實。他們多半還記得比利說過或做過的事，而這些事實會讓他們瞭解「他並不是裝出來的」；仍然有人認為他是個騙子，利用精神錯亂做為幌子以躲避牢獄之災。我儘量與這兩種不同看法的人交談，然後由他們告訴我他們的反應與理由。

同樣的，我也始終保持著一種懷疑態度；但是，在與比利共同工作撰寫這本書的兩年期間，他回憶時的行爲和經驗又不禁讓我不得不確信，本書揭露的現象是確有其事。

類似這樣的正反爭論，仍然受到俄亥州各大媒體的青睞，在一九八一年一月二日的戴頓日報（Dayton Daily News）上仍然可以獲得印證——距離最後一次犯罪已有三年兩個月了。

佯裝或是受害者？兩者皆可能。威廉．密里根案乍露曙光——菲．裘依報導

威廉．密里根是一位令人頭痛的人物。

他可能是個精明的騙子，騙倒了社會大眾、犯下強姦重罪卻安然無事；否則他就眞的是一位多重人格失序的人，但不論是哪一種人，這都是不幸……

唯一能告訴我們眞相的只有時間……

或許揭露眞相的時間就是現在。

一九八一年一月三日　俄亥俄州雅典市　丹尼爾．凱斯

內在的人格

《十個人格》

他們是在接受審判時，唯一被精神科醫師、律師、警方以及媒體所知道的人物。

1. **威廉·密里根（比利），26歲**：最初的核心人格，後來被稱爲「分裂的比利」或「比利U」。高中時被退學，身高六英呎，體重一九〇磅，藍眼睛、棕色頭髮。

2. **亞瑟，27歲**：英國人，理性、無情，說話時有英國腔調。他自修物理、化學，讀過醫學方面的書籍，阿拉伯文說寫流利。雖然他頑固保守並自認爲是資本主義者，但公開承認自己是無神論者。他是第一位發現有其他人格存在的人，在安全的環境中由他負責管理，決定誰可以從「家庭」中站出來講話。戴眼鏡。

3. **雷根，22歲**：充滿憎恨的人格。他是南斯拉夫人，英語帶有斯拉夫口音，以塞爾維亞·克羅地亞語說、寫、讀。武器及軍事權威，同時也是空手道專家。他有強大的體力，能有效控制腎上腺素。他是一位共產黨員及無神論者。他的責任是保護家庭的每一位成員，包括婦女與小孩。

在危險的環境中由他負責管理。他曾犯罪並且吸毒，有暴力傾向。體重二一○磅，虎背熊腰，黑髮，八字鬍、色盲，只畫黑白圖畫。

4. **亞倫**，18**歲**：騙子與操縱者。通常都是由他負責與外面的世界打交道，是個不可知論者，人生態度是：「只要活著一天就盡情享受。」他打小鼓、畫人像，唯一會抽煙的人格。身高與威廉．密里根一樣，體重比較輕（一六五磅）。頭髮是右分，是唯一的右撇子。

5. **湯姆**，16**歲**：脫逃的藝術家。好戰、有反社會傾向，通常被誤以為是亞倫。他吹奏薩克斯風，是一位電子專家，並且擅長畫山水。擁有一頭亂糟糟的金髮與琥珀色的眼睛。

6. **丹尼**，14**歲**：容易受到驚嚇的一位。他怕陌生人，尤其是男人。他被逼迫挖自己的墳墓，而且還被活埋，因此他只畫活著的東西。齊肩的棕髮，藍眼珠，身材瘦小。

7. **大衛**，8**歲**：充滿痛苦的人格，也是感情移入者，他承受其他人格的痛苦，具有高度的敏感及理解力，但無法長期全神貫注，大多時間都很迷糊。深紅棕色頭髮，藍色眼睛，身體矮小。

8. **克麗絲汀**，3**歲**：由於時常被老師叫到角落上罰站，因此被稱為「角落的孩子」。她是聰明的英國小女孩，能讀、能寫，卻有失讀症。她喜愛畫花及蝴蝶。金髮及肩、藍眼珠。

9. **克里斯朵夫，13歲**：克麗斯汀的哥哥。說話有英國腔調，溫順但內心不安。會吹口琴。有一頭類似克麗斯汀的褐色金髮，瀏海較短。

10. **阿達娜，19歲**：害羞、孤獨、內向。會寫詩、烹調，並為其他人做家事。一頭烏黑的直髮，茶色眼睛時常會左右飄動，因此有人說她有一對「舞眼」。

《惹人厭的人格》

由於他們具備惹人厭的特色，因此被亞瑟壓制隱藏。他們首次在雅典心理健康中心被郭大衛醫師發現。

11. **菲利浦，20歲**：粗暴者。紐約客，有濃厚的布魯克林口音，言語粗俗。以「菲爾」之名讓警方及媒體知道比利體內不只有十種人格。大過不犯、小錯不斷。棕色捲髮、褐眼、鷹鉤鼻。

12. **凱文，20歲**：企劃高手。他曾計劃『葛雷西藥房』搶案。他喜歡寫作。金髮、綠眼。

13. **華特，22歲**：澳洲人。自認爲是狩獵專家。擁有優越的方向感，常被委以確認位置方位。壓抑情感，性情古怪，留八字鬍。

14. **艾浦芳，19歲**：女流氓。波士頓口音，她不斷計劃如何報復比利的繼父。其他人格認爲她是個瘋女人。會縫紉、幫忙做家事。

15. **賽繆爾，18歲**：流浪的猶太人。他是個虔誠的猶太教徒，唯一相信神的人。雕刻家，尤其擅長木雕。黑捲髮、山羊鬍、褐眼。

16. **馬克，16歲**：工作狂。無自主性，若無其他人格的命令，他什麼也不做。負責做單調勞動，無事可做時便凝望牆壁。有時稱他是「殭屍」。

17. **史蒂夫，21歲**：經常騙人。喜歡藉著模仿嘲笑別人。極端的自我，在衆多人格中唯一不接受多重人格的診斷結果。由於經常嘲諷地模仿別人而惹來衆怒，造成其他人格的困擾。

18. **李，20歲**：喜劇演員。喜愛捉弄別人、小丑、富機智。由於他的捉弄令其他人格爭吵，而被獄方關入禁閉室。對人生與自己行爲造成的結果毫不在乎。深棕色髮、栗眼。

19. **傑森，13歲**：安全閥。由於歇斯底里的反應和暴躁的脾氣而常招致懲罰，但是卻有解除壓力的效果。由於獨自一人承擔不快的記憶，因此可讓其他人格忘掉一切不愉快，而導致自己喪失記憶。棕髮、棕眼。

20. **羅勃（鮑比），17歲**：夢想家。不斷幻想旅行及冒險。雖然夢想自己要讓世界變得更美好，但是欠缺野心與對知識的關心。

21. **蕭恩，4歲**：天生的聾子。注意力渙散、反應遲鈍。發出嗡嗡的聲音而感覺到腦部的震動。

22. **馬丁，19歲**：勢利鬼。是個愛擺架子的紐約客，喜好炫耀、裝模作樣。凡事皆妄想不勞而獲。金髮、灰眼。

23. **提摩西（提米），15歲**：在花店工作，結果遇上一位有斷袖之癖的老闆，自此因爲害怕而隱藏自己的感情，退縮到自己的世界裡。

24.老師，26歲：二十三個自我人格的融合體。他教導其他人格所有的知識。聰明、敏感、具高度幽默。他說：「我是融合完整的比利。」他稱其他人格為「我製造的傀儡」，老師對往事擁有幾乎完整的記憶。由於老師的出現協助，本書才得以完成。

〔編註〕本書出現人物多達兩百名左右，而英文人名複雜難記，故將中文譯名簡化，以使讀者在閱讀時不產生障礙。

24 個比利

第一部　混亂時期

第一章

(1)

一九七七年十月廿二日星期六，俄亥俄州立大學校警警長柯約翰，派出許多警力守護整座醫學院，警車和徒步警員到處可見，建築樓頂上也都有荷槍實彈的武裝警察監視。婦女們已接獲警告不可單獨外出，尤其是在進入車內時，更要留意附近是否有任何可疑男子逗留。

八天之內，已發生第二宗校園年輕女子在鎗口威脅下遭綁架的案件，時間都是在早晨八點至九點之間。第一位受害者是廿五歲的眼科學生，第二位是廿四歲的護士，她們都被載到荒郊野地先遭強暴，繼而被迫去銀行兌現支票洗劫一空。

報紙上刊出嫌疑犯的素描畫像，數以百計的電話打到警察局，通報了不同的名字及描述，但都是捕風捉影，全無參考價值。目前仍找不到任何蛛絲馬跡及可疑嫌犯，校內的緊張氣氛日益高漲，尤其是當學生代聯會及社區委員要求警方立即逮捕「校園之狼」時，柯約翰的壓力就越來越大。

柯約翰將這個案子交給巡佐白艾里負責，率性自我的白艾里在一九七〇年就讀州立大學時，便因校園暴動導致校園關閉一事而與警方有所接觸，當年他一畢業即被校警隊網羅。

當柯約翰和白艾里查看嫌犯的素描畫像及兩位受害者提供的資料時，他們有一項共同發現，即做案者似乎是單身漢、美國白人，年紀大約是廿三歲至廿七歲，體重介於一七五至一八五磅之間，棕色或紅棕色頭髮；兩案之中，嫌犯均著棕色運動外套、牛仔褲及白色運動鞋。

第一位受害者名叫戴凱莉，他記得嫌犯戴手套，持左輪鎗，眼睛會不由自主地飄來飄去，她認為那是眼球震顫症的跡象；當時，他先用手銬銬住她，推進她的車內，載到郊外強暴她。強暴後，他警告她不得向警方說出他的特徵，否則會對她不利，為了表示所言不假，他還從她的筆記本上抄下幾個名字和住址。

魏達娜是第二位受害者，她身材不高但非常豐滿，她說嫌疑犯帶手鎗，指甲縫裡有一些東西，不是油污或髒東西，而是某種油漬，他曾說過他的名字叫菲爾，口裡直說髒話，戴一副棕色會變色的太陽眼鏡，沒能看見他的眼睛；他同樣也記下她親友的名字，並且警告她，如果指認他的話，她或她的親友就會遭到他兄弟們的報復。她和警方都認為，那只是虛張聲勢而已。

在兩次作案的手法中，有個明顯的差異讓這兩位警官搞迷糊了；第一位嫌犯留有一撮整齊的八字鬍，而第二位嫌犯的鬍子大概有三天沒刮，但未留八字鬍。

白艾里笑了笑，「我猜嫌犯在第一次犯案後，就將八字鬍給剃掉了。」

在哥倫布市警察局內，麥妮可警探屬於「性暴力犯罪特勤小組」的一員，十月廿六日星期三下午三點來到警局上班，她剛從拉斯維加斯休了兩個星期假。第一班值勤的格林姆警探告訴她，他剛送一位年輕的強暴受害者去俄大醫院。由於這是麥妮可負責的案件，因此他交待她有關的細節。

倪波莉是俄亥俄州立大學廿二歲的學生，當天早上八點，她在居住的公寓靠近大學校園的地方被綁架，當時她正好停妥她男友的藍色汽車，突然被人押進車內，被逼著開到鄉下無人的地方遭強暴。後來，又被迫開車回哥倫布市兌現兩張支票，接著又載他回到大學園區。

麥妮可與她的伙伴貝艾捷警官開車前往俄大醫院，與倪波莉會談。

倪波莉告訴她們，綁架的嫌犯自稱是「恐怖份子」，後來又說他是個商人，開的是馬莎拉蒂轎車。倪波莉答應警官，在接受當天的治療後，她會陪同警官去搜查她曾被強迫前往的地方，但由於天色昏暗，因此她已經無法找到該地點，她同意明天早上再試試看。

刑事組的鑑識人員在倪波莉的車上找尋可疑的指紋，他們順利發現三處清晰的指紋痕跡，可用來比對任何將來找到的嫌犯。

麥妮可與貝警官開車載倪波莉前往刑事局，要她描述嫌犯的面部特徵，以便警方畫出嫌犯的面像；然後麥妮可又要求倪波莉看一疊男性白人犯罪的口卡相片，每疊有一百張，她一共看了三疊，但都不是。經過一天七個小時的折騰之後，天色已晚，她也累了，當天的工作就此打住。

第二天早晨十點十五分，刑事組值早班的警探們載著倪波莉前往達拉瓦郡，此刻她記起當時的情景，她引導警探前往她被強暴的地點。警探在池塘旁找到九厘米的子彈匣。她告訴警探，嫌犯曾開過鎗，將一些啤酒罐射進池水中。

當他們返回警察局時，麥妮可剛巧來上班，她帶領倪波莉進入一個小房間，再給倪波莉看另外一疊相片，隨後將門關上，讓倪波莉一個人留在房內。

幾分鐘後，白艾里與第二位受害者魏達娜護士到達刑事局，他也要魏小姐去看罪犯的相片。白巡佐與柯警長決定也預備讓那位眼科學生受害者出面指認嫌犯。

麥警探讓魏達娜坐在沿著檔案櫃長廊的桌子旁，給她三疊嫌疑犯的相片。「我的天哪！」她大叫道，「外面真有這麼多性罪犯嗎？」白巡佐與麥警探在一旁等待，魏達娜一張接著一張看，看到一半時，魏達娜對其中一張年輕瀟灑留有落腮鬍，兩眼呆滯的男子相片遲疑了一會兒，她從椅子上跳開，椅子幾乎翻倒。「就是他，就是他！我很確定！」

麥警探要她在相片的背面簽字，然後再從該嫌犯的身份證號碼中查出嫌犯的名字，她記錄了下來：「威廉．密里根。」他是個前科慣犯。

然後，麥警探將指認出來的相片混入倪波莉還未看過的相片堆裡。這時，麥妮可、白艾里、布朗遜以及貝警官也進入房間。

麥妮可已感覺倪波莉知道自己可以從這疊相片中找到嫌犯了，她仔細端詳每一張相片，看到一半時，麥妮可發現自己有點兒緊張，如果倪波莉能夠挑到同樣一張相片，想要逮捕「校園之狼」便非難事了。

倪波莉看了一眼威廉．密里根的照片，然後繼續翻看下一張，麥妮可警探感到自己的肩頭和手臂都不斷緊縮；只見倪波莉又再次把威廉・密里根的照片翻回來看一次，那是個年輕留有落腮鬍的男子。「好像就是他，」她說道：「但我不太確定。」

白艾里對於向法院申請拘提威廉・密里根的拘票有些猶豫，雖然魏達娜已肯定他就是強暴犯，但因爲該照片是三年前拍的，他不願匆促下定論，並要求等到指紋比對報告書出來後再說。布朗遜警探則拿著威廉・密里根的身份證號碼，到一樓罪行鑑識組去比對從倪波莉車上採得的指紋。

麥妮可對這些拖延非常生氣，她認爲已經找到嫌疑犯了，希望立刻將他逮捕歸案，但因爲受害人倪波莉並未確切指認出凶嫌，所以除了等待之外也別無他途。兩個小時後報告出來了，汽車後座車門外的玻璃上所採得的右食指、右小指以及右掌的指紋確爲威廉・密里根的指紋。比對結果完全相符，是一模一樣的指紋，這已經足以呈堂做證了。

白艾里和柯警長仍然有些顧慮，爲了確認萬無一失，他們在前往逮捕嫌犯之前，又再要求一位專家鑑定指紋。

由於威廉・密里根的指紋與受害人車上採得的指紋相同，因此麥妮可警探決定申請綁架、搶劫與強暴的拘票，她要求逮捕嫌犯，然後再將嫌犯與其他人站在一起讓倪波莉指認。

白艾里巡佐向柯約翰警長報告此事，但柯警長堅持一定要得到專家的比對之後才採取行動，只需花費一、兩個鐘頭時間，凡事謹愼爲妙。當晚八點鐘，該專家確定那就是威廉・密里根的指紋。

白巡佐說：「好了，我要申請綁架拘票，這是在校園內發生的唯一罪行——屬於我們的管轄範圍，強暴地點並不在校園內。」他查閱了一下罪行鑑識組所提供的資料：威廉·密里根，廿二歲，六個月前自俄亥俄州立利巴嫩監獄假釋，記載的地址是俄亥俄州蘭開斯特市春日街933號。

麥妮可要求霹靂小組支援。不久，即見霹靂小組成員在性暴力犯罪特勤小組辦公室前集合，擬定行動計劃。他們要知道的是，有多少人與比利住在同一棟公寓裡；兩位遭強暴的受害者均指稱他是個恐怖份子，而且還曾經在倪波莉的面前開鎗射擊，他們必須假設嫌犯有武裝，而且該行動是一項具有危險的任務。

霹靂小組的克拉格警官建議耍花招——派人捧著必勝客比薩的外送紙盒，假裝該地址有人訂比薩，當威廉·密里根開門時，克警官即可觀察室內的情形。後來，這項計劃被採納了。

但是，當白巡佐看到嫌犯的地址時，他覺得十分迷惑，一位假釋犯爲什麼會遠從蘭開斯特市經過四十五哩到達哥倫布市，在兩個星期內幹下三件強暴案？他總感到有些不對勁。在他們離去前，他拿起電話撥四一一，查詢是否有比利的新地址，他聽了一會兒後，寫下新地址。

「他搬家了，地址是雷諾斯堡舊里維通街五六七三號。」白巡佐做了以上的宣佈，「開車大約十分鐘就可到達，在城東，這樣應該就比較合理了。」

這時，每個人看來無不鬆了一口氣。

九點整，白巡佐、柯警長、麥警探、貝警官以及來自哥倫布市的四名霹靂小組警員分乘三輛汽車出發。高速公路上由於濃霧，能見度極差，只能以每小時廿哩的速度前進。

霹靂小組成員最先到達目的地，平常只需十五分鐘的車程，卻耗去了他們一個小時的時間，然後又在複雜的街道中穿梭來回，花了十五分鐘才找到正確的地址。當他們在等候其他人員時，霹靂小組成員已與一些鄰居交談過了。比利居住的公寓內有燈光。

當警探與校警到達時，每個人都就定位；麥妮可警探隱身在中庭右側的位置，貝警官在大樓四週巡視，另外三位霹靂小組警員則在另一側佔好位置，白巡佐和柯警長跑到大樓後方，爬上雙層可移動的玻璃門上。

克拉格警官從車子的行李廂取出必勝客比薩的外送紙盒，盒子上面用黑筆潦草地寫著：《威廉·密里根——舊里維通街五六七三號。》他將上衣從牛仔褲中拉出，蓋住腰間的左輪手鎗，朝面向中庭四扇門中的一扇走去，按下門鈴，沒有回音，再按一次，聽到房內有一些聲音，他擺出不耐煩的姿勢，一手捧著比薩，另一手放在屁股靠近配鎗的位置。

在屋後藏身的白艾里，看見一位年輕人面對一臺大型彩色電視機，前門左邊有一張紅椅子，起居室和餐廳呈L形，並未看見有其他人，看電視的年輕人從椅子上站起來去應門。

當克拉格再次按門鈴時，看見有個人從門旁的玻璃窗上窺視他，門開了，一位年輕英俊的男子正在瞪他。

「這是您要的比薩。」

「我沒訂比薩呀！」

克拉格試著要看清公寓內的狀況，結果從打開簾子的玻璃窗中看到白巡佐。

「這是您的地址。密里根先生是您的名字嗎？」

「不是。」

「一定是這兒的某個人打電話訂的。」克拉格這麼說，「那麼……你是誰？」

「這是我朋友的公寓。」

「你的朋友在哪裡？」

「他現在不在。」他用遲鈍結巴的語氣回答。

「一定是有人向本店訂了比薩，是威廉．密里根先生，地址也沒錯。」

「我不知道，鄰居應該認識這個人，或許他們可以告訴你，或者比薩是他們叫的。」

「你帶我去好嗎？」

年輕人點點頭，走到隔壁房門，敲敲門，等了一會兒再敲一次，沒人應門。

突然間，克拉格把比薩盒丟到一旁，迅速拔出手鎗，頂住年輕人的頭。「別動！我知道你就是威廉．密里根！」他用手銬銬住他。

這位年輕人一臉茫然的表情。「怎麼回事？我又沒做錯什麼事呀！」

克拉格用鎗抵住他的背，另一隻手緊抓長髮不放。「回屋子裡！」

當克拉格推他進入公寓內，其他霹靂小組成員便一擁而出，圍在他四週，白巡佐和柯警長這時也來到房裡與大夥兒會合。

麥妮可警探將照片取出來，發現照片中的比利頸子上有一顆痣。「他頸子上也有一顆痣，同樣的面孔，就是他沒錯。」

眾人把比利推倒在紅椅上，卻發現他直視前方，眼神恍惚。鄧普西警員彎下腰查看椅子下的東西。「這兒有一支鎗。」他邊說邊用鉛筆把鎗推出來，「史密斯九厘米連發手鎗。」

一位霹靂小組成員將電視機前的棕色椅翻過來，找到彈匣和裝有子彈的一只塑膠袋，但鄧普西叫他停住。「別動，我們只取得逮捕令，沒有搜索令。」他轉向比利，「你准許我們繼續搜嗎？」

比利只是迷惘地看著他們。

柯警長知道他並不需要搜索令查看是否有其他人躲在別的房間裡，於是進入臥室，在一張未整理的床鋪上看見一件棕色的運動外套，房內是一團糟，地板上到處都是未洗衣物；他又查看未關上的衣櫥，衣櫃上有魏達娜和戴凱莉的信用卡，還有一些從女人那兒取來的一些碎紙；抽屜內有一副棕色會變色的太陽眼鏡和一只皮夾子。

他把情形告訴白巡佐，白巡佐當時位在餐廳改裝成的工作室。

「你看看這東西，」白巡佐指著一幅大型畫像，畫中的人物似乎是一位皇后或十八世紀的貴族婦人，身穿藍色鑲花邊的華麗服裝，坐在鋼琴旁，手上捧著樂譜；畫像真的是唯妙唯肖，畫上的簽名是《威廉．密里根》。

「真漂亮！」柯警長說道，他看了一些靠在牆上的其他幾幅畫，還有作畫用的刷子和畫材。

白巡佐猛拍自己的腦袋。「魏達娜說嫌犯指甲縫有一些油漬，現在我知道了，他畫過畫。」

麥妮可走到年輕人那兒，他還坐在椅子上。「你是威廉．密里根，對不對？」

他看著她，眼中有些迷惑。「不是。」他喃喃回答。

「那些漂亮畫像是你畫的嗎？」

他點點頭。

「那麼，」她露出微笑接著說，「上面的簽名是『威廉．密里根』不是嗎？」

白巡佐這時也走到年輕人面前，「比利，我是校警隊的白巡佐，你願意與我談談嗎？」

沒有反應，臉上看不到戴凱莉描述過眼睛飄來飄去的表情。

「有沒有人告訴他的權利？」沒人回答。因此，白巡佐取出權利卡大聲唸出來，他要確定他知道自己的權利。「比利，你已被控告綁架校園中的女孩，可不可以告訴我們發生的經過？」

比利看著上方，一臉彷彿受驚的模樣。「發生了什麼事？我傷害過任何人嗎？」

「你說其他人會為你採取報復行動，你說的那些人是誰？」

「我希望我沒傷害到任何人。」

當一位警員正要進入臥室時，比利注意到了。「別踢那個箱子，你會被炸翻！」

「炸彈？」柯警長立刻問。

「可以指給我們看嗎？」白巡佐問。

「就在裡面……」

比利慢慢站起身來走向臥室，在臥房門口停住，朝梳妝台一旁的一只小紙箱點點頭，當白巡佐前往查看時，柯警長留下與比利站在一起，其他警員則站在比利後面的走道上擠成一堆，白巡佐跪在小紙箱旁，透過紙箱上蓋的縫隙，可以看見電線和鬧鐘之類的玩意兒。

他退出房間，並向鄧普西警官說道：「最好叫爆破小組過來處理，柯警長和我要回警局，比利跟我們一道去。」

柯警長駕駛校警車，霹靂小組的一名成員坐在他旁邊，後座則是白巡佐和比利。一路上，他並未回答有關強暴的案子，他只是身體往前傾斜，由於手銬銬在背後，看來十分頽喪，口中還說著一些不連貫的話語：「我哥哥史都華已經死了……我傷到別人沒有？」

「你認識那些女孩嗎？」白巡佐問他，「認不認識那位護士？」

「我母親是護士。」比利喃喃說道。

「告訴我，你為什麼要到大學校園裡尋找下手對象？」

「德國人會追殺我。」

「比利，談一下曾經發生了什麼事好嗎？是不是護士的長髮對你很有吸引力？」

比利瞪著他，說道：「你這個人很奇怪。」然後又說：「如果妹妹知道的話，會恨我的。」

白巡佐放棄了。

他們到達警察局，一行人自後門進入到達三樓審訊室；白巡佐和柯警長進入另一間辦公室，協助麥妮可警探進行搜索票的準備事宜。

十一點卅分，貝警官再次將權利唸給比利聽，並且問他是否願意簽署棄權，比利只是瞪大了眼睛看著他。

貝警官說：「比利，你聽清楚了，你強暴過三個女孩，我們想知道其中的細節。」

「是我做的嗎？」比利問道，「我傷害了任何人嗎？如果是的話，我很抱歉。」

語畢，比利便不再說話了。

貝警官帶他到四樓鑑識室，打算要他按捺指紋、拍照。

當他們進去時，一位身穿制服的女警員抬頭看了一眼，貝警官抓起比利的手正要按手印，結果比利突然推開他，彷彿受到驚嚇一般，躲到另外那位女警察的背後尋求保護。

「他大概在害怕什麼！」她這麼說，然後轉身面向臉色蒼白的年輕人。她輕聲細語，好像是在對一位小朋友說話。「我們必須採下你的指紋，你聽懂我說什麼嗎？」

「我……我不要他碰我。」

「沒問題，」她說：「我來做，可以嗎？」

比利點頭同意了，他讓她按下指紋；拍完照，由另一位警官他帶進入拘留室。

當搜索票表格填妥，麥妮可警探便立刻打電話給韋斯特法官。聽完了麥警探蒐集到的證據，並且顧及事件的急迫性，韋斯特法官要求麥警探去他家。當天凌晨一點卅分，法官簽署拘票，麥警探立刻開車冒著濃密的大霧返回比利的公寓。

後來，麥警探打了一通電話給機動犯罪現場鑑識小組。清晨兩點十五分，該小組到達公寓，她亮出搜索票之後便開始展開搜索。他們將罪犯公寓中所取得的物品列了一份清單：

衣櫃——現金三百四十三元、太陽眼鏡、手銬、鑰匙、皮夾、威廉・席姆斯及威廉・密里根的身份證，另外還有魏達娜的計算本。

壁櫃——魏達娜及戴凱莉的萬事達信用卡，魏達娜的醫院掛號證，倪波莉的照片，裝有五發子彈的二五口徑自動手鎗。

梳妝台——記載倪波莉姓名及地址的三・五×十一的紙條，紙是從她筆記本上撕下來的。

掛板——彈簧折刀，兩盒粉。

抽屜——威廉的電話費帳單、史密斯手鎗皮套。

紅椅下方——史密斯九厘米手鎗、彈匣、六發子彈。

棕色椅下方——裝有十五發子彈的彈匣，以及一只裝有十五發子彈的塑膠袋。

回到警局後，麥妮可將所有證物轉交給證物記錄組，經過登記後送交保管室。

「這些玩意兒已夠定他的罪了。」她這麼說。

比利畏縮在小牢房角落裡，全身抖得很厲害，突然發出一陣輕微的哽塞聲便暈了過去。一分鐘之後，他張開眼睛，驚慌地看著四週的牆壁、廁所和床舖。

「我的天哪！」他高聲大叫，「又來了！」

他坐在地板上，兩眼無神，隨後看見角落上的蟑螂，一臉茫然的表情消失了，兩腳交叉，腰向前彎，兩手托腮。當他在觀看蟑螂繞著圈子跑時，好像小孩一般笑了起來。

(2)

幾個小時後，比利甦醒過來了。這時，一群警探前來帶他走出牢房，和另外一位高大的黑人銬在一起。一群犯人被帶離大廳，走下階梯，從後門出去到達停車場，被送上駛往富蘭克林郡立監獄的囚車。

囚車駛入哥倫布市的商店區，前往位於市中心新近建造完成的監獄。監獄是兩層樓建築，向內伸展的外牆非常堅固而且沒有窗戶，在兩層樓的中庭豎立了一尊富蘭克林總統的塑像。

囚車駛進監獄後側小巷，停在有厚鐵柵欄的門前，從這個角度可以發現，監獄是一棟緊鄰富蘭克林郡司法大廈的建築物。

鐵欄柵門正往上捲起，囚車開進去，鐵門隨之關上，戴手銬的囚犯魚貫步下囚車，停在監獄兩扇大鐵門之間。比利已經從銬住的手銬中開脫了，他一個人留在囚車內。

「快下車，威廉．密里根！」警員大叫，「去你的強姦犯，你以爲這是什麼地方？」

當初與比利銬在一起的黑人說道：「這不關我的事，我發誓是他自己弄開的。」

獄門突然打開，六名囚犯在監獄的走道上集合，從圍起的鐵條間可以看見控制中心——監視器、電腦終端機和十幾名身穿灰色警察褲子或裙子，以及黑色上衣的男女警察。當身後的外門關上時，內部的鐵條門開啓了，囚犯們一一被帶進去。

大廳裡到處是身穿黑色襯衫的人走來走去，電腦終端機的鍵盤聲此起彼落。在入口處，一位女警員拿著一只牛皮紙袋，「値錢的東西放進去！」她叫道，「戒指、手錶、珠寶、皮夾。」當比利將口袋的東西掏空之後，她連他的外套也拿走，並且在交給保管室的警官之前，還仔仔細細搜查了夾克的夾層。

另外一位年輕警員又再次更謹愼地進行搜身，然後比利便與其他囚犯待在等候室內，等候登記和分發牢房的作業，那個黑人靠到比利身旁說：「我想你大概是個大人物，居然能從手銬中脫逃，現在看看能否帶我們逃離這個鬼地方。」

比利看著他，臉上毫無表情。

「你只要和這些警察的關係搞砸了，」他說道，「他們就會刑求你至死才休，你可得相信我說的，因爲我已經有太多次進來的經驗了！你有被關的經驗嗎？」

比利點點頭，說道：「這就是我不喜歡的原因，而且也是我想離開的原因。」

(3)

距離監獄一個街區遠的公設辯護律師辦公室裡，電話鈴聲響起；辦公室裡的史凱瑞律師今年卅二歲，個子很高，蓄一口髫子，正要點燃煙斗，電話是一位律師——雷蒙打來的。

「這是我在司法大廈裡聽來的消息，」雷蒙在電話裡說，「警方昨天逮到校園之狼了，他們才把他移往監獄，他們要求的保釋金是五十萬，你趕緊指派個人擔任他的辯護律師。」

「雷兒，這兒一個人也沒有，只有我一個人留守。」

「但消息已經公布了，各大媒體記者很快就會趕來，我總感覺警方一定會對嫌犯施壓。」

在重大刑事案件中，逮捕到人犯之後，警方仍會繼續進行調查。如果是一般案件，史凱瑞組長會依輪值表派一位律師前往監獄，但這並非一樁普通案件，由於大衆媒體對校園之狼的廣泛報導，已對哥倫布市警局帶來極大的壓力，因此史凱瑞認爲警方可能會對犯人逼口供，爲了保障嫌犯的權利，他認爲有必要加倍努力爲嫌犯辯護。

史凱瑞決定自己去一趟監獄，除了簡單向犯人自我介紹是公設辯護律師，他警告嫌犯，除了自己的律師之外，絕不可與其他人談話。

史凱瑞得到許可進入監獄，剛好看見兩位獄警押著比利走出來。他們將犯人交給值勤獄警，史凱瑞要求能與犯人私下做簡短的談話。

「他們說我曾經做過一些事，但我都不知道。」比利滿口抱怨，「我不記得了，我只知道他們突然衝進來，而且……」

「聽著，我只想介紹我自己。」史凱瑞說道，「這兒很吵，不是討論案情的地方，一兩天之內我們會與你單獨談一談。」

「但我已經記不得了，他們在我公寓裡找到一些東西，而且……」

「好了，別再說了！當心隔牆有耳，尤其他們帶你上樓時更要小心，警察有太多花招了，別和任何人談話，即使其他犯人也不行。他們中間總有些人會伺機而動，出賣自己手頭上任何可以到手的情報。如果你想要有個公平審判，就立刻把嘴閉上！」

比利直搖頭，猛擦雙頰，極想談論案情。然後，他喃喃說道：「別讓他們判我的罪，我想我可能會發瘋的。」

「我們會想辦法，」史凱瑞說，「但我們不可在此談論。」

「可不可以找個女律師處理我的案子？」

「我們有位女律師，我來安排一下。」

史凱瑞看見獄警要比利脫下便服，換上監獄重刑犯穿的藍色獄服，看來這個案子很棘手。比利非常緊張，他並未眞的否認警方控訴的罪行，他只是重複說他不記得了，這種現象倒十分罕見。莫非校園之狼會自稱自己是精神錯亂嗎？史凱瑞可以想像得到，媒體將會如何報導這個案子。

走出監獄之後，史凱瑞買了份報紙，看見頭版的大標題是：

警方逮獲校園之狼嫌疑犯

新聞中的報導談到其中一位受害者，該受害者是在兩週前遭強暴的廿六歲大學研究生，警方要求她前去指認嫌犯，新聞報導的上方還有一張附有姓名的照片：《威廉．密里根》。

當他返回辦公室，便立刻打電話給其他報社，要求他們不可再刊出嫌犯的照片，因爲這樣對下週的嫌犯指認將會產生不良影響，但他的要求均遭各報社拒絕。他們說，取到照片就一定要刊登。史凱瑞無奈地摸摸鬍子。然後，又打電話給老婆說今晚會晚點兒才回去吃飯。

「嗨！」有人在辦公室門口大叫，「你眞像一頭鼻子被卡在蜂窩裡的熊。」

他頭往上一抬，看見茱迪的笑臉。

「可不是嗎？」他大聲答，「看看，是什麼風把妳給吹來的？」

那位女訪客將散在臉上的褐色長髮整理了一下，現出她美麗的臉龐，但淡褐色的眼睛卻露出疑問的眼神。

他將報紙遞給她，指著照片和報上的標題，他低沉的笑聲在小辦公室中迴盪。「下週就要進行嫌犯指認的工作了。威廉．密里根要求一位女律師協助，校園之狼的案件就交給妳了。」

(4)

星期一早晨九點四十五分，茱迪來到警局指認室，當天是十月卅一日，比利被帶進等候室時，她看見他驚慌異常的神色。

「我是公設辯護律師辦公室的律師。」她說道，「史律師說你需要一位女辯護律師，他和我一起處理這個案子，現在你需要的是鎮定下來，你看起來就像要崩潰了。」

他遞給她一張折好的紙條。「我的假釋官星期五將這張紙條交給我。」

她把紙攤開，看見那是從假釋委員會發出的「拘留令」，上面要求比利必須受到監禁，並且通知他，監獄將以違反假釋規定召開第一次調查庭，由於他被逮捕時，警方在他公寓裡發現武器。她知道他的假釋將被取銷，而且會立即被遣返到接近辛辛那提市的利巴嫩監獄接受審判。

「公聽會將在下週三舉行，不過我們會想辦法讓你仍待在此地，我們寧可讓你留在哥倫布市，在這裡我們才方便和你見面。」

「我不要回到利巴嫩監獄。」

「現在你先別緊張。」

「我一點兒都不記得他們說我曾經做過的事。」

「這個問題稍後再談，現在你只要過去那邊的高台，站在那兒就行了，你辦得到嗎？」

「我想我可以。」

「把頭上的亂髮梳理一下，讓他們可以清楚看見你。」警員帶領他走上台階，和其他人列隊站在一起，比利站在第二號的位置上。

總共有四個人站在那兒供人指認，由於魏達娜護士已經指認出作案的嫌犯，因此她無需參加這次的指認，她已前往克里夫蘭與她的未婚夫相會。孟欣蒂是『克拉格』商店的店員，她曾被要求兌換一張支票，她並未指認出比利，她選的是三號；另外一位是曾經在八月遭人強暴的婦女，她想可能是二號但又不敢確定；戴凱莉則說站在台上的人沒有八字鬍，因此也不敢確定；但是二號的男子看來似乎曾經見過；倪波莉則做了很明確的指認。

十二月三日，陪審團認定他有罪：三件綁架案、四件強暴案和三件搶劫案，所有指控均屬一級重罪，每一項罪名均可判四年到廿五年之間的有期徒刑。

檢察局很少干預指定辯護律師，即使是重大的謀殺案也一樣，通常的作業程序是由重案組的主管在二至三個星期前，依照輪流的方式指派某位高級檢察官負責。但是，邵檢察長史喬治召集了兩位高級檢察官，告訴他們由於校園之狼已激起公憤，因此要求他們兩位負責這件案子，並且要嚴厲加以懲處。

薛泰檢察官今年三十二歲，一頭黑捲髮，一撮茂密的八字鬍，他一向對性犯罪的嫌犯都非常嚴苛，他自豪地說，他從未在任何強暴案中輸給陪審團，當他查閱檔案資料時，大笑了起來。「這個案子贏定了，拘票作業完美無缺，這小子要倒大楣了，公設辯護律師這回沒戲唱了！」

蔡伯納檢察官今年三十五歲，隸屬刑事檢察局，是比茱迪和史凱瑞早兩期的學長，他很瞭解他們兩人的個性；史凱瑞曾是他屬下，在未進入檢察局工作前，他自己曾有擔任公設辯護律師四年的經驗，他同意薛泰檢察官的看法，這將會是他擔任檢察官以來對檢方最有利的一個案件。

「最有利？」薛泰問道，「有了這麼多的物證、指紋、身份證明，我們全拿到了，我告訴你，他們什麼都沒有。」

幾天後，薛泰與茱迪會面，他決定採攤牌的方式談。「比利的案子沒什麼好討價還價的了，我們已經逮到歹徒，檢方將要求庭上判他重罪，妳什麼都沒有。」

但蔡伯納較深思熟慮，由於他曾有擔任公設辯護律師的經驗，他知道如果換成他是茱迪或史凱瑞，將會知道該怎麼做。「他們還有一條路可以選擇——申訴當事人精神異常。」

薛泰聽了不禁放聲大笑。

隔天，比利用頭撞牆企圖自殺。

「他不想活著接受審判。」當史凱瑞得知這個消息時，告訴茱迪這句話。

「我不認為他禁得起審判的考驗，」她說，「我想我們應告知庭上，他無法為自己答辯。」

「妳希望他接受精神科醫師的檢查？」

「我們必須這麼做。」

「天哪！」史凱瑞說，「我現在就知道報紙的標題是什麼了。」

「去他的報紙！那男孩一定是什麼地方不對勁，我不知道問題的所在，但你可看到了，在不同的時間他有截然不同的表情，他說不記得強暴一事，我相信他說的。他應該接受檢查。」

「費用誰負擔？」

「我們有基金呀！」她接著說。

「是啊，好幾百萬元咧！」

「好了，別逗了，我們應該付得起請一位精神科醫生的費用吧！」

「去跟法官說吧！」史凱瑞滿臉抱怨之情。

法院同意延後下次開庭的時間，允許比利接受精神科醫師的診療。這時，史凱瑞將注意力轉移到星期三早晨八點半由假釋官所舉行的公聽會。

「他們會送我回利巴嫩監獄去的！」比利說道。

「如果我們幫得上忙的話就不會。」史凱瑞如此回答。

「他們在我公寓找到手鎗，而那是我假釋的一項限制條件：絕不可購買、擁有、佔有、使用或在控制之下的致命武器、輕武器。」

「這個嘛……或許是的。」史凱瑞說道，「但如果我們要爲你辯護的話，我們希望你留在哥倫布市，在這兒我們可以和你一起工作，在利巴嫩監獄就不可能了。」

「你們準備怎麼做？」

「這你就不用操心。」

史凱瑞見到比利笑了起來，他眼神中欣喜的表情是以前從未見過的，不但整個人輕鬆了許多，而且也可以開始談天說笑；和第一天初見面時神經緊繃的情形完全不同，或許爲他辯護並不像當初所臆測的那麼糟吧？

「就像這樣，」史凱瑞告訴他，「要保持冷靜。」

他引領比利進入會議室，房裡已坐著假釋官，每人座位前均有一份貝警官的報告；詳述進行逮捕時，他在比利的屋內發現有一支九厘米史密斯手鎗，以及裝有五發子彈彈匣的二五口徑半自動武器，另外一份資料則是比利的假釋官報告書。

「各位先生，請告訴我，」史凱瑞用手指撫摸唇上的八字鬍，「那些鎗是否能擊發？」

「還未試過，」主席回答說，「但都是眞鎗，而且還有彈匣。」

「如果還未測試，怎能確定那就是致命武器呢？」

「要到下星期才會安排試射。」

史凱瑞猛拍桌子。「我要求各位今天做出撤銷假釋的決定，否則就必須等到法院公聽會之後。現在，請告訴我它到底是鎗還是玩具？」他向室內的人一個接一個盯著看。

主席點點頭，「各位先生，我想我們也別無選擇了，我們必須等待鑑定這是不是眞鎗之後，再決定該不該取消假釋。」

第二天早晨十點五十分，比利的假釋官送來一份通知，假釋吊銷的公聽會將在一九七七年十二月十二日於利巴嫩監獄舉行。比利無需出席。

爲了瞭解警方在公寓中發現的證物，茱迪到獄所會見比利。

他說話時，從眼中能看到一股絕望的神情。「妳認爲是我幹的，對不對？」

「比利，我認爲有沒有做並不重要，現在必須處理的是這些證物，我們希望找到你擁有這些證物的原由。」她看見他的眼神呆滯，彷彿整個人從她面前消失，退回到他的內在世界去了。

「這不打緊，」他說道，「不是什麼大不了的事。」

次日，她收到一封用黃色信紙書寫的信。

親愛的茱迪：

寫這封信的原因是我無法用言語表達我的感覺，同時也希望妳比其他人更瞭解我。

首先，我要感謝妳曾爲我做過的事，妳是一位仁慈而甜美的女人，已經做了妳能做的事，任何人都無法再苛求妳做更多的事了。

請妳用純潔的心忘了我吧！請轉告貴辦公室，我不再需要律師。

現在，妳也認爲我是有罪之身。是的，我一定是的；以前我所做的一切，也都只是要確定這一點而已。在我一生當中，我所做的一直都是在傷害那些愛我的人；最糟糕的是，我一點兒也幫不上忙，因爲我自己也無法制止。把我關在牢房裡只會讓事情發展得更惡劣，就像上回一樣，精神科醫師不知道該怎麼做，因爲他們也不知道我什麼地方出了問題。

現在，我必須自己做個了斷，我要放棄一切，我再也沒有什麼值得留戀的了。可否請妳爲我做最後一件事？請打電話告訴我母親或凱西說別再來了，我不希望再看見任何人。因此，請她們省些路費吧！但是我眞的很愛她們，而且也覺得很抱歉。妳是我所認識的律師中最好的一位，我會永遠記得妳對我的好意。再見！

那晚値勤的警員打電話給史凱瑞律師，「你的當事人又想自殺了！」

「天哪！他怎麼了？」

「呃……你是不會相信的，但我們會控告他毀損郡政府的財物，他把牢房中的馬桶打碎，然後用銳利的碎瓷片割自己的手腕。」

「怎麼搞的嘛！」

「還沒結束呢！你的當事人一定有問題，他是用自己的拳頭打碎馬桶的。」

(5)

史凱瑞和茱迪不理會比利寫的那封信，他們每天都按時去監獄看他。公設辯護律師辦公室決定撥出經費支付診察費用，一九七八年一月八日及十三日，心理醫師魏里斯進行了一系列測試。

智力測驗的結果顯示比利的智商只有六十八，然而魏里斯認為，他的沮喪導致他的智商分數降低。從報告中得知，比利患有嚴重的精神分裂症：

他患有極嚴重的忘我症，自我意識的辨識能力非常差，已喪失距離判斷力，而且也已經不太能分辨自己與環境之間的差異……他會聽見有人叫他做某些事情，當他不服從時，心中的那個人就會對他斥責怒吼，比利認為那是魔鬼折磨他的聲音。他也同時提到有一些好人會定期侵入他的身體，而這些好人則是為了要征服其他壞人而來的……依照我的見解，比利目前沒有能力為自己辯護，他已經沒有能力去應付每天發生的事，我強烈主張應該送他到醫院接受進一步的檢查，並接受可能的治療。

一月十九日展開第一次的辯論庭。史凱瑞與茱迪將醫師報告上呈佛傑法官，證明他們的當事人無法為自己答辯。佛傑法官表示，他將命令位於哥倫布市的西南社區心理復健中心檢查被告的心理狀態，史凱瑞和茱迪頗為擔心，因為該中心通常都偏袒檢方。

史凱瑞堅持無論在何種情況下，西南心理復健中心所提出的報告不可用來作為不利於被告的資料，薛泰檢察官與蔡伯納檢察官不同意這項提議。史凱瑞和茱迪則恫嚇說，他們將要求被告不要與該中心的心理學者交談。佛傑法官當場裁定他們這是不禮貌的舉止。

最後，雙方獲致妥協，檢察官同意只有當被告在為自己答辯時，檢察官才可詢問他任何他曾經與法院指定心理學者之間的談話內容。少許的勝利總比沒有好，公設辯護律師最後放手一搏，允許西南心理復健中心的心理治療單位依協議條件與比利面談。

「太好了！」離開佛傑法官的辦公室，薛泰笑著說，「看他們還能耍出什麼把戲！終歸是無濟於事的。我仍然確定這案子我們是贏定了！」

為了防止比利再自殺，警衛將比利移到位於療養所的單人囚牢，同時讓他穿上緊身衣。下午稍晚，魯斯醫師巡視囚犯，他無法相信親眼所見的事實，於是喚來負責三點至十一點的值勤警官。從監牢的柵欄間望進去，只見比利正在打哈欠，緊身衣被他脫掉當枕頭，很快就進入夢鄉。

第二章

(1)

西南心理復健中心安排第一次面談的日期是一九七八年一月三十一日，譚如茜是一位害羞又具有母愛的心理學者，她抬起頭看著警員帶比利走進會客室。

眼前見到的是一位身高八呎，面貌瀟灑的年輕男子，身穿藍色外套，臉上長滿鬍鬚和鬢角，但眼中卻帶有孩子般的恐懼。他見到她似乎有些驚訝，但是當他坐在她對面時，卻又展開笑容，兩手交叉放在膝上。

「比利，我是西南心理復健中心的譚如茜，我要請教你幾個問題，你現在住哪兒？」

他眼睛四處瞄了一下，「在這兒。」

「你的身份證號碼？」

他皺起眉頭，想了許久，眼睛盯著地板，望望黃色的煤渣磚牆和桌上的錫鐵煙灰缸，同時還啃咬自己的指甲，不斷研究指甲上的皮屑。

「比利，」她說道，「如果你不合作的話，我就沒法幫你忙，你必須回答我的問題，我才會知道發生了什麼事，請告訴我你的身份證號碼？」

他聳聳肩說：「我不知道。」

她看著自己的便條紙，唸出號碼。

他搖搖頭。「那不是我的號碼，那一定是比利的。」

她突然抬頭望向他。「這麼說，你不是比利囉？」

「不是，」他說道，「那不是我。」

她皺了一下眉頭，「如果你不是比利，那麼你又是誰呢？」

「我是大衛。」

「比利在哪裡？」

「比利睡著了。」

「他在哪兒睡覺？」

他指著自己的胸腔。「在這兒，他在睡覺。」

譚博士嘆了一口氣，振作一下自己，很有耐心地點點頭。「我必須和比利談一談。」

「呃……亞瑟不會同意的，比利睡著了，亞瑟不會叫醒他的，如果這麼做，比利會自殺。」

她花了很長的時間端詳這位年輕人，不知該如何繼續，他說話的聲調和表情卻像小孩。「稍等一下，我希望你能做個解釋。」

「我辦不到，我已經犯錯了，我不該說出來的。」

「爲什麼？」

「別人會找我麻煩！」在他的聲音中有著一股畏懼。

「你的名字是『大衛』？」

他點點頭。

「你說的別人又是誰？」

「我無法告訴妳。」

她輕敲桌面。「我想，大衛，你必須告訴我這些事，我才能幫你。」

「不可以，」他說道，「他們眞的會生氣，而且也不會再讓我出來了。」

「但是你必須找個人談談，因爲你非常害怕，對不對？」

「是的。」他眼睛裡開始出現淚水。

「大衛，『相信我』是很重要的事，你必須告訴我，我才知道該如何來幫你。」

他想了很久，最後聳聳肩，「在一種情況之下我才告訴妳，妳必須承諾要保守秘密，不可告訴世界上任何一個人，任何人，絕不可以！」

「好的，」她說，「我答應你。」

「一輩子？」

她點點頭。

「要說妳承諾。」

「我承諾。」

「好吧！我告訴妳，我並不清楚所有的情形，亞瑟才知道。正如妳所說的，我是嚇壞了，因為大部分的時候我都不知道發生了什麼事。」

「你幾歲？大衛？」

「八歲，還不滿九歲。」

「為什麼是你來和我談話？」

「我自己也不知道為什麼會出現，有人在監牢裡受傷，我是出來承受痛苦的。」

「可不可以說清楚點兒？」

「亞瑟說我是痛苦的承受者，當有傷痛發生時，我就必須出現承受。」

「這一定很痛苦、很難受。」

他點點頭，眼中再度充滿淚水。「這不公平！」

「大衛，什麼是『出現』？」

「亞瑟是這樣告訴我們的，必須要有人站出來，那是一盞很大的白色聚光燈，每一個人都站在那盞燈的四週，看著它或在床上睡覺，只要誰站在光圈裡，誰就得到這個世界來。亞瑟告訴我們，不論誰站在那兒，誰就擁有知覺。」

「其他的人是誰？」

「有很多人，我並不全都認識，我只認識其中幾位，不是全部。噢！不行了！」他開始喘氣。

「我已經告訴你亞瑟的名字，說出這個秘密我就一定會遭殃。」

「怎麼了？」

「大衛，沒關係，我答應絕不說出去。」

他在椅子上坐立不安。「我不能再說了，我好害怕。」

「好了，大衛。今天就到此爲止，但明天我還會再來，我們再多談一些。」

走出監獄之後，她停下腳步拉緊外套，好抵擋不斷吹襲而來的冷風。在未到此之前，她以爲自己要面對的是個佯裝精神錯亂的重刑犯，爲了逃避法律制裁。她從未想到會是如此的結果。

(2)

第二天，譚如茜發現當比利進入會客室時，神情有些不同，他躲避她的眼光，坐在椅子上時雙膝上抬，兩手玩弄鞋子。她問他感覺如何。

剛開始，他未回答，只是張望四週，有時看看她，彷彿未曾見過面，然後他搖搖頭。當他開口說話，音調像是英國倫敦口音。「好吵喲！」他說道，「妳！所有的聲音也一樣，你們大概都不曉得發生了什麼大事！」

「大衛，你的聲音很奇怪，這是什麼地方的腔調？」

他頑皮地看看她。「我才不是大衛，我是克里斯朵夫。」

「哦？大衛在哪兒？」

「大衛太差勁了！」

「你說什麼？」

「這個嘛……他讓大夥兒很生氣。」

「你可以說明一下嗎？」

「不可以，我不想落得像大衛的下場。」

「他有麻煩？」譚如茜皺起眉頭問道。

「他洩密。」

「洩什麼密？」

「妳知道的，他把秘密說出來了。」

「你可不可以談談你自己呢？你幾歲？」

「十三歲。」

「喜歡做什麼事？」

「我會打一點小鼓，但口琴吹得更好。」

「你老家在哪兒？」

「英國。」

「你有任何兄弟或姊妹嗎？」

「只有克麗斯汀，她已經三歲了。」

當他口操倫敦腔說話時，她必須更留心端詳他的臉，他很開朗、誠懇而快樂，和昨天的他有很大的差別。比利肯定是個不可思議的好演員。

(3)

二月四日，譚如茜三度探望比利，她發現進入會客室的他與前兩次又截然不同了。他態度隨便地坐下，全身無精打采靠在椅背上，用高傲的眼神望著她。

「你今天好嗎？」她問道，但心中卻害怕他將說出的回答。

他聳聳肩說道：「還好。」

「可不可以告訴我大衛和克里斯朵夫他們現在如何了？」

他皺起眉頭，眼露凶光看著她。「小姐，我並不認識妳吔！」

「呃……我來這兒是爲了幫助你的，我們必須討論一下曾經發生過的事。」

「別逗了，我並不知道發生了什麼事。」

「你不記得前天和我談過話嗎？」

「妳到底在說什麼呀？這輩子我從沒見過妳！」

「可不可以告訴我你的名字？」

「湯姆。」

「就湯姆而已？」

「是的，就叫湯姆。」

「幾歲？」

「十六歲。」

「可否告訴我一些有關於你自己的事？」

「小姐，我可不和陌生人說話，請勿打擾我。」接下來大約有一刻鐘，她試著要再與他交談，但「湯姆」卻不為所動。離開監獄時，她站在監獄大門，心中回想起「克里斯朵夫」及對「大衛」做出絕不可洩露秘密的「承諾」，這讓她陷於兩難的困境；一方面她曾答應保守秘密，另一方面又有責任將目前的狀況告訴比利的律師。後來，她打電話到公設辯護律師辦公室，要求與茱迪說話。

「聽著，」當茱迪拿起電話時，譚博士這麼說，「我目前還不能和妳討論案情，但是如果妳還未讀過《自我迷失》這本書的話，我建議妳先去買來讀一讀。」

茱迪接到譚博士的電話感到很意外，當天晚上就到書店買了一本《自我迷失》，回家後立刻閱讀。當她瞭解書中的情節時，便靠在床上，眼睛瞪視天花板，心想：「書中談論的是多重人格，難道這就是譚博士想告訴我的訊息？」此刻，在她腦海裡浮起比利與其他人站成一排等待指認時全身發抖的情景；她又想到有時他侃侃而談，不斷說笑話，充滿智慧的情景；當時她還認為，這樣的改變乃是由於受到情緒沮喪的影響；後來她又想到警衛說過他可以從緊身夾克脫身的故事；魯斯醫師談到比利有時會顯現出超人的能力；比利曾經說過的話也讓她覺得不安：「我不記得他們說的那些我曾經做過的事，我不記得任何事情。」

她打算將熟睡中的丈夫叫醒，想和他討論有關比利的事，但她知道他會怎麼說；她也知道如果與任何人談這件事，別人會有什麼樣的想法。她在公設辯護律師辦公室服務已經超過三年了，從未遇見過像比利這樣的被告。最後，她決定暫時不把內情告訴史凱瑞，她必須親自進行查證。

第二天早晨，她打電話給譚博士。「我看過的比利在過去幾週當中，有時行為非常怪異，那是情緒上的轉變，他有神經質，但我無法斷定他就是『自我迷失』書中提到的情形。」

「過去幾天來，對這個想法我也有同樣的掙扎。」譚博士說，「我對他承諾過不可以告訴任何人，我必須堅持下去。我只是建議妳讀這本書，但我正試著要對方同意讓我將秘密告訴妳。」

茱迪告訴自己，譚博士乃是西南社區心理復健中心的法定心理學者，是檢方的人員，然後開口說道：「由妳決定，請隨時告訴我妳要我做什麼。」

當譚如茜第四度回去看比利時，她見到的是那位受到驚嚇的小男孩，也就是第一天自稱大衛的那個男孩。

「我知道我答應過你絕不可洩露秘密，」她說，「但我必須告訴茱迪律師。」

「不可以！」他大叫，還跳了起來。「妳答應過我！如果你告訴她，她會不喜歡我的！」

「她會喜歡你，她是你的律師，她有必要知道內情，這樣她才能幫助你。」

「當初妳做過承諾，如果妳違背諾言，那就是撒謊，妳不可以說出來，我會有麻煩的，亞瑟和雷根對我很生氣，因為我把秘密說出去了，而且……」

「誰是雷根？」

「妳承諾過的，承諾是世界上最重要的一件事！」

「難道你不瞭解嗎？大衛，如果不告訴茱迪，她就無法救你。或許你就要一直待在監牢裡。」

「我不管，那是妳的承諾。」

「但是……」她看見他的眼睛茫然了，而且嘴巴也開始蠕動，似乎在自言自語，然後又坐直身子，兩手緊握，眼睛瞪著她。

「女士，妳沒有權利，」他用一種爽快、夾雜上流社會的英國腔說話，下顎只動了一下。「對一個小男孩自毀諾言。」

「我不認為我們曾經見過面，」她說道，同時也不禁抓緊椅子，試著隱藏心中的驚訝。

「他曾和妳談到我的事。」

「你是亞瑟？」

他點點頭表示同意。

她深深吸了一口氣。「現在，亞瑟，告訴律師事情發生的經過是很重要的！」

「不，」他說道，「他們不會相信的。」

「為什麼不試試看呢？我只要帶茱迪來和你見面，而且……」

「不要！」

「這可能會助你們解除牢獄之災，我必須讓……」

他身子往前傾，用藐視的眼光看著她。「譚博士，讓我這麼說吧！如果妳帶任何人一同過來，其他人都會保持靜默，到最後妳看起來就會像個傻瓜。」

與亞瑟爭論了十五分鐘，她發現他的眼光又茫然了；只見他身體向後靠在椅背上，再度傾身向前時，聲音已經變了，語氣很隨和而且友善。

「妳不可以說，」他說道，「妳曾經許下諾言，許諾言是很神聖的事。」

「現在我是和誰說話？」她小聲地問。

「我是亞倫，通常都是由我和茱迪、史凱瑞交談的。」

「但是他們只知道比利．密里根！」

「我們都使用比利的名字，這麼做就可以保守秘密了，但比利睡著了，他已經睡了很久。」

「你說多半是由你和茱迪、史凱瑞談話，除了你之外，他們還和誰交談過？」

「唔……他們並不知道，因為湯姆的聲音和我很相似，緊身衣或手銬無法困住他。我們有很多相同點，但不同的是，多半由我來說話，他是那種下流刻薄的人，人際關係不如我。」

「他們還與誰見過面？」

他聳聳肩，「史凱瑞第一次見到的是丹尼，當時他嚇得半死，而且語無倫次，他並不知道發生了什麼事，他只有十四歲。」

「你幾歲？」

她嘆了口氣，搖搖頭說：「好了，亞倫，看來你很聰明，我想你會瞭解我爲什麼必須棄守承諾的理由，因爲茱迪和史凱瑞一定要知道發生了什麼事，這樣他們才可能爲你們提出適當的答辯。」

「亞瑟和雷根反對，他們說別人會認爲他們瘋了。」

「但是如果和被關在監牢相比，你不認爲値得這麼做嗎？」

他搖搖頭，「這不是我所能決定的，這輩子我們一直都在保守這個秘密。」

「誰可以做決定？」

「呃……必須經過所有人的同意，亞瑟是總負責人，但秘密是屬於每個人的，大衛已經告訴過妳了，我不能再多說。」

她試著向亞倫解釋，身爲心理學者，她有職責將這些內情告訴律師，但亞倫說這無法保證一定會有幫助，尤其當社會大衆和報紙標題都刊載出來的話，他們在監獄中就混不下去了。

此時大衛出現了，他乞求譚博士一定要信守承諾。

她要求再度與亞瑟談話。亞瑟出現了，皺著眉頭，他說：「妳眞的很煩人喲！」

她和他不停爭論。最後，她感覺到他已逐漸退讓。「我不喜歡和女士爭吵。」他嘆了一口氣，靠向椅背。「如果妳認爲有絕對的必要，而其他人也都同意的話，那麼我也會同意。但是妳必須得到每個人的同意。」

她花了好幾個小時說服每次出現的人，她向他們解釋目前面臨的狀況；每次出現不同的人時，她仍覺得不可思議。到了第五天，她面對的是湯姆。「現在你瞭解我必須告訴茱迪小姐了。」

「小姐，無論妳想做什麼，只要我看不到就行了。」亞倫這麼說：「在這個世界上，除了茱迪，妳不可以再告訴其他人，而且妳要她也承諾絕不可告訴其他人。」

「我同意。」她回答，「我不會讓你後悔的。」下午，譚如茜離開監獄直接驅車前往律師辦公室。她與茱迪律師談話，說明比利訂下的條件。

「妳的意思是我不可以告訴史凱瑞？」

「我必須信守承諾，能讓妳知道已經花了我九牛二虎之力了。」

「我還是很懷疑。」茱迪如此說道。

譚如茜說：「很好，我也一樣，但我向妳保證，當妳見到他，肯定會大吃一驚！」

(4)

當警察將比利帶入會客室時，茱迪注意到他的神態畏畏縮縮的，像害羞的青少年，彷彿很怕警察。只見他迅速跑到桌旁，坐在譚如茜身邊。警察離去後，他才開口說話，雙手一直互搓。

譚博士說道：「你可以告訴茱迪你是誰嗎？」

他退回椅背，搖搖頭，眼睛望向門口，似乎想確認警察是否已經離去。

「茱迪，」最後譚博士說，「這位是丹尼，我和他已經很熟了。」

「嗨！丹尼。」茱迪試著掩飾自己爲難的感覺。

他抬起頭看著譚博士，小聲說道：「妳看，她看我的樣子好像我是個瘋子。」

「不，」茱迪接著說，「我只是被搞迷糊了，這是非常特殊的情形，你幾歲呢？丹尼？」

他像是剛被解開手銬一般，不停搓揉手腕，試著讓血液循環順暢，但是他沒回答。

「丹尼十四歲，」譚博士說，「是個優秀的畫家。」

「你大概都畫些什麼畫？」茱迪問道。

「多半是一些有生命的東西。」丹尼回答。

「你是否也會畫一些警察在你家發現的那些風景畫呢？」

「我不畫風景畫，我不喜歡地面。」

「爲什麼？」

「我不能說，否則他會殺了我。」

「誰會殺了你？」她很驚訝發現自己正在質問他，因爲她不相信他，她絕不可落入騙局，但是卻很佩服他精湛的演技。

他閉上眼睛，淚水不止。

對於眼前所發生的事，茱迪越來越困惑，她仔細觀察對方，尤其是當他似乎隱退時。只見他嘴唇無聲微顫，眼神呆滯飄向他處，接著是一臉吃驚的模樣，直到他看見兩位女士而且知道身在何處爲止。他端身就坐，兩腳交叉垂放，從右邊的襪子裡取出一根煙。

「有火嗎？」

茱迪爲他點燃，他深深吸了一口，將煙圈往上吹出。「有什麼新鮮事嗎？」他問道。

「要不要告訴茱迪你是誰？」

他點點頭，吹出一輪煙圈。「我是亞倫。」

「我們以前見過面嗎？」茱迪說，暗地裡希望自己發抖的聲音不會很明顯。

「我曾經在這兒出現過幾次，當時妳和史凱瑞來這兒討論案情。」

「但是我們一直當你是比利．密里根。」

他聳聳肩，「我們一直都使用比利的名字，這樣可以省去解釋的麻煩，但我從未說過我就是比利，那是妳自己認定而已，而且我不認爲我說出其他人的名字對事情會有任何幫助。」

「我可以和比利談談嗎？」茱迪問道。

「不行，他們讓他睡著了，如果讓他出現，他會自殺。」

「爲什麼？」

「他仍然害怕會受到傷害，而且他也不知道我們的事，他唯一知道的是他浪費了時間。」

「浪費時間？指的是什麼？」茱迪問道。

「我們每個人都這樣，我們在某個地方做一些事，然後突然發現自己在另外一個地方出現，而且知道時間已經過去了，但是卻不知道曾經發生過什麼事。」

茱迪搖搖頭，「這一定很恐怖。」

「永遠都沒辦法適應。」亞倫說道。

當獄警威立士前來帶他回牢房時，亞倫抬起頭對他微笑。「這位是威立士警佐，」他告訴兩位女士，「我喜歡他。」

茱迪和譚如茜一起離開監獄。

「現在妳知道我爲什麼會打電給妳了吧？」譚博士說道。

茱迪嘆了口氣，「當初我認爲可以戳穿騙局，但現在我已相信我曾和兩個人談過話，而且也瞭解他爲何每次都有如此大的差異，當時我還以爲只是情緒的轉變。這件事必須告訴史凱瑞。」

「爲了得到他們的同意，我曾花了九牛二虎之力，我不認爲比利會同意。」

「他一定得同意，」茱迪說，「不可以只有我一個人知道這些事情。」

當譚博士離去後，茱迪發現自己的情緒很亂，她既畏懼、生氣又困惑，這一切都是那麼的不可思議，根本就不可能發生的；但是，在她腦海裡，她知道她開始相信這件事了。

當天稍晚，史凱瑞打電話到茱迪家，說警衛室通知他，比利又鬧自殺了，他用頭去撞牆。

「眞是怪了，」史凱瑞說，「看過他的記錄之後，我才知道今天是二月十四日，正是他廿三歲生日。而且妳知道嗎？今天也是情人節。」

(5)

第二天，譚如茜和茱迪告訴亞倫，讓史凱瑞知道秘密很重要。

「絕對不行！」

「但是你一定要答應，」茱迪說道，「爲了讓你免除牢獄之災，這件事必須告訴其他人。」

「妳自己答應過的，那是我們的協議。」

「我知道，」茱迪回答，「但這很重要。」

「亞瑟不答應。」

「讓我與亞瑟談談。」譚如茜說。

亞瑟出來了，他兩眼瞪視她們。「妳們眞的很煩人！我有很多事情要思考、要去處理，妳們提的這些事我已經厭煩了。」

「你必須答應我們告訴史凱瑞，」茱迪說。

「不行！兩個人知道已經太多了。」

「如果想要幫助你的話，這是必要的。」譚如茜說。

「女士們，我不需要幫助。丹尼和大衛或許需要幫助，但這並不關我的事。」

「你不希望比利活著嗎？」茱迪問道，她被亞瑟的高傲態度給激怒了。

「是的，」他說，「代價是什麼？他們會說我們瘋了，這些都不是我們所能掌握的，打從比利試著要從學校樓頂上跳樓自殺開始，我們就一直在幫助比利活下去。」

「你說什麼？」譚如茜問，「如何幫助他活下去？」

「讓他一直睡覺啊！」

「你知道這麼做對這件案子的影響嗎？」茱迪說，「結果可能會是自由或是坐牢。如果能在外面的話，你不就會有更多的時間思考和更多的自由嗎？還是你希望再回到利巴嫩監獄呢？」

亞倫的腳交叉垂放，輪流注視茱迪和譚如茜。「我不喜歡和女人爭論，條件還是和以前一樣，妳們必須得到每一個人的同意才行。」

三天後，茱迪獲得同意可以告訴史凱瑞詳情。

在寒冷的二月早晨，她從監獄走回公設辯護律師辦公室，爲自己倒了杯咖啡，直接走進史凱瑞雜亂的辦公室，在一張椅子上坐下，強打起精神。

她說道：「叫總機擋掉任何電話，我要告訴你一些有關比利的事情。」

當她說完她與譚如茜、比利的會面經過後，他看著她，彷彿她是個瘋子。

「我親眼目睹整個經過，」她的語調相當堅持，「我和他們談過了。」

他站起身，在桌後來回踱步，未梳理的頭髮落在衣領外，鬆垮的襯衫半露在皮帶上。「哦！別逗了。」他提出反駁，「不可能的，我知道他是精神錯亂，我支持妳，但妳這麼做行不通。」

「有必要親自去看看，你眞的不瞭解……我已經完全相信了。」

「好吧，但我會告訴妳……我不相信，檢察官也不會相信，法官更不必說。茱迪，我對妳有信心，妳是優秀的律師，對人有很好的辨識能力，但這是一樁騙局，我想妳大概上當了。」

第二天下午三點，史凱瑞與茱迪一同前往富蘭克林郡立監獄，他們預定在那兒停留半個小時。他根本就反對這項提議，那是不可能的事；但是，當他一次又一次見到不同個性的當事人時，他的懷疑轉變成好奇；他先是看見一個充滿畏懼的大衛，後來轉變成一個害羞的丹尼。他還記得第一次與丹尼見面時的情景，當時他被警方逮捕押入看守所接受偵訊。

「他們強行進入公寓逮捕我的時候，我知道發生了什麼事。」丹尼說。

「為什麼你會說那兒有炸彈呢？」

「我並沒說那兒有個炸彈呀！」

「當時你告訴警官：『別踢那個箱子，你會被炸翻！』不是嗎？」

「這個嘛……湯姆常會說：『別碰我的東西，否則你會被炸翻。』是的，他經常這麼說。」

「為什麼他會這麼說？」

「問他自己呀！他是電子專家，常拿一些電線或其他東西嚇唬我們，那是他的東西。」

史凱瑞摸摸鬍子。「他不但是逃脫專家，而且還是電子專家，好了，我們是不是能和『湯姆』談一談？」

「我不知道，湯姆只和他願意談的人說話。」

「你能讓湯姆出來嗎？」茱迪問。

「我辦不到，必須自然發生，我想我可以要求他出來和你交談。」

「試試看吧！」史凱瑞說道，同時露出一抹笑容，「盡力就行了！」

他似乎縮了進去，臉色變得很蒼白，眼神呆滯，嘴唇一動一動的，似乎在自言自語。緊張的氣氛瀰漫整個房間，史凱瑞的笑容隨之褪去，暫時停止呼吸。比利的眼睛飄來飄去，朝四週張望，好像才剛從沉睡中醒來。他將手靠在右臉頰上，彷彿想要有個依靠，然後大方地往後靠向椅背，注視眼前的兩位律師。

史凱瑞開始呼吸了，這眞是令人印象深刻。「你是湯姆嗎？」他問道。

「你是誰？」

「我是你的律師。」

「你不是我的律師。」

「我就是那位協助茱迪，好讓你依附的身體不被關在監牢裡的人，不論你叫什麼名字。」

「狗屎！難道我還需要別人幫我離開什麼鬼地方嗎？在這世界上，沒有任何監獄可以關住我，只要我願意，我任何時候都可以逃出去！」

史凱瑞注視他。「這麼說來，你就是那位可以從緊身衣中逃脫的專家囉？你一定是湯姆。」

他看起來很不耐煩。「是的……沒錯！」

「丹尼告訴我們，警察找到的那個有電子零件的紙箱，他說那是你的東西。」

「他一直是個大嘴巴。」

「爲什麼你要製造假彈呢？」

「狗屎！那不是假彈。就算那群笨蛋警察看見黑盒子，也不關我的事。」

「你說這句話是什麼意思？」

「我是說，那只是個黑盒子，會讓電話公司的系統失效，我在汽車裡做新電話試驗，用紅色膠帶固定那些東西，那些蠢警察還以爲是炸彈。」

「你告訴丹尼它可能會爆炸。」

「我的天啊！我一直用這句話告訴那些小孩，避免他們去碰我的東西。」

「湯姆，你是從哪兒學習到電子技術的？」茱迪問。

他聳聳肩，「自修學來的，從書裡學來的，從我開始有記憶以來，我就一直好奇那些東西是如何發揮功能的。」

「還有脫逃……？」茱迪問。

「亞瑟鼓勵我這麼做，當我們被綁在穀倉時，必須要有人能逃脫繩索的綑綁呀！我學習如何控制手部的肌肉和骨頭，後來我就對所有的鎖和螺栓發生了興趣。」

史凱瑞思索了一會兒。「那些鎗也是你的囉？」

湯姆搖搖頭。「雷根是唯一被允許玩鎗的傢伙。」

「允許？這話怎麼說？」茱迪問道。

「這個嘛……要看我們在什麼地方……我已經厭煩一直提供情報給你們了，這是亞瑟的工作，亞倫也可以，請他們兩位中的一位來回答，好嗎？我要走了。」

「等……」

茱迪已經慢了一步，他兩眼無神，而且坐姿也變了，只見他手指互抱，握成金字塔模樣，當他抬起下巴時，臉部表情變成了她所認識的亞瑟，她將他介紹給史凱瑞。

「你必須原諒湯姆，」亞瑟冷冷地說，「他是個反社會的年輕人，如果他在電子設備和鎖方面沒有特殊天份的話，很久以前我就想把他開除了，但是他的確很有才華。」

「你的專長是什麼？」史凱瑞問。

亞瑟揮揮手。「我只是業餘玩家，我學習醫學和生物學。」

「史凱瑞剛才正在問湯姆有關鎗的事。」茱迪說，「你知道的，這違反了假釋規定。」

亞瑟點點頭。「唯一被允許可以玩鎗的是雷根，他是紀律維護者，那是他的專長，但也只有在保護我們和尋求生存時才會使用那些鎗，也只有當他要做善事時才會發揮他的力量，他是不會去傷害別人的。你知道，他有能力控制自己的腎上腺素。」

「他用鎗綁架甚至強暴那四位婦女。」史凱瑞說。

亞瑟的聲音像冰般冷酷，「雷根從未強暴過任何人，我已經和他談過這件事了，他的確犯過搶劫案，因為他擔心無法支付那些帳單，他承認在十月時搶劫過三名婦女，但是他否認曾參與八月份那位婦人的案子或任何性暴力罪行。」

史凱瑞的身子往前傾，仔細端詳亞瑟的臉，他知道自己不再懷疑了。「但是證據……」

「去他的證據！如果雷根說沒做，再怎麼問他也沒用，他從不說謊，雷根是個小偷，但絕不是強暴犯。」

「你說你曾與雷根談過？」茱迪說，「你是怎麼辦到的？你們是否可以彼此交談？還是在腦子裡進行思想的交換？那是一種討論還是思想？」

亞瑟握緊雙手。「我們是用兩種方式進行交談的，有時候發生在內部，在這種情況下，沒有任何人知道發生了什麼事；在其他情況下，也就是我們單獨在一起的時候，彼此就會很大聲地交談。如果有人在一旁看見了，一定會認爲我們神經有問題。」

史凱瑞向後靠在椅背上，掏出手帕擦拭眉尖滴下的汗水。「誰會相信這種事？」

亞瑟笑了。「我說過，雷根和其他人一樣，我們都不會說謊，在我們一生中，別人都說我們是騙子，因此從不說假話就成了我們之間一項無上的榮譽，我們也從不在意別人是否相信。」

「但你們不是每次都主動說出眞相呀！」茱迪說道。

「不說出來就是說謊。」史凱瑞接著說。

「別騙人了！」亞瑟絲毫不想掩飾他的狂妄。「身爲律師，你們很清楚這項規定，如果沒人發問，證人無需自動提供資料，律師有責任告訴他的當事人只要說是或不是就行了。除非是對自己有利的證詞，才可做進一步的說明。如果你向我們任何一個人提出直接的問題，你會得到一個誠實的回答或沉默。當然，有時候實話會以不同的方式表達出來。況且，基本上，英文這種語言本身就很含混不清了。」

史凱瑞頗有同感地點點頭。「我會記得你說的，但我想我們已經離題了，至於那些鎗……」

「雷根比任何人都還清楚那三件犯罪發生的早晨有些什麼事情，你何不親自去問他？」

「現在還不要，」史凱瑞說，「還不到時候。」

「我覺得你們有點兒害怕見到他。」

史凱瑞以銳利的眼神注視他。「這不正是你所希望的嗎？你告訴我們他是如何的危險、如何的邪惡，不也正是這種企圖嗎？」

「我從未說過他很邪惡。」

「不過卻令人有這種印象。」史凱瑞答道。

「我認為你們有必要認識雷根。」亞瑟說，「你們已經開啓了潘朵拉的寶盒了，我想你們應當將蓋子全部打開才對。不過得要你們要求他出來，他才會出來。」

「他是否願意與我們交談？」茱迪問。

「問題是你們是否想與他談話呀！」

史凱瑞發現讓雷根出來的念頭眞的把他給嚇住了。

「我想我們願意和他談話。」茱迪說道，眼睛瞄向史凱瑞。

「他不會傷害你們的。」亞瑟露出微笑，「他知道你們兩位來這裡是要幫助比利的，我們曾經討論過，現在秘密已經洩露了，我們知道我們必須開誠佈公，這是我們最後的希望，正如茱迪小姐再三重複強調的，她努力幫助我們免受牢獄之災。」

史凱瑞嘆了一口氣，把頭往後仰。「好吧！亞瑟，我願意與雷根見個面。」

亞瑟把椅子放到小房間的一個角落裡，儘量保持最遠的距離，然後再度坐下來，眼睛像是朝身體內部探視，嘴唇微微啓動，手觸摸自己的臉頰，下巴靠緊了，然後全身抖動，從一個僵硬的姿勢改變成一個機警的拳擊手隨時準備出擊似的姿勢。「這樣不對，說出秘密是不對的。」

在充滿敵意的氣氛中，他們仔細聆聽，音調降低了，是一種十分低沉粗厚而又充滿敵意和權威的聲音；在小小的會客室中，迴盪著斯拉夫人特有的口音。

「現在我告訴你們，」雷根的眼睛正在注視他們，臉部的肌肉緊繃，眼光似乎要看穿人似的，眉毛額頭突出。「即使因爲大衛錯誤洩露了秘密，但我還是反對這件事。」

斯拉夫口音不像是裝出來的，聽起來就眞的像是在東歐國家成長的人，夾帶著自然的嘶聲，說的雖是英語，但那是斯拉夫口音的英語。

「你爲什麼反對把秘密說出來？」茱迪問。

「誰會相信？」他說，手握得很緊，「那些人只會說我們瘋了，根本就沒什麼好處。」

「或許能讓你們免於牢獄之災呀！」史凱瑞說。

「怎麼可能？」雷根忿忿地說，「我又不是傻瓜，史凱瑞先生，警方已經握有證物，我犯下搶劫案，我承認大學附近的三件搶劫案是我幹的，但其他的事我沒做。他們說謊，我不是強暴犯，到了法院我會承認自己犯的搶劫，但如果被關進監牢，我就會殺死那些小孩，用安樂死的方式，監牢這種鬼地方不適合小孩。」

「但是，如果你殺了……那些小孩……也就是說，你自己也會死嗎？」茱迪問道。

「才不呢！」雷根說道，「我們是不同的人。」

史凱瑞很不耐煩地用手指梳理頭髮。「聽著，當比利或是其他人——上星期用頭去撞牆壁，不也正在傷害你的頭嗎？」

雷根猛搖頭，「那是比利。」

「是嗎？」史凱瑞說，「我以爲比利一直都睡著了呢！」

「沒錯，但那天是他的生日，小克麗斯汀爲他畫了一張生日卡，她要把生日卡送給他，所以亞瑟就允許比利在他生日那天醒來出現，當時我反對這個主意，我是守護者，我有責任保護他；或許亞瑟比我擁有更高的智慧，但他一樣是人，總也會犯錯的。」

「比利醒來之後發生了什麼事？」史凱瑞問。

「他看看四週，發現自己被關在牢裡，他以爲自己犯了什麼錯，因此就撞牆。」

茱迪退卻了。

「你看，比利並不知道我們的事，」雷根說道，「他已經患了——你們是怎麼說的？——記憶喪失症，且讓我這麼說吧！當他還在學校時，他失落了許多的時間，他爬到屋頂上，正要開始往下跳的時候，幸好我及時推開他，制止他的行爲。從那天起，他就一直沉睡，亞瑟和我爲了保護他，所以就讓他一直沉睡。」

「那是多久前的事？」茱迪問。

「就在他十六歲生日後，我記得當時是因爲他父親要他在生日那天工作，他感到非常沮喪。」

「我的天啊！」史凱瑞說，「已經睡了七年之久？」

「他還在睡呢！他只清醒幾分鐘而已，讓他出來就是個錯誤。」

「長久以來，一直都是由誰來代替他？」史凱瑞問，「像是誰代他工作？誰代他和別人交談？到目前爲止，據我們所知，似乎都沒人提起有關英國腔或是俄國腔之類的事。」

「不是俄國，史凱瑞先生，是南斯拉夫。」

「對不起！」

「沒關係，只要記錄正確就好。回答問題時，多半是由亞倫和湯姆負責。」

「他們就這樣來來去去？」茱迪問。

「容我這麼說吧！牢房裡就由我來主控——決定由誰出現，誰下來——因爲牢房是個危險的地方，由於我本身擔任他們的守護者，因此有完全的權力和指揮權。如果當時的環境沒有安全上的顧慮或是需要智慧與邏輯的判斷時，則由亞瑟負責指揮。」

「現在是由誰控制？」史凱瑞問道，他知道自己已經失去了超然立場，他變得非常好奇，完全融入這個不可思議的情境之內。

雷根聳聳肩，看看四週。「這兒是監獄！」

門突然被推開，雷根猛地像貓一樣跳了起來，保持警戒狀態，手則擺出空手道的姿勢，當他發現只是另一位律師進來查看是否有人使用房間時，雷根便又坐回椅子上。

雖然剛來的時候，史凱瑞只準備用十五分鐘或三十分鐘的時間與當事人面談，自認為就此可以揭穿這傢伙的騙局，沒想到最後竟然停留了五小時。這時，他已經完全相信比利是個具有多重人格的人了。當他與茱迪在寒冷的夜裡走出監獄時，他發現自己有個念頭想前往英國或南斯拉夫，去查看亞瑟或是雷根的存在記錄。雖然那情形並非有人轉世或被魔鬼附身，但走在寒風中，他必須承認今天在小會客室裡的確遇到了不同的人。

看了一旁的茱迪，她也是默默不語地走著。「好了，」他說，「我必須承認我的確相當震驚，我完全相信了。我想我大概有足夠的理由說服妻子為何又晚回家吃飯了，但我們要用什麼方法來說服檢察官和法官呢？」

(6)

二月廿一日，西南心理復健中心的柯絲薇醫師是譚如茜的同事，她通知公設辯護律師，說明那位曾經治療一位具有十六種不同分裂人格的病患而舉世聞名的吳可妮博士，已經同意在三月十日從肯塔基州前來探望比利。

為了要讓亞瑟、雷根和其他人同意讓另外一個人分享他們的秘密，譚如茜與茱迪負責跟他們進行溝通，這次她們又花費了好幾個小時分別與每一個人交談；到目前為止，她們已經聽到了九個名字——亞瑟、亞倫、湯姆、雷根、大衛、丹尼、克里斯朵夫，但還未見到克麗斯汀，她是克里斯朵夫三歲大的妹妹；另外，他們未見到原始的核心人物——比利，他一直被安排在沉睡中。

當譚如茜和茱迪最後獲得允許讓其他人知悉秘密時，她們安排了一群人，其中包括檢察官，好讓檢方在一旁觀察吳可妮博士與比利在監獄的會面情形。

茱迪和史凱瑞會同比利的母親桃樂絲、妹妹凱西、哥哥傑姆面談，雖然無人能提供比利所聲稱遭到虐待的第一手資料，但他母親曾談到她自己遭丈夫米查鞭打的經驗。老師、朋友和親戚談到的則是比利的怪異行徑、他過去的自殺企圖以及昏迷的狀況等等。

茱迪和史凱瑞已確信蒐集到了應具有的資料；有了這些證據——加上俄亥俄州的法律明文規定，證明比利沒有能力接受審判。但是，他們也知道目前還有個障礙，如果佛傑法官接受西南心理復健中心提出的報告，比利將會被送到心理機構接受治療觀察。事實上，他們並不希望比利被送往那間專為刑事罪犯設立的州立利瑪醫院。從幾個犯人口中得知，如果他被送到那兒就準死無疑。

雖然吳可妮博士訂在星期五與比利會面，但由於私人原因而改變了計劃。茱迪從家裡打電話給史凱瑞告訴他這件事。

「今天下午妳到辦公室來一趟。」他提出要求。

「我原本是不來的。」她說。

「我們必須先搞定這件事，」他說，「西南心理復健中心不斷催說，唯一可送去的地方就只有利瑪醫院，但我總認為還有其他地方。」

「聽著，辦公室的調溫器溫度調低不少，辦公室裡太冷了，」她說，「我老公正好外出，屋裡已經升了壁火，我看你就到我家來好了，我幫你沖杯愛爾蘭咖啡，靜下來好好討論。」

他笑了起來。「看來是妳贏了！」

半小時後，他們兩人坐在壁爐前。

史凱瑞手握熱杯取暖。「告訴妳，當雷根出現時，我眞的是給嚇呆了。」他說，「不過……眞正令我吃驚的是，他給人的印象非常好。」

「這也正是我所想的。」茱迪說。

「我的意思是，亞瑟稱雷根是『憎恨的管理者』，所以在我心中預期他可能是個可怕的傢伙，但事實上他的確是個既可愛又有趣的人，我完全相信他並未強暴八月份的那位受害者。現在，我正在思考他聲稱並未強暴另外三位女士的話是否屬實。」

「第一個案子的看法我也同意，那完全是不同的作案手法，但後來的三件犯案確實是綁架、搶劫和強暴案。」茱迪這麼說道。

「我們所得到的資料只是他犯罪過程的記憶片段而已，其中透露出一些詭異。妳知道嗎？雷根說他認得第二位受害者，這表示他們之中一定有人見過她。」

「現在我們已經知道湯姆記得自己出來過，當時是在溫蒂漢堡店，他與第三位受害者點了幾份漢堡，因此，湯姆認爲有另外一個人出現與她約會。」

「倪波莉的證詞確認了在漢堡店停留一事，而且還是她自己說他的眼光很怪異，在兩分鐘後就停止性行爲，並且說他已經不行了。當時他似乎是自言自語，說道：『比利，你怎麼了？打起精神吧！』然後告訴她，他想沖個冷水澡好冷靜一下。」

「但他曾說過一些奇奇怪怪的言論，像什麼恐怖份子、駕駛瑪莎拉蒂汽車之類的。」

「他們當中有人在吹牛。」

「這樣吧！就先當做我們並不知道發生過什麼事，而且也不是我們曾談過話的人做的。」

「雷根承認自己搶劫。」茱迪說。

「是啊！但他否認強暴對方。我的意思是，整個事情很奇怪。讓我們再想想，兩個星期中有三次，雷根喝了酒、吸食安非他命之後，一大清早穿過中心慢跑十一哩路，到達俄亥俄州立大學，這種說法可信嗎？然後在校園裡鎖定攻擊目標，接著就不省人事……」

「聚光燈從他身上撤離。」茱迪提出糾正。

「這就是我的意思，」他將杯子舉起要求再加滿，「因此，當他每次要作案前便退了下去，接下來就是發現自己在市中心，口袋裡有錢，心想自己一定搶劫了，卻又不記得曾經做過什麼事，三件案子都是如此。正如他所言，一定有人偷了時間。」

「對呀！我總覺得其中少了一些東西。」茱迪說，「有人把罐子扔到池裡，做射擊練習。」

史凱瑞點點頭。「這證明不是雷根幹的，依受害者指稱，他並無法在幾秒鐘內掏鎗射擊，我的意思是，他無法在短時間內開啓保險擊發子彈，而且又無法射中兩只啤酒罐，像雷根這樣的專家是不會失手的。」

「但亞瑟說其他人並不被允許碰雷根的鎗。」

「我可以想像到時候我們如何向佛傑法官解釋。」

「我們該怎麼做？」

「我不知道，」他說，「爲一個多重人格者提出精神異常的申辯是行不通的，因爲這種情形通常都被歸納爲神經症，而不是精神異常。換句話說，他們認爲多重人格者根本不是瘋子。」

「好吧！」茱迪說，「何不直接申請無罪而不去談到精神異常這個字眼？就像加州多重人格的案例一樣，我們直接提出行爲本身的企圖就成了。」

「那只是個小案子罷了。」史凱瑞說道，「在我們這件惡名遠播的重大案件中，多重人格的抗辯是無效的，世界是很現實的。」

她嘆了一口氣，兩眼直盯爐火。

「我還要告訴妳另外一件事，即使佛傑法官瞭解我們的作法，他也會將比利送到利瑪醫院。比利在監獄時已經知道利瑪醫院是個什麼地方了，你還記得雷根說安樂死嗎？如果送他去那兒，他會殺死那些小孩的，我相信他會這麼做。」

「我們得把他送去別的地方！」茱迪說道。

「西南心理復健中心說過，在審判之前唯一的醫療地點就是利瑪醫院。」

「只要我還活著，就絕不允許這樣的事發生！」茱迪說。

「更正，」史凱瑞一邊說一邊舉起杯子，「只要我們還活著。」

兩人杯子互敬了一下，然後由茱迪加滿了咖啡。「我無法接受沒有選擇餘地的說法。」

「我們來找找看，是不是還有其他方法。」他說。

「好主意！」她回應道，「我們會找到的！」

「以前從未有人做過。」他將泡沫從鬍子上拭去。

「這又怎麼樣？以前俄亥俄州也從未出現過比利．密里根這號人物呀！」

她從書架上取下《俄州刑法手冊》，然後一起翻閱，輪流大聲唸出來。

「還要不要愛爾蘭咖啡？」她問。

他搖搖頭。「只要純咖啡就行了，濃一些。」

兩個小時後，他要她再唸一次書中的一段文字，她用手指著第二九四五．三八項。

……如果法庭或陪審團發現當事人精神異常時，必須立即遣送當事人至醫院，在法院的允許下進行精神疾病或心理障礙的治療。另外，該醫院必須在法院管轄範圍內。如果法庭認為可採納，可將當事人送往州立利瑪醫院，直到當事人恢復理智為止，此時再依法律規定進行審判程序。

「哇！」史凱瑞大叫一聲跳了起來，「在法院的管轄範圍內，並未說明只有利瑪醫院呀！」

「我們找到解決之道了！」

「天啊！」他說，「每個人都說審判之前只能送到利瑪醫院收容。」

「現在我們只要能在法院管轄範圍內找到另外一家精神病院就行了！」

史凱瑞劈地敲了一下腦袋。「天呀！太不可思議了！我知道有一家，我退伍時曾在那兒擔任精神病治療助理，哈丁醫院。」

「哈丁？在法院管轄範圍內？」

「當然！地點是俄亥俄州伍新頓市，聽著，哈丁醫院可是國內最保守、地位崇高的精神醫院，而且是安息日再臨教會的附屬醫院，我曾聽過那些最難纏的檢察官說：『如果喬哈丁醫師說某個人患有精神病的話，我會相信他的判斷，因爲他不像其他醫生，只經過三十分鐘的檢查，就斷定一個人是不是瘋子。』太好了！」

「檢察官是這麼說的嗎？」

他舉起右手，「我發誓我聽過，沒錯！我記得是薛泰檢察官說的，而且我也記得譚如茜博士說過，她常接受哈丁醫院的委託做些檢查工作。」

「這麼說來，我們就把他轉到哈丁醫院去好了。」茱迪說道。

史凱瑞迅速坐下來，有點兒沮喪的樣子。「只是有件事我們必須考慮，哈丁醫院是一家收費特別昂貴的私立醫院，比利並不是有錢人。」

「這也無法阻擋我們呀！」她說。

「說的也是，但要如何進去那家醫院呢？」

「我們設法讓醫院方面主動要求比利過去。」

「那又該怎麼做？」他問。

半小時後，史凱瑞拭去靴上的積雪，按下哈丁家的門鈴。突然間，他警覺到自己是個滿嘴胆鬍的公設辯護律師，而面對的卻是保守而久享盛名的權威精神科醫師——華倫．哈丁的孫子，他的房子非常豪華，茱迪應該一起過來的，她給人的印象一直都很好。他把胸前鬆散的領帶給繫緊，並且將折皺的襯衫衣領塞進夾克裡。這時，屋門開了。

喬哈丁四十九歲，非常整潔，瘦瘦的，顏面光滑，擁有柔和的眼神及溫柔的聲音，史凱瑞對他的風度翩翩感到驚訝。「史凱瑞先生。」喬哈丁迎面而來。

史凱瑞費了很大的勇氣才將靴子脫掉，留在玄關，然後再將外套脫去，掛在衣架上，隨喬哈丁進入客廳。

「您的大名似乎很熟，」喬哈丁說，「您打電話來之後，我翻了一下報紙，您正在爲比利．密里根辯護，他在俄亥俄州立大學校園攻擊了四位女士。」

史凱瑞搖搖頭，「三位，八月份發生的案子與其他案子有相當大的差異，不是他做的，我們肯定可以澄清。現在案情有了非常大的轉變，希望能夠聽聽您的高見。」

喬哈丁指著柔軟的沙發請史凱瑞坐下，但自己卻選了一張硬背椅，兩手交叉，用心傾聽史凱瑞說明他和茱迪所知道有關比利的詳情，以及這個星期天在監獄的會面。

喬哈丁若有所思地點點頭，當他開口說話時，相當小心謹愼地遣詞用字。「我十分尊敬柯絲薇和譚如茜，」他望著天花板，「譚博士經常爲我們做部份的檢查工作，而且她也已經和我討論過這個案子。現在，因爲吳可妮博士也會來這裡……」他從指縫間注視地板，「我想我沒有什麼理由不參加的。你說是在星期天嗎？」

史凱瑞只是點點頭，不敢出聲說話。

「呃……我一定要告訴你，史凱瑞先生，我對於所謂的多重人格有許多保留，雖然吳可妮博士曾在一九七五年來過哈丁醫院針對類似的案子做過專題演講，但我還不敢確定我是否眞的相信。由於大家對她的尊敬以及其他曾經與精神科醫師工作過的人們……這麼說吧！類似這種病例，病患很可能會假裝有記憶喪失症。但是，如果譚如茜和柯絲薇也會去那兒……而且如果吳可妮博士會打從大老遠的地方專程趕來……」他站起身來，「我無法爲自己或爲醫院做下任何承諾，不過我會很高興能參加這次的會談。」

史凱瑞返家後，立刻打電話給茱迪。「嗨！智多星，」他笑著說，「喬哈丁要參加了！」

三月十一日，星期六，茱迪前往監獄告訴比利計劃有所改變，吳可妮要延後一天才能到達。

「我應該昨天就告訴你的，」她說道，「我很抱歉。」

他全身開始劇烈顫抖，從他的表情看來，她知道她正在和丹尼說話。

「譚如茜不回來了嗎？」

「她當然會回來，丹尼，你怎麼會有這個念頭？」

「人都只會做下承諾，然後就忘了。不要離開我！」

「我不會離開的，但是你必須自己也把持得住，吳可妮博士明天會來這兒，還有柯絲薇，譚如茜、我……還有一些其他的人。」

他的眼睛睜得很大。「其他的人？」

「另外一位醫生，他是哈丁醫院的喬哈丁醫師，還有蔡伯納檢察官。」

「男人？」丹尼連喘幾口氣，頭搖得很厲害，震得牙齒卡拉卡拉響。

「這麼做對你的訴訟很重要，」她說，「但是我和史凱瑞也會到場。稍等一下，我想你現在應該服一些藥物鎮定一下。」

丹尼點點頭。

她叫來警衛，要求他們帶他去候客室，她則自行出去找醫生。幾個鐘頭後，他們回來時，比利退縮在房間的一角，臉上全是血，鼻子也在流血，他用頭撞牆。

他兩眼迷惘望著她。她瞭解現在已經不是丹尼了，已換成了痛苦承受者。「大衛？」她問。

他點點頭，「好痛喲！茱迪小姐，傷得很嚴重，我不想再活了。」

她把他拖近身來，用手支撐他，「你絕不可這麼說，大衛，你有太多的理由必須活下去，有很多人相信你，而且你還會得到援助的！」

「我害怕被關進監獄。」

「他們不會送你進監獄的，我們為你奮鬥，大衛。」

「我並沒有做什麼壞事呀！」

「我知道，大衛，我相信你。」

「譚博士什麼時候會回來看我？」

「我已經告訴……」然後她瞭解，她剛才告訴的人是丹尼，「大衛，是明天，還有另外一位精神科醫師吳可妮博士。」

「妳不會告訴她我們的秘密吧？」

她搖搖頭，「不會的，大衛，我很確定我們不必告訴她。」

(7)

三月十二日，晴朗而寒冷的星期日早晨，蔡伯納檢察官步出汽車進入監獄，他感覺一切似乎都很怪異，自從擔任檢察官以來，這還是他第一次讓精神科醫師檢查被告時他必須在場。他閱讀了好幾次西南心理復健中心和警察局提出的報告，但他一點兒也不知道能期待些什麼。

他只是無法相信這些權威醫師居然都如此重視所謂的多重人格。他對吳可妮博士大老遠趕來檢查比利並不覺驚訝，因為她相信這種事，而且也是她一直期盼的。事實上，眞正引起他注意的是喬哈丁，因爲整個俄亥俄州沒有比喬哈丁更受尊敬的精神科醫師了，他知道沒人敢挑剔喬哈丁。在衆多高級檢察官中，雖然不少人並不相信醫師提出的精神異常證明，但唯一的例外就是喬哈丁。

過了一會兒，其他人陸續到達，他們被安排在地下層警員室進行會談，因為那兒的房間比較大而且有摺疊椅、黑板和一張會議桌，是警衛們交班時聚集的地方。

蔡伯納檢察官上前歡迎柯絲薇和波拉醫師的到來，她們是西南心理復健中心的社工人員，隨後又將她們介紹給吳可妮與喬哈丁。

這時候，門被推開了，蔡伯納第一次見到比利，茱迪握住他的手臂陪他走進來，譚如茜走在前面，史凱瑞走在後面，魚貫進入警員室。當比利看見有這麼多人時，臉上表情稍顯遲疑。

譚如茜一個接一個為比利介紹，並引導他走到靠近吳可妮博士身旁的椅子。「吳博士，」譚如茜壓低聲音說，「這位是丹尼。」

「嗨，丹尼，」吳博士說，「很高興認識你，還好嗎？」

「我很好。」他說，同時抓住譚如茜的手臂。

他們都坐了下來，史凱瑞則傾身與蔡伯納低聲交談。「你看了之後，如果還不相信，我會繳回我的執照。」

當吳可妮開始詢問比利問題時，蔡伯納檢察官的心情也隨之輕鬆下來。她彷彿一位和藹卻又充滿活力的母親，一頭亮麗的紅髮和鮮艷的口紅打扮。她注視丹尼，丹尼依序回答她提出的問題，並且告訴她有關亞瑟、雷根以及亞倫的事。

她轉過身對蔡伯納說：「看到沒有？這是典型的多重人格，他願意談論發生在別人身上的事，而不談論自己身上發生的事。」

在問了其他幾個問題之後，她轉身向喬哈丁說：「這是歇斯底里患者分裂狀態的典型案例。」

丹尼看著茱迪說道：「她要離開聚光燈了。」

茱迪露出笑容，低聲說：「不是的，丹尼，她不會有這種現象。」

「她裡面一定也住了很多人。」丹尼堅持說道，「她和我說話時是一個模樣，後來態度又開始改變了，就像亞瑟一樣。」

「我希望佛傑法官也能在這兒目睹這一幕，」吳可妮說，「我知道這位年輕人的身體裡發生了什麼事，我知道他眞正需要的是什麼。」

丹尼四處張望，然後以抱怨的眼神看著譚如茜，「是妳告訴她的，妳答應不會這麼做，但妳告訴她了。」

「不，丹尼，我沒說，吳博士知道什麼地方不對勁，因爲她也認識其他像你這樣的人。」

吳可妮的語氣堅定而溫柔，讓丹尼的情緒平靜不少。她看著他的眼睛，並且要他放輕鬆。她左手搭在前額，手上的鑽戒閃閃發亮，映在比利的眼睛裡閃爍不停。

「你現在已經完全放輕鬆了，整個人感覺很舒暢，丹尼，沒什麼可讓你煩心的，放輕鬆，不論你想做什麼或想說什麼都沒關係，一切都隨心所欲吧！」

「我想離開，」丹尼說道，「我想回去了。」

「不論你想做什麼都行，丹尼，現在我告訴你，當你要離開時，我希望和比利談話，生下來就叫比利的那一位。」

他聳聳肩，「我無法讓比利出現，只有亞瑟和雷根可以把他給叫醒。」

「好的，你告訴亞瑟和雷根，我們必須和比利交談，這很重要。」

蔡伯納注視眼前發生的一切。當丹尼閉上眼睛時，蔡伯納不敢相信這幅畫面——只見丹尼嘴唇蠕動，身子坐得更直，然後四處張望，兩眼發直；起初，他沒說話，後來他要求一根煙。

吳可妮依言遞上一根煙。當他靠回椅背時，茱迪低聲告訴蔡伯納唯一會抽煙的人是亞倫。

吳可妮再次自我介紹，並介紹房間內尚未見過亞倫的人。蔡伯納對比利感到異常驚訝，因為眼前的比利現在是如此的放鬆、友善，他面帶笑容，說話誠懇，談吐非常流利，這和害羞而又孩子氣十足的丹尼截然不同。亞倫回答吳可妮有關興趣方面的問題，他說他會彈鋼琴、打鼓，另外還有繪畫——大多是人物素描，他已經十八歲了，喜歡棒球，雖然湯姆並不喜歡。

「好了，亞倫，」吳可妮說，「我要和亞瑟談話了。」

「是的，沒問題。」亞倫回道，「稍等一會兒，我……」

蔡伯納凝視亞倫在離去前先深吸了兩口煙。幾乎就在同時，另外一位不抽煙的亞瑟出現了。他兩眼再次茫然，嘴唇蠕動，然後張開，靠向椅背，以傲慢的眼神看看四週，兩手互握成金字塔形。開始說話時，那是一種上流社會才有的英國腔。

蔡伯納向前側身仔細聆聽，他發現目前與吳可妮談話的人完全是不同的人；亞瑟的眼神、肢體語言，顯然與亞倫之間有頗大的差異。蔡伯納在克利夫蘭有一位會計師朋友，是英國人，因此蔡伯納對亞瑟那口標準的英國腔驚奇不已。

「我不相信我曾見過這些人！」

他被介紹給房內的每個人。這時，蔡伯納愈發覺得不可思議，彷彿眼前這個人才剛踏入這個房間，當吳可妮向亞瑟詢及其他人時，他描述了他們的角色，並且解釋誰可以出來、誰不可以出來。最後，吳可妮說：「我們必須和比利交談。」

「要叫醒他是很危險的事。」亞瑟說，「他一直都有自殺傾向，妳應該知道的。」

「喬哈丁醫師必須見他一面，這很重要。審判結果全依賴這次的面談——自由、治療或關在牢裡。」

亞瑟思考了一會兒，咬緊嘴唇並且說：「這個嘛……說眞的，能做決定的人不是我，因爲我們被關在監獄裡——一個充滿敵意的環境——在這樣的情況下，這種決定要由雷根負責，只有他有權力決定誰可以出現、誰不可以出現。」

「在你的生命中雷根扮演什麼角色？」

「雷根是憎恨的維護者。」

「好，那麼……」吳可妮很明確地回答，「我必須和雷根說話。」

「這位女士，我的建議是……」

「亞瑟，我們的時間不多了，很多人犧牲自己忙碌的星期天早晨來這兒幫助你，雷根必須同意讓比利與我們談一談。」

他的臉部再度浮現茫然的表情，同時露出呆滯的眼神，嘴唇不停蠕動，好像是在自言自語；後來，他的下巴緊縮、眉頭深鎖。

「這是不可能的！」低沈的斯拉夫腔英語大聲咆哮。

「這是什麼意思？」吳可妮問道。

「想和比利談話是不可能的事！」

「你是誰？」

「我是雷根。這些人又是誰？」

吳可妮介紹了每一個人，而蔡伯納又再一次驚訝於眼前的改變，那是如此標準的斯拉夫口音，他眞希望自己也能懂得一些南斯拉夫俚語，好測試雷根是否也懂得。他希望吳博士能測試雷根，他想提醒她，但在場的每一個人都被吩咐過，除了自我介紹之外，其餘時間不可出聲。

吳可妮問雷根：「你怎麼知道我要與比利談話？」

雷根稍顯興奮地點點頭，「亞瑟問過我的意見，我反對，我有權決定由誰出來。要讓比利出來是不可能的事。」

「爲什麼？」

「妳不是醫生嗎？讓我這麼說吧！因爲比利會自殺，所以我不可能叫醒他。」

「你怎麼會如此肯定？」

他聳聳肩，「每次只要比利一出現，他就以爲自己做了什麼壞事，因此會試著自殺，這是我的責任，我不同意。」

「你的責任是什麼？」

「保護每一個人，尤其是那些年紀小的。」

「原來如此。那你從未失職過？年幼者從未被傷害或感受到痛苦，全是因為你妥善的保護？」

「不完全正確，大衛感受到了痛苦。」

「換句話說，你允許由大衛來承受痛苦囉？」

「那是他的目的。」

「身為一個大男人，竟然讓一個小孩來承受所有的痛苦？」

「吳博士，這不是我……」

「雷根，你該覺得羞恥才對，現在我不認為你盡了你的職責，我是醫生，我曾處理過類似的病例，我想應當由我決定比利該不該出來。當然，我不會讓一個小孩承擔不必要承擔的痛苦。」

雷根在座位上動了一下，看來很難堪而且似乎有罪惡感，他喃喃自語，說自己並不清楚所有的情形。但是，吳可妮繼續用溫柔卻又非常有說服力的語氣說下去。

「好吧！」他說，「就由妳來負責，但所有的男人都必須離開這個房間。因為比利曾經受過他父親的迫害，所以他懼怕男人。」

史凱瑞、蔡伯納和喬哈丁起身離開房間，但茱迪開口說話了。

「雷根，讓喬哈丁醫師留下來，他與比利會面很重要。你必須相信我，喬哈丁醫師對這個案件的病例非常有興趣，他必須留下來。」

「我們要出去了。」史凱瑞說，同時指著自己和蔡伯納。

雷根看了一下房間四週，評估當時的情勢。「我答應讓他留下來。」他說道，手指隨即指向大房間最遠角落上的椅子。「但是他必須坐在那兒。」

喬哈丁強擠出笑容，點點頭坐上那個角落。

「不可以亂動！」雷根說道。

「不會的。」

史凱瑞和蔡伯納這時已來到房間外的走廊上，史凱瑞說：「我還從未曾見過比利本人，我不知道他是否肯出來，但是你對剛才見到的、聽到的有什麼感覺？」

蔡檢察官嘆了一口氣，「剛開始我不相信，現在則是不知道該如何回答你的問題，但至少我不認爲那是一齣戲。」

留在房間裡的人仔細觀察比利的臉色逐漸發白，視線似乎轉向內在，雙唇依然不停蠕動，好像在睡夢中囈語一般。突然間，他的眼睛睜得好大。

「天呀！」他大叫道，「我以爲我已經死了！」

他在椅子上轉來轉去，看到所有人都盯著自已看。他從椅子上跳起來，兩手兩腳在地上爬，爬到對面的牆壁，儘量遠離那些人，躲在兩張椅子中間，身體縮成一團哭了起來。

「現在我又做錯了什麼？」

吳可妮以溫柔但肯定的語氣說：「你並未做錯事呀！年輕人，這兒沒什麼好害怕的。」

他身子不停發抖，背部直往牆上蹭，似乎想穿牆而過；前額的頭髮垂下來遮住了眼睛，但他並未撥開，只是從髮間看著這些人。

「我知道你並不瞭解，比利，但是這屋內的每一個人都是來協助你的。現在你應該站起來，坐在那張椅子上和我們好好談一談。」

房間裡的每個人都很清楚，吳可妮已經控制住整個局面，她知道自己在做什麼，每一句話都正中要害，並且要求對方有所反應。

他站起身來坐到椅子上，膝蓋神經質似地不停搖晃，身子也在抖動。「我還活著嗎？」

「比利，你活得好好的，而且我們知道你遇到了困難需要援助，你需要人幫你忙吧？」

他眼睛睜得很大，點點頭。

「比利，告訴我，那天你爲什麼會用頭去撞牆？」

「我以爲我已經死了。」他說，「當我醒來時，卻發現自己被關在牢裡。」

「在這件事之前，你記得的最後一件事是什麼？」

「走到學校的屋頂上，我不想再見到任何醫生。蘭開斯特心理健康中心的布朗醫師無法治好我的病，我以爲我已經跳樓了，爲什麼還沒死呢？你們是誰？爲什麼用這樣的眼神看我？」

「我們是律師和醫生，我們是來這兒幫你忙的。」

「醫生？如果和你們談話，爸爸會殺掉我的！」

「爲什麼？比利？」

「他不准我告訴你們他曾做過的事。」

吳可妮用懷疑的眼神看著茱迪。

「他的繼父，」茱迪解釋道，「他母親在六年前和米查離婚了。」

比利看著她，一臉不相信的模樣。「離婚？六年前？」他摸摸自己的臉頰，好確認這個訊息是否屬實。「怎麼可能？」

「我們還有很多事情要討論，比利，」吳可妮說，「有太多失落的部份需要拚湊起來。」

他粗野地看著四週。「我怎麼會來到這裡？發生了什麼事？」他開始哭泣，而且整個身子前前後後搖晃。

「比利，我知道你現在已經很累了。」吳可妮說，「你可以回去休息了。」

突然，哭泣停止，臉部表情立刻轉變成警覺但又迷惘的神態，他輕觸臉上的淚水，眉頭皺起。

「這兒發生了什麼事？那個人是誰？我聽見有人在哭，但不知道哭聲來自何處。天哪！不管他是誰，但我知道他正想跑開去撞牆，他到底是誰？」

「那個人是比利，」吳可妮說，「貨眞價實的比利，你是誰呀？」

「我並不知道比利獲准出來，沒有任何人告訴我這件事，我是湯姆。」

史凱瑞和蔡伯納現在獲准回到房內，湯姆也被介紹給每一個人，問過一些問題之後，他又退隱回去了。當蔡伯納聽到當他們不在時所發生的事，他直搖頭，一切看起來都非常不自然——似乎比利的身邊被靈魂或惡魔所佔據。他告訴史凱瑞與茱迪：「我不知道這代表著什麼，但我想我和你們是站在同一線上的，他看起來不像是裝出來的。」

只有喬哈丁醫師未做任何表示，他說他要保留自己的判斷，他需要再次思考他所看到及聽到的一切，明天他會把意見報告呈給佛傑法官。

(8)

曾帶領湯姆上樓的魯斯醫師並不知道比利有什麼樣的病狀，他唯一知道的是有許多醫生與律師來這兒看他的病人。比利是個善變的年輕人，他能畫出非常好的畫作。過了幾天，他經過牢房時，看見比利正開始作畫，從柵欄之間，他看到一條非常孩子氣的線條，上面還刻了一些字句。

一名守衛走過來開始笑說：「我那兩歲的孩子畫的也比這個強暴犯畫的好。」

「別打擾他！」魯斯說。

守衛手上有個裝了水的杯子，他將水潑進去弄濕了畫。

「你為什麼這麼做？」魯斯說道，「你哪根筋不對勁了？」

當潑水的守衛看見比利的臉色時，倒退了幾步，那是滿臉凶惡的臉色，似乎在尋找一些可以丟擲的東西。突然間，比利抓起臉盆，從牆上給扯了下來朝柵欄丟去，將臉盆摔碎了。

守衛頓時摔了一跤，跑過去按下警鈴。

「天呀！比利！」魯斯喊道。

「他用水潑克麗斯汀的圖畫，破壞一個孩子的作品是不對的行爲！」

六名警衛衝了過來，但他們卻發現比利已坐在地板上，臉上一片茫然。

「他媽的！我會要你好看！」那名守衛尖聲咆哮，「這是郡政府的財產！」

湯姆背靠牆壁坐著，兩隻手放在頭後，傲慢地說：「去你媽的財產！」

一封署名喬哈丁醫師，在一九七八年三月十三日寫給佛傑法官的信是這樣寫的：『依照面談的結果，我的意見認爲比利．密里根不具接受審判的能力，因爲他無法與自己的辯護律師合作，也缺乏情緒的控制能力爲自己抗辯；在法庭上面對證人，他也無法保持正常的舉止。』

現在，喬哈丁必須做出另外一項決定，因爲史凱瑞與蔡伯納認爲比利是否必須接受審判無關緊要；重要的是，就鑑定與治療而言，他們都要求喬哈丁必須安排比利進入哈丁醫院。但是，他認爲讓蔡伯納檢察官參加那樣的會議令人不可思議，雖然史凱瑞和蔡伯納曾向他保證，不會讓他爲站在對立的角色——「辯方」或「檢方」而左右爲難；不過雙方均事先同意喬哈丁的報告可依規定列入審判記錄。因此自己怎能拒絕雙方的要求呢？

身爲哈丁醫院的院長，他向醫院的行政主管及財務主管提出要求：「我們從未拒絕過任何困難的問題，哈丁醫院不只是接受簡單的病例。」

由於喬哈丁強烈認爲這不僅可以讓員工有學習的機會，同時還可爲精神醫學界提出貢獻，在此基礎上，院方委員會同意讓比利在法院的委任下接受爲期三個月的治療。

三月十四日，魯斯和一位警官接走比利。「他們要你下樓去，」警官說，「但警長說你必須穿上緊身衣。」

比利並未做出任何抗拒行動，他讓他們繫緊緊身衣，跟他們自牢房走向電梯。

史凱瑞與茱迪早已在樓下等待，急迫想將好消息告訴他們的當事人比利。當電梯門打開時，只見魯斯和那位警官的表情很怪異，因爲比利已經掙脫緊身衣了。

「那是不可能的！」警官說道。

「我告訴過你，這玩意兒是沒有用的，任何監獄或醫院都關不住我。」

「湯姆？」茱迪問道。

「完全正確！」他用哼哼的鼻音說話。

「過來這兒，」史凱瑞拖著他進入會議室，「我們必須談一談。」

湯姆掙脫了史凱瑞，「什麼事？」

「好消息。」茱迪回道。

史凱瑞說：「喬哈丁醫師已提出申請，要把你安置在哈丁醫院進行審判前的觀察及治療。」

「那又怎樣？」

「兩件事情中的一項可能會發生，」茱迪解釋說，「其中的一種可能是，經過一段時間，你會被宣稱有能力接受審判，進而決定審判日期；另一種可能是經過一段時間，你會被判定不具接受審判的能力，而那些指控你的罪名將遭撤銷。檢察官已經同意了，佛傑法官也已命令你離開這兒，下星期移往哈丁醫院，但有個條件。」

湯姆立刻說：「永遠都是有個條件。」

史凱瑞身體往前傾，用食指擊敲桌面。「吳可妮博士告訴法官多重人格者是遵守諾言的人，她知道諾言對你們每個人的重要性。」

「是嗎？」

「佛傑法官說，只要你承諾不會逃離哈丁醫院，你就可以獲釋而且立刻移送醫院。」

湯姆雙手互握，「我才不會做這樣的承諾。」

「你必須要！」史凱瑞大吼，「他媽的，我們花了九牛二虎之力才不讓他們送你去利瑪醫院，現在你竟然用這種態度對待我們！」

「你這樣說就不對了，」湯姆說，「逃脫是我的專長，是我在這兒最主要的原因，而你卻不讓我發揮我的專長。」

史凱瑞把手指伸進髮中，彷佛要將頭髮扯斷似的。

茱迪接住湯姆的臂膀，「湯姆，你一定要向我們立下承諾，如果不爲你自己，也要爲那些孩子們著想，你知道這個地方不適合他們。在哈丁醫院裡，他們才可受到適當的照料。」

他鬆開雙手，眼睛注視桌面，茱迪知道自己說中了癢處，她已經瞭解他對年幼者有很深厚的愛心和責任感。

「好吧！」他很不情願地說，「我答應他們。」

湯姆沒告訴茱迪的是，當他第一次聽到可能會被移往利瑪醫院時，他已準備了一片刮鬍刀片，刀片就用膠帶黏在左腳上；但目前還不是說明的時候，因爲沒有人問他。他很早以前就學到了一件事，當你被調往另外一個機構時，你一定要攜帶一項武器；或許他不能違反脫逃的承諾，但如果有人要強迫他，他還可以自衛，或是將刀片交給比利，由比利劃破自己的喉嚨。

在預定移往哈丁醫院的前四天，威立士警佐走進牢房，他要湯姆教他如何掙脫緊身衣的束縛。

湯姆看著他，問道：「我爲什麼要教你呢？」

「反正你快離開這兒了，」警佐說，「我想我的年紀還可以學些東西。」

「你一直對我很好，警佐，」湯姆說，「但我不會輕易教人的。」

「用這個角度來想吧，你可以拯救某些人的性命。」

湯姆感到有些好奇，「你這話是什麼意思？」

「你並沒有病，這是我知道的，但在這兒有其他人生病，我們讓他們穿上緊身衣保護他們，如果他們掙脫掉了，他們或許就會自殺。如果你告訴我你是如何辦到的，我們就可以避免其他人這麼做，你不就是救了這些人嗎？」

湯姆說這不關他的事。

但是，第二天，他表演了掙脫緊身衣的訣竅，然後又教那位警佐如何做才可以完全讓人穿了以後無法脫掉。

當夜稍晚，茱迪接到譚如茜的電話，「還有另外一個……」譚如茜醫師說道。

「另外一個什麼？」

「另外一個我們還不知道的人格，一個十九歲的女孩，名字是阿達娜。」

「我的天啊！」茱迪低語，「正好湊成十個！」

譚如茜談到她在深夜造訪監獄時，見到他坐在地板上用一種很柔軟的聲音談到需要愛。當時譚如茜就坐到他身邊安慰他，擦去他臉上的淚水。然後，《阿達娜》談到她暗地裡秘密寫的一些詩，她還哭說，只有她有能力把其他人從「聚光燈」中拉走；到目前為止，只有亞瑟和克麗斯汀兩人知道她的存在。

茱迪試著去想像這樣的情景：譚如茜坐在地板上抱著比利。

「她為什麼選擇當時現身呢？」茱迪問。

「阿達娜為那些發生在男孩身上的事而責怪自己。」譚如茜說，「強暴發生時，是她偷了雷根的時間。」

「妳說什麼？」

「阿達娜說那是她幹的，因爲她渴望被愛、被愛撫。」

「阿達娜是……？」

「她是女同性戀。」

當茱迪掛上電話後，很長一段時間都直盯著電話，她先生問她在電話裡談了些什麼，她想開口告訴他，但後來又搖搖頭把燈給關了。

第三章

(1)

三月十六日早晨，比利從富蘭克林郡立監獄移至哈丁醫院，比預定提早了兩天，喬哈丁已組織了專爲比利治療的專案小組；但是當比利突然抵達時，喬哈丁還在芝加哥參加精神病研討會。跟在警車後的是茱迪與譚如茜，她們知道如果再將比利送回監獄，對他而言是個相當沈重的打擊。哈丁醫院的舒瑪醫師答應全權負責病患的狀況，直到喬哈丁醫師回來爲止。因此，副警長簽署了一份文件將犯人交給哈丁醫院。

茱迪與譚如茜陪同丹尼走到病療區，那是上鎖的精神病患區，裡面的設施可容納十四位病情嚴重的病患，並且接受持續的觀察及貼身的照料。床位已事先安頓，丹尼被分配到兩間「特別照料」病房中的一間。笨重的橡木門上有個可供廿四小時監視的探視孔。一位醫師助理爲他送來午餐盤，他吃飯時則由兩位女士在一旁陪他。

午餐後，舒瑪醫師和三位護士過來探望他們。譚如茜認爲讓醫院同仁見識多重人格的症狀很重要，因此她建議丹尼讓亞瑟現身，讓他與那些將來一同工作的醫護人員見面。

麥安蒂護士長爲治療小組的一員，曾聽取過相關簡報，但另外兩位護士則全然不知情。

尹朵娜已是五個女孩的母親，她發現自己對校園之狼強暴犯有很深的反應，她仔細觀察眼前這位操男孩語氣說話的男子，只見他的眼睛在昏睡狀態中靜止，嘴唇不停蠕動，彷彿在自言自語；當他抬起頭時，表情既苛刻又傲慢，言語中帶有英國口音。

她必須忍住不笑出來，她不相信那個人是丹尼或亞瑟——這可能是爲了避免牢獄之災，由一位聰明演員裝出來的，她心裡如此暗想，但她很好奇想要知道比利是什麼樣的人；她想知道什麼樣的人才會表現出那樣的行爲。

譚如茜和茱迪正與亞瑟交談，並向他保證他目前處在一個非常安全的地方。譚如茜告訴他，再過幾天，她會再來做一些心理測驗；茱迪則告訴他，史凱瑞和她會常常來與他討論有關的案情。

醫師助理迪姆每隔十五分鐘就從探視孔觀察，然後在記錄簿上記載第一天發生的事：

五：〇〇　坐在床上、兩腳相互交叉、很安靜
五：一五　坐在床上、兩腳相互交叉、發呆
五：三二　站立、從窗口往外望
五：四五　晚餐
六：〇二　坐在床邊發呆

六：〇七　取走餐盤，進食狀況良好

六點十七分，比利開始踱方步。

八點，楊海倫護士進入房間，在房裡停留四十分鐘。護士記錄簿上的記錄很簡要：

一九七八年三月十六日比利尚在特別照料病房內——對周遭事物尚存戒心，談到自己的多重人格，多半是由「亞瑟」說話——有英國口音。他談到了其中一個人——比利——有自殺傾向，從十六歲起就開始沈睡，這是爲了保護其他人不致遭到傷害。食慾佳、排泄狀況良好，能充分攝取食物，心情愉快而且十分合作。

當楊海倫離去後，亞瑟安靜地告訴其他人，哈丁醫院是個安全而且支持他們的地方；由於在醫院裡必須接受許多觀察，同時運用邏輯能力協助醫生們的治療，因此他自己（亞瑟）從此接掌由誰出現的權力。

當天早上兩點五分，醫師助理肯湯士聽見房內發出巨大的噪音，當他過去查看時，發現病人坐在地板上。

湯姆對自己從床上掉下來的事很生氣，過了幾秒鐘聽見腳步聲，同時發現探視孔上的眼睛。當腳步聲逐漸遠去時，他將貼有膠布的刀片取出，小心將它貼在床下的木板上，如此一來，必要時他就能立刻找到刀片。

(2)

三月十九日，當喬哈丁醫師自芝加哥返回時，他對提早轉移比利的事不太高興。事實上，他曾精心安排這次的迎接事宜——他準備親自前往監獄迎接比利，同時也花了很多心血策劃籌組專案治療小組——小組成員包括心理學者、藝術家、輔助治療師、精神醫學社工人員、醫師、護士、醫師助理以及病療區護士長等，他曾經與他們討論多重人格的複雜性。當某些同仁公開表示不相信如此的診治安排時，他卻很有耐心地傾聽他們的意見，然後述說自己剛開始時的懷疑，並要求每位同仁協助他完成法院交付的任務，他們必須以開闊的心胸，同心協力發掘比利的眞正問題。

艾百利醫師在喬哈丁醫師回來後的第二天，爲比利做了一次身體檢查，艾醫師的記錄中提及比利的嘴唇經常蠕動，眼睛常轉向右邊，這通常發生在回答問題前。艾醫師還發現，每當詢問病患爲何要這麼做時，病患說是在與其他人交談——尤其是和亞瑟，以便能回答問題。

「不過平常只要稱我們比利就行了，」比利說，「這樣才不會有人認爲我們瘋了。我是丹尼。一般都是由亞倫做文書工作的，我才不管。」艾醫師在報告中如此記載，並添加了以下的註解：

起初，我們同意只以比利爲對象，由丹尼提供其他人的健康情形，但他並不清楚其他人的名字。在他記憶中，唯一的生病記錄是比利九歲時曾接受疝氣治療——「大衛永遠九歲」，所以有疝氣的是大衛。雖然亞倫視野狹窄，但其他人都很正常……

註：在尚未進入檢驗室之前，我曾與他討論這次的檢查性質。我詳細向他說明，並強調追蹤疝氣治療情形，以及經由直腸檢查攝護腺對他而言非常重要，尤其是他排尿不正常，後者的檢查更形重要。他變得非常緊張，嘴唇和眼睛動得很快；明顯地，他正與其他人交談。他雖然緊張，卻非常禮貌地告訴我：「這可能會讓比利和大衛很難過，因爲那正是米查分別強暴他們各四次的地方。那時他們住在農場裡，米查是我們的繼父。」後來他又補了一句，說在家庭記載中的母親是比利的母親。「但她不是我母親——我不知道我母親是誰。」

羅莎和尼克是病療區裡的助理醫師，每天都會參與威廉的治療作業。每天早晨十點以及午後三點，病房內共有七或八位病人會集中在一起進行各項醫療活動。

三月廿一日，尼克帶領比利從特別照料病房出來，目前只在晚上才將房門鎖上。他們進入活動室，這位年僅廿七歲、身材瘦長的男助理醫師，留有一撮濃密的八字鬍，兩耳還戴了飾有寶石的金耳環；他曾被告知比利由於年幼時曾遭性虐待，因此對男性充滿敵意。雖然尼克對多重人格充滿好奇，但仍然十分懷疑。

羅莎小姐二十多歲，擁有一頭棕色秀髮、一對藍色的眼睛，過去從未有過處理多重人格的經驗，但是在喬哈丁醫師做完簡報之後，她察覺到同仁之間分成了兩派；有些人確信比利爲多重人格者，另外一些人則認爲這只是一樁騙局——其目的只不過是要吸引大衆的注意，進而逃避因強暴罪而被囚的命運，羅莎則一直努力試圖讓自己保持中立。

當比利遠離其他人、獨自坐在桌子遙遠的另一端時，羅莎告訴他其他病患昨天已決定，每個人都必須用剪貼的方式拚畫出自己最愛的人。

「我沒有任何最愛的人。」他說。

「那就爲我們創造一個吧！大家都會做的。」她拿出一張自己正在使用的圖畫紙，「我和尼克也要拼湊一張。」

羅莎從稍遠處看見比利取了一張八×十一的圖畫紙，開始從雜誌上剪下圖片。她曾聽說他有藝術天份，現在面對這位害羞而安靜的病患，她好奇地想知道他會做什麼，只見他安靜地獨自剪貼；當他完成後，她走過去看他的成品。

他的拚圖令她大爲吃驚，那是一位受到驚嚇、滿面淚水的小孩從圖案中央向外窺視，而在那孩子下方寫的名字是摩里遜；孩子上方則是一個怒氣沖天的男子，同時用紅筆寫了「危險」二字，右下角則是一顆頭顱。

羅莎深深被拚圖的簡潔字句以及深邃的感情所感動；她從未要求得到如此的結果，也不是她所期盼的作品，她認爲這代表的是一個痛苦的過去。觀賞時，她全身不禁有些顫抖。此刻，她非常確信，不論醫院其他同仁對他有什麼看法，她知道這樣的作品絕非沒有反社會情節的人能做到的，尼克也同意她的看法。

喬哈丁醫師開始閱讀相關的精神醫學雜誌，他發現這類多重人格的病例正在增加，於是他開始打電話給那些撰文的精神科醫師，大多數的醫師均如此表示：「我們願與您分享我們所知道的淺薄知識，但您所提到的則是我們所不瞭解的案例，您必須自己去發掘才能知道。」

看來，這將花費比當初預期還要久的時間及努力，喬哈丁醫師正在回想當初的決定是否正確，尤其正值醫院擴建工程以及向外募款期間；他最後得到的結論是，這麼做對比利非常重要。除此之外，在精神醫學方面也有重大貢獻，可以探討目前爲止人類心智尚未開發的知識。

在他提交報告給法院之前，他必須先瞭解比利的過去經歷，但一想到比利的記憶喪失，他就知道這將是個艱難的挑戰。

三日廿三日星期四，史凱瑞和茱迪花了一個小時探訪比利，要他回想那些不清晰的記憶片段，然後將他的故事與三位受害者做比較，計劃未來可能的法庭策略。當然，這還得看喬哈丁醫師提出的報告而定。

兩位律師發現，目前比利的情緒好多了，雖然仍舊抱怨自己必須被鎖在特別照料病房內，而且還得穿上印有「細心看護」字樣的衣服。「喬哈丁醫師說我可以和這兒其他的病患一樣，但那些工作人員都不相信我。其他病人都可以搭車到遠地郊遊，我就不可以；我必須在病房裡，而且他們還執意叫我比利，我實在是很生氣。」

他們試著讓他平靜下來，告訴他喬醫師正在外面努力尋求治療方法，因此他應小心配合，不可激怒其他醫生的耐心。茱迪感覺目前現身的是亞倫，但她沒指名，唯恐這麼做反而會弄巧成拙。

史凱瑞說：「我認爲你應當與工作人員配合，這是你遠離監牢的唯一機會。」

當他們離開時，不禁都鬆了一口氣。目前比利已經很安全了，而且他們也暫時可以卸下每天照料他的責任。

當天稍晚時，對喬哈丁而言，那是一次相當緊張的五十分鐘首次會診。比利面對會議室的窗子坐下，起初他不敢正眼看別人，似乎已不太記得年幼時發生的事，即使能自由談論繼父對他的虐待經過。

喬哈丁知道自己採用的方法過於小心，吳可妮曾告訴他，必須先儘快找出比利體內有多少種不同的人格，找出他們的特性，鼓勵每一種人格說出他們存在的原因，同時也要讓他們說出當時他們被創造出來時的情況。

然後，所有不同人格必須彼此相識，讓他們彼此產生溝通，並且在面對問題時互相幫助，而不是互相獨立。吳可妮建議的策略乃是將這些不同人格集合在一起，最後將他們介紹給比利——中心人格——讓他重新拾起那些回憶，最後再試著進行融合工作。喬哈丁有很大的意願嘗試她的方法，也早就知道吳博士在監獄中曾技巧地引出各種不同的人格，但別人能用的方法自己不一定能用。他認爲自己很保守，必須使用自己的方法，而且是在最佳的時機並擁有適當人員及設備的情況下。

日子一天一天過去了，尹朵娜護士發現自己與比利一對一的時間越來越多；比起其他病患，比利睡得很少，他很早就起床，因此尹朵娜必須與他談很多的話，他談到那些住在他體內的其他人。

有一天，比利遞給她一張簽滿《亞瑟》的紙張，臉上的表情似乎很驚恐，並且說：「我不認識任何名叫亞瑟的人，而且我也不知道紙上寫的是什麼。」

不久，醫院同仁向喬哈丁提出抱怨，說他們愈來愈無法與這樣的人相處，因爲他常說：「我沒做這件事，是其他人做的。」但工作人員都親眼看見那些事情都是他做的。他們還說，在治療其他病患時，比利都會從中破壞，還經常對工作人員暗示雷根會出現，工作人員認爲這是無形的恫嚇。

商討之後，喬哈丁決定親自接手比利的診療，而且要求同仁在醫院裡不可提到或談論其他人格的名字，尤其不可在病患前談論這件事。

曾在第一天與比利談過話的楊海倫護士，現在已參加了比利的治療小組。她在三月廿八日的護士日誌上寫著：

一個月內，必須努力於讓比利承認別人指證他曾經做出的行爲。

計劃：(1)當他否認他彈鋼琴的能力時——工作人員應向他表示他曾看見或聽過他彈鋼琴——

將事實與他的態度結合在一起。

⑵ 當他否認他寫下的字條時——工作人員應告訴他，他們的確看見那是他寫的。

⑶ 當他自稱是另外一個人格時——工作人員應提醒他的名字是比利。

喬哈丁醫師向亞倫解釋他將採取的方法，因爲同房的其他病患感到很迷惑了，他們經常聽到許多不同人格者的名字。

「有些人還不是稱自己是拿破崙或耶穌基督。」亞倫說。

「那是不同的，如果我和醫院其他工作人員今天稱呼你是丹尼，另外一天卻又必須稱呼你是亞瑟、雷根、湯姆或亞倫，這會讓我們搞迷糊。我的建議是，對醫院工作人員以及其他病患而言，你所有的人格最好都使用比利這個名字，而……」

「他們不是『人格』，喬哈丁醫師，他們是人。」

「爲什麼要這樣區分呢？」

「當你稱呼他們爲人格時，似乎你不相信他們眞的存在。」

(3)

四月八日，在譚如茜展開一系列心理測試後的幾天，尹朵娜看見比利生氣地在房裡走來走去，當她問他有什麼事不對勁時，他用帶有英國腔的聲音回答：「沒人會瞭解的！」

然後，她看見他臉色變了，姿勢、走路和說話方式全變了，她知道這一定是丹尼。這時，她很清楚看見不同人格者截然不同的表現，她開始相信他是個多重人格者。現在，她是護士中『相信』的一方。

過了幾天，比利很生氣的來找她，她很快就認出站在眼前的是丹尼，他注視她，並且很感傷地說道：「我爲什麼會在這裡呢？」

「你說的這裡是指什麼地方？」她問道，「是這間病房，或整棟建築物？」

他搖搖頭，「有些病人問我爲什麼會在這間醫院裡？」

「或許譚醫師來爲你測驗時，你可以問她。」她說。當天晚上，在譚如茜做完所有的測驗後，比利不和任何人說話就跑回自己的房間，進入浴室洗臉。幾秒後，丹尼聽見房門被推開然後關上的聲音，他探了一眼，發現那是一位名叫多琳的女患者。

雖然他對她的問題常感到同情，但是他對她並不感興趣。

「妳爲什麼來這裡？」他問道。

「我要和你說話，今晚你爲什麼生氣？」

「妳知道妳是不可以來這兒的，妳已經違反規定了。」

「但是你看起來很沮喪啊！」

「因爲我發現有人做了一些事情，都是些很恐怖的事，我無法再忍受下去了。」

此刻，有腳步聲接近，然後傳來敲門聲，多琳見狀也立刻衝進浴室關上門。

「妳爲什麼要這麼做？」他以嚴厲的口氣低聲說，「看來我有大麻煩了，全都一團糟了！」

她咯咯笑了起來。

「好了，比利、多琳！」尹朵娜護士高聲叫門，「你們兩人如果準備好的話就可以出來了。」

一九七九年四月九日，尹朵娜護士記載：

比利被發現在浴室中與另外一位女病患在一起，燈是關著的；當他被質問時，他說他必須單獨與她談論一些他發現自己做的事，也就是關於譚如茜博士當晚做的心理測驗，他在測驗中瞭解到他曾強暴過三位女士，得知這些情形後便痛哭流淚，他說他要『雷根和阿達娜去死！』喬哈丁醫師打電話來，我們向他解說事情的經過。比利後來被安置在特別照料室接受特別的監視。幾分鐘後，他發現自己坐在床上，手裡有一條浴衣腰帶，兩眼仍在流淚，他說他要殺了他們；經過開導，他將浴衣腰帶交出來；在此之前，浴衣腰帶綁在他的頸子上。

譚如茜在她的測驗中發現，不同性格之間在智商方面存有相當大的差異。

	語言智商指數	行爲智商指數	綜合智商指數
亞倫	一〇五	一三〇	一二〇

雷根	一一四	一二〇	一一九
大衛	六八	七二	六九
丹尼	六九	七五	七一
湯姆	八一	九六	八七
克里斯朵夫	九八	一〇八	一〇二

克麗斯汀年紀太小，無法接受測驗，阿達娜不願出來，而亞瑟則說像他這種有尊嚴的人才不願接受測驗。

譚博士發現，丹尼在羅爾沙赫氏測驗（Rorschach test）方面，顯示有隱藏的敵意，亦即他必須藉助外力抵消自卑感和無力感。湯姆比起丹尼要成熟多了，能將受壓抑的感情以具體的行動表現出來，他具有最多的精神分裂症特徵，而且最不關心其他人。雷根則顯示有最濃厚的暴力傾向。

她還發現亞瑟最有智慧，她感覺就是因爲他有智慧，所以擁有指揮他人的地位；雖然他維持了優勢地位和優越感，但仍會有不安的情緒，總認爲自己受到周遭環境的威脅。就情緒而言，亞倫看起來似乎就比較理智一些。

她從中發現了一些共通現象——那就是具有女性特質以及強烈超越自我的感覺。她並未發現精神異常的傾向或思考混亂的精神分裂症狀。

當羅莎和尼克宣佈治療小組要在四月十九日進行信賴感訓練時，亞瑟允許由丹尼出現。院方工作人員在康樂室裡擺了一些桌子、椅子、長椅和木板，佈置成障礙場地。

由於眾人知道比利對男性成年者有畏懼感，因此尼克建議羅莎替比利蒙上眼睛，帶領他走一趟障礙路線。於是她對比利說道：「你必須和我配合，比利，這是唯一能讓你建立對別人產生信心的方法，如此你才可以在眞正的世界中生存。」

最後，他同意讓她將眼睛蒙上。

「現在抓住我的手！」她邊說邊牽著他進入房間，「我會帶你走一趟，越過那些障礙物，我不會讓你受傷的。」

當她領著他走時，她不僅可以看見，同時也感覺到由於他不知將前往何處、會撞到什麼東西，因此心中有一股無法控制的恐懼。起初，走得很慢，然後越來越快，沿著桌子、椅子走，順著樓梯上上下下……。期間，羅莎和尼克不斷在旁邊鼓勵他。

「我不會讓你受傷的，對不對？比利？」

丹尼搖搖頭。

「你必須學習信任某些人。當然不是所有的人，而是一些人。」

羅莎發現當她在他身旁時，他扮演的都是小孩角色，她知道那是丹尼；然而，在他的圖畫中，有許多涉及死亡的圖案，這令羅莎感到不快。

隔週週二，亞倫第一次獲准前往另一棟大樓參加美術課程。在那兒，他可以盡情素描、畫圖。

鍾士東是個溫和的藝術醫療師，他對比利的藝術天份印象深刻。但是，他發現當比利處在一個新團體中時，整個人就變得非常緊張而且浮躁。他逐漸瞭解，比利畫出這些古怪圖畫乃是想要吸引別人的注意，以及得到別人贊同的方式。

鍾士東指著畫中刻有『不得安眠！』字樣的墓碑，「比利，可否告訴我們這些字的意義？畫這些圖畫時，你有何感覺？」

「那是比利的生父，」亞倫說，「他曾經是個喜劇演員，自殺前，他在佛羅里達州邁阿密的秀場當主持人。」

「爲何不告訴我們你的感覺呢？比利，我們想要知道的是感覺，而不是事情的細節。」

亞倫非常不高興自己被稱爲比利，他怒氣沖沖將畫筆丟掉，抬頭望著牆上的鐘。「我要回房整理床鋪了。」

第二天，他與楊海倫護士談到昨天的事，他說一切都不對勁；當她告訴他由於他的行爲影響到工作人員和其他病患時，他變得更生氣了。「我絕不爲其他人所做的事負責！」他說。

「不可以牽扯到你身體裡的其他人，」海倫說，「我們只針對比利。」

他大叫道：「喬哈丁醫師並未按照吳博士吩咐的方式治療我，這樣是治不好的！」

他要求看自己的病歷表。楊海倫拒絕時，他說他有辦法讓院方同意他看自己的病歷，而且還說他很確定院方人員並未記載他行爲上的改變，以及他無法找回他失落的時間等等內容。

當天晚上，在接受喬哈丁醫師的探視之後，湯姆向工作人員宣佈他已經開除了他的醫生；後來羅莎又從房裡走出來，說他重新僱用喬哈丁醫師。

當比利的母親桃樂絲獲准會面之後，桃樂絲士女幾乎每星期都在女兒凱西的陪同下前來醫院探望比利。比利的反應是無法預期的，有時當母親離去後，他會變得很高興而且友善；但是，有時卻顯得十分沮喪。

精神醫學社工人員瓊安在小組會議中提出報告；她說，每次比利的母親前來探訪之後，她都會與他母親談。她發現桃樂絲是一位友善而又慷慨的女士；她認爲由於他母親害羞以及依賴的個性，因此不太理會報告中所提到的虐待事件。桃樂絲女士曾經表示，似乎有兩位比利——一位是可愛而仁慈的男孩，而另外一位則不在意他傷害別人時的感覺。

四月十八日在桃樂絲女士探望之後，尼克在病歷表中記載，他發現比利似乎非常生氣，獨自留在自己的房內，用枕頭蓋住自己的頭。

四月底，十二個星期已過了一半，喬哈丁發現整個進度非常緩慢，他必須找到一些方法使比利體內的各種人格與比利建立起溝通管道。但是，他首先必須尋求突破，與比利本人見面，自從上次吳可妮說服了雷根讓比利現身之後，他都未曾與比利本人見過面。

喬哈丁突然有一種想法，或許使用錄影機可將比利與其他人格的言行拍攝下來；於是便告訴亞倫這個主意，說明這個方法很重要，可以讓每一種人格與比利溝通，亞倫也同意這種方式。

後來，亞倫告訴羅莎，他對於利用錄影機拍攝他們的意見感到非常高興；而且喬哈丁醫師已經說服他，採用這種方法，可以讓他對自己有更多的認識。

五月一日，喬哈丁舉行了第一次的錄影會議，譚如茜當時也在場，因爲喬哈丁瞭解，如果有她在場，比利會比較適應。喬哈丁希望能讓阿達娜出現。起初，比利拒絕讓其他新人出現，但後來也瞭解到探討女性人格的重要。

喬哈丁反覆說明讓阿達娜出來與他們談話的重要性；結果，在經過數次的角色更換後，比利的表情轉爲溫柔而且流著淚水，聲音哽塞，帶鼻音，幾乎是女性的臉龐，眼睛飄來飄去。

「談話總令人很傷心！」阿達娜說。

喬哈丁試著掩飾內心的興奮，他一直希望能見到她，但是當她出現時卻感到十分意外。「爲什麼會傷心呢？」他問道。

「因爲我闖了大禍，讓那些男孩惹上麻煩。」

「妳做了什麼事？」他問。

譚如茜在將比利從監獄轉到醫院的前一天晚上，曾與阿達娜見過面，現在她也坐在一旁靜聽。

「他們不懂得什麼是愛，」阿達娜說，「愛就是被愛、被關心，我偷竊了那段時間，我受到雷根的藥物和酒精的影響。噢！提起這段往事我就很難過……」

「是的，但我們必須談一談，」喬哈丁說，「好幫助我們深入瞭解。」

「是我做的，現在說抱歉太晚了，對嗎？我毀了那些男孩……但是……他們並不瞭解……」

「瞭解什麼？」譚如茜問。

「愛代表什麼？對愛的渴求是什麼？被別人擁抱，只是想感覺到溫暖以及受到關心，但我不知道是什麼原因促使我做出這些事來。」

「當時……」譚如茜問，「妳是否感覺到被愛及被關心呢？」

阿達娜停了一會兒，低聲回應道：「那種感覺很短暫……我偷了別人的時間，亞瑟並未安排我出來，我只是希望雷根暫時離開而已……」

她面帶淚水環顧四週，「我不希望經歷這些事，也不想進法院，我不想與雷根談任何事……我想離開這些男孩，我再也不想和他們混在一起……我眞的有罪惡感……我爲什麼要這麼做呢？」

「妳是從什麼時候開始出現的？」喬哈丁道。

「去年夏天，我開始偷時間，當那些男孩被關進孤獨的利巴嫩監獄時，我竊取時間寫詩，我很喜歡寫詩……」她啜泣著，「他們會如何處置這些男孩？」

「我們並不知道，」喬哈丁溫柔地說道，「我們會盡我們最大的力量去瞭解。」

「不要太嚴厲懲罰他們。」阿達娜說。

「去年十月發生那些事情時，妳是否知道什麼計劃？」他問。

「是的，我知道所有的事情，甚至知道一些亞瑟不知道的問題……但我無法制止，我一直感覺到藥物和酒精的影響，我不知道自己為何會做出這些事來，我感到非常孤獨。」

她開始鼻塞，向醫師索求「通鼻劑」。

喬哈丁仔細觀察阿達娜的表情，深怕嚇走了她。「妳難道沒有任何朋友嗎？……沒有任何快樂排除妳的孤單？」

「我從未與任何人談過話，甚至不和那些男孩交談……但我曾與克麗斯汀談過話。」

「妳說夏天在利巴嫩監獄時妳曾出現過，那麼以前是否也出現過呢？」

「不，但我早就在那兒了，在那兒已經很久了。」

「當米查……」

「是的，」她打斷醫師的話，「別提他。」

「妳是否曾與比利的母親交談過？」

「沒有，她甚至不和那些男孩交談。」

「比利的妹妹凱西呢？」

「是的，我曾與凱西談過，但我想她並不知道，我們還曾經一同上街購物。」

「比利的哥哥傑姆呢？」

「沒有……我不喜歡他。」

阿達娜把眼淚擦乾，身體往後靠，望著錄影機，表情有些緊張，然後沈默了很長一段時間。喬哈丁知道她已經離開了。他觀察比利迷惘的表情，等待另一個人出現。

「如果我們可以與比利談談，」他溫和地說道，「對整件事會有很大的幫助。」

當比利迅速張望四週的環境後，立刻露出驚慌的表情，喬哈丁認出他是誰了；上次是吳可妮在富蘭克林郡立監獄時見到的，他是比利。

喬哈丁以溫柔的口氣與他談話，深怕在與他接觸之前他就消失不見。比利的雙腿不安地抖著，兩隻眼睛害怕地朝四面張望。

「你知道身在何處嗎？」喬哈丁問。

「不知道。」他聳聳肩，說話的模樣像是在學校測驗時回答對或錯一般，而且不知道自己說出的答案否正確。

「這裡是醫院，我是你的醫生。」

「天哪！如果我和醫生談話，他會殺了我！」

「誰會殺你？」

比利看了一下四週，發現攝影機正對著自己。

「那是什麼？」

「那是攝影機，要拍攝今天的過程，這樣你才會知道曾經發生過什麼事。」

但是，他離去了。

「那東西嚇到他了！」湯姆滿臉不屑地說道。

「我向他解釋那是攝影機，而且……」

湯姆偷笑出聲，「或許他根本就不知道你在說什麼！」

當面談結束時，湯姆被帶回病房。喬哈丁獨坐辦公室，花了很長時間思考這件事；他知道他必須告訴法庭，若就精神病狀態的眼光，比利並未發狂，但是從他醫學的觀點而言，因爲比利早已遊離現實世界，無法在法律之前爲自己的行爲負責——他不能爲那些犯行負責。

接下來必須做的事是繼續治療這位病患，而且要用某些方法讓這位患者有能力接受審判。

但是，法院准許的三個月已剩不到六個星期了，怎可能達成如吳可妮博士曾耗費十年的光陰才有的成果呢？

翌晨，亞瑟決定與雷根分享與在喬哈丁醫師面談時有關阿達娜的內容，他認爲這麼做很重要。他在房裡踱步，與雷根大聲說話，「強暴案的疑雲已揭曉，現在我知道是誰幹的了！」

他的聲音立刻又變成雷根的聲音。「你是如何知道的？」

「我已經發掘到一些新消息，並且經過拚湊之後得知的。」

「誰幹的？」

「我想……因爲你否認曾犯過那些罪行，所以你有權知道是怎麼回事。」

這樣的會談經由快速的角色互換而進行；有時候聲音非常大，有時則是心靈上的溝通、沒有任何聲音。

「雷根，你是否記得曾經聽過女人的聲音？」

「是的，我聽過克麗斯汀的聲音，而且……對了，還有其他女人的聲音。」

沒錯，去年十月你出來搶錢時，我們當中的一位女性也參與了。」

「這怎麼說？」

「有個女孩你從未見過，她名叫阿達娜。」

「我從未聽過。」

「她不但甜美而且人也溫柔，一直在爲我們烹調食物、清潔環境，當初亞倫得到在花店工作的機會時，就是由她出來整理花的，我只是不知道……」

「這跟她有什麼關係？她偷了錢？」

「沒有，但她強暴了那些女士！」

「她強暴女人？亞瑟，她怎麼強暴女人？」

「雷根，你聽過女同性戀沒有？」

「好吧！」雷根說，「女同性戀者如何強暴女人？」

「對啦，就是因爲這樣，所以他們控訴你呀！當我們之中的一位男士出現時，在肉體上我們的確可以進行性行爲，雖然大夥兒都知道我曾訂下必須保持獨身的規定，但她使用了你的肉體。」

「你是說，因爲這個婊子幹的好事，所以大家責怪我？」

「沒錯，但我希望你和她談一談，看她怎樣解釋。」

「這就是強暴的經過？我要殺了她！」

「雷根，保持理智！」

「理智？」

「阿達娜，我要妳和雷根見面，雷根是我們的保護者，他有權知道發生了什麼事，妳必須爲自己的行爲解釋，並且向他說明做出這件事的原因。」

這時，在他腦際浮現出溫柔的聲音，就像是幻覺或夢境中的囈語一般。「雷根，我很抱歉爲你帶來困擾……」

「抱歉？」雷根大吼，「你這齷齪的浮蕩女人！妳爲什麼要去強暴女人呢？妳知不知道妳害慘了所有的人？」

他轉身就離開。突然間，房裡是一位女孩哭泣的聲音。楊海淪護士從監視孔向內望。「需要我幫忙嗎？比利。」

「別理我！」亞瑟說，「讓我安靜一下。」

楊海倫依言離開，她很不高興亞瑟的態度。楊海倫離開後，阿達娜試著爲自己解釋：「雷根，你必須瞭解，我的需要和你們是不同的！」

「妳怎麼會和女人有性行爲呢？妳自己就是女人啊！」

「你們男人是不會瞭解的，至少小孩知道什麼是愛，什麼是愛撫。你知道用手臂攬住一個人並且說：『我愛妳，我關心妳，我對妳有特別的感覺！』的意義嗎？」

「我打個岔，」亞瑟說，「但我始終覺得肉體的愛是不合邏輯、不合時代的，尤其是在當今科技進步的時代裡……」

「你瘋了！」阿達娜大喊，「你們兩個都一樣！」然後，她的聲音又變回原有的溫柔。「如果你們經歷過被擁抱以及被關心的感覺，你們就會瞭解了。」

「注意聽著，婊子！」雷根衝口說道，「我不在乎妳是誰，如果膽敢再和醫院裡任何人或任何其他人說話，我就會讓妳死！」

「等等，」亞瑟說，「在哈丁醫院裡並非由你做主，是由我做決定，你必須聽我的安排。」

「難道你要讓她如此逍遙置身事外嗎？」

「我才不會這麼做。現在由我來處理，你無權決定她可不可以出來，她偷去你的時間正好證明你是個白癡，你的控制力不夠。由於你喝酒、吸大麻、安非他命，所以才讓比利和大夥的生命受到威脅。是的，案子是阿達娜犯下的，但責任在你身上，因爲你身爲保護者，當你處於易受傷害的情境時，實際上就是讓每一個人都處在危險的境地！」

雷根開始說話了，但語氣已緩和許多；他看到窗檯上的盆景，便用手撥它，結果摔在地板上。

「前面已經說過了，」亞瑟繼續說，「我同意阿達娜被歸爲《惹人厭的傢伙》。阿達娜，妳絕不可再出現，也不准再竊取別人的時間。」

她走向房子一角，面對牆壁哭泣，直到離開爲止。經過很長一段時間的沈寂，大衛出來了，他拭去臉上的淚珠，看見地板上摔破的盆景，他知道那株植物就快死了；光是看見植物的根暴露在空氣中就是件很令人難過的事。

楊海倫護士再次回房門前，手上端著一盤食物。「你確定我幫不上忙嗎？」

大衛畏縮在一角，「妳是否會因爲我害死了一棵植物而送我進監獄？」

她將餐盤放下，用手拍拍他的肩膀，「不會的，比利，沒人會送你去牢房的，我們會照料你，治好你的病。」

五月八日星期一，喬哈丁百忙之中抽空參加在亞特蘭大舉行的全美精神醫學會年會。上週五，他曾探望過比利，安排他接受更周詳的治療計劃；當他不在醫院時，由郭瑪琳醫師負責。

郭醫師是紐約人，在醫院同仁中，她屬於從一開始就持懷疑態度的人；雖然並未公開表示，但在某日下午，當她與亞倫談話時，楊海倫進來向郭醫師打招呼：「嗨！瑪琳，近來可好？」

亞倫立刻轉過頭，衝口而出：「瑪琳是湯姆女朋友的名字！」

當時親眼見到比利瞬間表現出來的反應，根本就沒有任何時間思索，郭醫師知道這假不了。

「那也是我的名字，」郭醫師說，「你說她是湯姆的女朋友？」

「呃……她並不知道湯姆，她稱呼我們比利，但她手上的訂婚戒指是湯姆送的，她從來就不知道我們的秘密。」

郭醫師頗感傷地說：「當她發現時，對她而言將是個很大的打擊。」

在全美精神醫學會議中，喬哈丁告訴吳可妮有關比利的近況：他已經完全相信他是個多重人格者；還談到比利拒絕在大衆面前承認其他人格的名字，以及其他一些因此而產生的問題。

「在彭吉利醫師的集體療法中，比利曾因此而與其他病患的關係處得不好，當醫生要求分享比利的問題時，比利只說：『我的醫生告訴我不談它。』妳可以想像其他病患會怎樣想了。而且他企圖要弄資歷較淺的醫護人員，目前他已不得再接受小組的集體治療了。」

「你必須瞭解，」吳可妮說，「未被察覺到的多重人格所代表的意義是什麼；當然，他們已經習慣原先的名字，但秘密一旦被揭穿，他們就認爲不再需要原來的名字。」

喬哈丁思考了一會兒，針對在剩下不長的時間內該如何治療比利提出問題。

「我想你應當要求法院至少再給你九十天的期限，」她說，「然後你該試著讓不同人格相互融合，以便他們可以幫助律師接受審判。」

「大約兩個星期後，也就是五月廿六日，俄亥俄州政府將派遣一位法院指派的精神科醫師前來探視比利。我在想，妳是否也能以顧問的身份提供一些幫助？」

吳博士同意了這項邀請。

雖然年會開到星期五，但喬哈丁在星期三便離開亞特蘭大。返回醫院的次日，他立刻召開小組會議，告訴其他同仁他與吳可妮討論的結果；他認爲，若未將各種不同的人格指認出來，對治療而言並沒有益處。

「我們曾經認為，如果故意忽視多重人格的存在，或許會導致他們的整合；但事實上這反而會造成他們就此隱藏起來不再露面。我們必須繼續強調責任與義務的必要性，但同時也必須避免阻止不同的人格出現。」

他指出，如果有任何希望可將不同人格融合，讓比利可以接受審判的話，就必須確認每一種人格的存在，而且也有必要個別與他們交談。

羅莎鬆了一口氣，因為私底下她都會與他們交談，尤其是丹尼。現在，她大可放心讓他們出來了，不需因為一些人不相信，而偷偷摸摸進行這項任務。

尹朵娜邊笑邊在一九七八年十二月的護士日誌上寫下新的計畫：

比利可以自由與其他人格交談了，這是為了讓他能討論心中難以表達的感覺；從此以後他將可與工作同仁公開討論。

計劃：(A)不要否認他經歷人格分離的事實。

(B)當他相信他是另外一種人格時，詢問他在這種情況時的感覺。

(4)

當迷你小組於五月中旬開始在花園中工作時，羅莎和尼克發現，丹尼很害怕手動式的耕耘機；是兩人開始展開「條件脫離計劃」（Deconditioning），他們要求丹尼漸漸靠近那部機器。當尼克告訴丹尼，他總有一天會勇敢的自行操作時，丹尼幾乎要昏過去了。

過了幾天，羅莎的另一位男性病患拒絕配合花園工作計劃；亞倫很早以前就發現，那個病患似乎很喜歡逗弄羅莎小姐。

「眞是大笨蛋！」那位病患大叫，「妳對園藝根本就不懂嘛！」

「沒錯，但我們可以試著去做呀！」羅莎說。

「妳只是個他媽的笨娘兒們，」病患說道，「妳對園藝一竅不通，也不懂集體治療！」

亞倫看到羅莎快哭了，但他在一旁沒說話，而讓丹尼出來與尼克在一塊兒。回到房間時，亞倫出現了，他感覺自己被人推了一把撞到牆上，這種事只有雷根做得出來，而且是在角色互換時。

「幹什麼？你到底想幹什麼？」亞倫低語道。

「今天晚上在花園裡，你竟然允許那個大嘴巴如此對待一位女士！」

「那又怎樣？又不關我的事！」

「你知道規矩的，看見婦女或小孩受到傷害時，我們不可袖手旁觀，必須採取行動。」

「是啊，那你爲什麼不採取行動？」

「我不在現場啊！那是你的職責，給我記住，否則下次我可要出來打爛你的頭！」

第二天，當那位凶暴的病患再次傷害羅莎時，亞倫立刻上前抓住他，並且以凶神惡煞般的眼神怒視他。「你說話給我小心點！」

他希望對方不會有任何行動，如果有所行動，亞倫就會決定自己離去，而讓雷根出來打架。雷根一定會這麼做的。

羅莎發現她必須不斷爲比利提出辯護，好對抗其他同事。他們批評比利只不過是個罪犯，爲了免除牢獄之災而裝模作樣。

當她聽到某些護士抱怨喬哈丁醫師鍾愛的病人佔用太多醫院的時間及資源時，她爲此感到非常忿怒；另外，她也常爲比利求情，因爲別人常說：「有些人擔心那個強暴犯的程度，遠遠超過對受害者的關心。」爲此她堅持一項看法，那就是當醫護人員在試著幫助一位心智不正常者時，必須暫時拋開復仇的心態，眞正與他交往。

某天早晨，羅莎觀察正坐在特別診樓區外台階上的比利，他嘴唇蠕動，正在自言自語。臉部表情開始起變化。往上看，不斷搖頭，摸摸自己的下巴。

此時，比利正好看見一隻蝴蝶，伸手將它捉住。當他從手掌間看去時，他哭著跳起來，不斷搖動雙手，似乎想要幫助蝴蝶再次飛翔，只見那隻蝴蝶跳了一下躺在地上，他十分懊惱地看著。

當羅莎靠近他時，他轉過身來；很顯然已受到驚嚇，淚水在眼裡打轉；她有一種感覺，但並不知道爲什麼——她面對的是她以前從未見過的人。

他拾起蝴蝶，「它不會飛了。」

她溫和地對他笑了一笑，心中掙扎是否要叫出他正確的名字，最後她低聲說：「嗨！比利，我等你等了很久了。」

她在他身旁的台階上坐下，當時他抓住自己的雙腿，神色驚慌地望著草地、樹木和天空。

幾天後，接受診療的迷你小組在進行粘土課程時，亞瑟允許比利再次出現，讓他玩黏土。尼克鼓勵他捏人頭，比利依言花了一個小時去捏。首先，他將黏土捏成球狀，然後加上眼睛和鼻子。

「捏好一個人頭了！」他的語氣帶有驕傲。

「捏得非常好！」尼克說，「他是誰？」

「一定要是某個人嗎？」

「不，我還以爲他是某個人呢！」

當比利離去時，亞倫出來了，他用鄙夷的眼光看著黏土捏成的人頭——沒啥大不了的。他拿起工具開始重新整型，他將人頭改成亞伯拉罕．林肯或喬哈丁醫師的半身像，然後遞給尼克，似乎在告訴他，什麼才是眞正的雕塑。

當亞倫回過身時，工具不小心砸在他手臂上，立刻血流不止。

亞倫張大了嘴巴，他知道自己不會如此笨拙的；突然間他感覺自己又被摔向牆壁。去他的！又是雷根幹的好事。

「我又犯了什麼錯？」他低語道。

答案在他腦海裡響起，「你不可以碰比利的東西！」

「去你的！我只是要……」

「你只是愛現！想告訴別人你藝術家的天份，但現在最重要的是讓比利接受治療。」

當晚，比利獨自待在房裡；亞倫向亞瑟抱怨，說自己病了，而且厭煩被雷根推來推去。「如果他這麼能幹，就讓他負責所有的工作好了！」

「你們一天到晚吵來吵去製造糾紛，」亞瑟說，「就是因爲你們，所以彭吉利醫師不爲我們進行集體治療，你們的爭執已經造成許多醫院員工對我們的敵意。」

「既然如此，那就讓其他的人出來管理吧！換個不婆婆媽媽的人。比利和其他孩子需要接受治療，就讓他們和外面的那些人周旋！」

「我曾經計劃讓比利出現的機會多一些，」亞瑟說，「在見到喬哈丁醫師後，也該是讓比利和我們其他人見面的時候。」

(5)

五月廿四日星期三，當比利進入會客室時，喬哈丁醫師注意到他有一雙受到驚嚇而且幾乎毫無希望的眼神，彷彿他會在任何時間逃走或崩潰似的。比利注視著地板，喬哈丁總覺得好像有一根細繩纏住他。大夥坐在那兒靜默無聲了好一會兒，比利的膝蓋神經質地抖動。然後，喬哈丁用溫柔的聲音說：「或許你可以告訴我，今天早上來這兒與我談話的一些感覺。」

「我一點也不知道。」比利如此回答，他的聲音十分哀怨。

「你不知道你要與我見面嗎？那麼你是在什麼時候出來的？」

比利看起來很迷惑。「出來？」

「你是什麼時候才知道要和我談話的？」

「剛才有個人過來，他要我跟他走。」

「你認爲會發生什麼事？」

「他告訴我會見到一位醫生，我也不知道爲什麼。」他的膝蓋彷彿無法受控制似地不停抖動。

對話進行得非常緩慢，夾雜著不安的寧靜。喬哈丁正試圖確認他確實是在和比利本人說話，這就像是釣者兩眼望著浮標的時刻。他低聲問道：「你的感覺如何？」

「我想我很好。」

「你曾經遇過什麼樣的問題嗎？」

「呃……我做了一些事，但已經不記得了……我睡著了……每個人都說我做過某些事。」

「他們都說你做了些什麼事？」

「不好的事……犯法的事。」

「是一些你想做的事嗎？大多數的人都會在不同的時間裡想做一大堆不同的事。」

「每次當我醒來時，總有人告訴我，說我做了一些壞事。」

「當別人說你做過壞事時，你的感覺如何呢？」

「我只想死……因為我並不想傷害任何人。」

他全身抖得非常厲害，因此喬哈丁換了話題。

「接下來，麻煩你告訴我關於睡覺的情形，你睡了多久？」

「唔……時間似乎不長，但實際上卻很長，不斷聽到一些事情……有些人試著要和我交談。」

「他們想說些什麼？」

「我不知道。」

「因為聲音太小？或是不清楚？或是很含混？所以你聽不清他們說的字句？」

「很安靜……而且聽起來似乎來自其他地方。」

「是不是像來自隔壁房間或另一個國家？」

「對！」比利說，「好像是從另一個國家。」

「哪個國家？」

經過一段時間的思索，他回應道：「好像是詹姆斯．龐德中的人物，另外一個好像是俄國人。是不是那些說有女人在我體內的人的聲音？」

「有可能。」喬哈丁低聲說，幾乎聽不見。當看到比利臉上閃過緊張神色時，他有點兒擔心。

比利的聲音升高了，「他們在我裡面幹什麼？」

「他們向你說些什麼？這或許可以幫助我們瞭解，他們是否給你忠告、方向或建議？」

「他們好像一直在說：『我們聽聽他說什麼，我們聽聽他說什麼……』」

「聽誰說？聽我說嗎？」

「我想是的。」

「當我不和你在一起時，也就是當你只有一個人時，你是否也聽到有人與你說話？」

比利嘆了一口氣，「他們好像在談論我，和其他人一起談論。」

「他們是否要保護你？當他們和別人交談時，是否好像要為你提供保護網？」

「我認為他們是要我去睡覺。」

「他們什麼時候要你去睡覺？」

「當我非常生氣時。」

「是不是當你無法處理自己忿怒的情緒時？因為那是某些人睡覺的理由之一，可以避開令他生氣的事物。你現在是否覺得自己比較堅強，因此不必要接受他們的保護？」

「他們是誰？」他高聲大叫，聲音中再度透露出緊張的氣氛。「那些人是誰？他們為什麼不讓我保持清醒？」

喬哈丁知道必須再轉移另外一個話題方向了。

「你最不擅長處理的事情是什麼？」

「有人要傷害我的時候。」

「這會嚇壞你嗎？」

「會讓我上床睡覺。」

「但你仍然會受到傷害呀！」喬哈丁醫師堅持說道，「即使在你不知情的情況下。」

比利把雙手放在發抖的膝蓋上。「但是，如果我去睡覺，就不會受到傷害了。」

「後來發生了什麼事？」

「我不知道……每次醒來時，我並未受到傷害。」沈默了很長一段時間之後，他抬起頭來，

「一直都沒有人告訴我，那些人爲什麼在這裡。」

「你是說那些與你談話的人嗎？」

「是的。」

「或許就像你剛才所說的，每次當你不知如何保護自己時，你的另外一面就想出方法，避免讓你受到傷害。」

「我的另外一面？」

喬哈丁點頭微笑，等待比利的反應。比利的聲音在發抖。「爲什麼連我自己都不知道我有另外一面呢？」

「因爲在你心裡面，肯定有一股非常巨大的恐懼。」喬哈丁說，「那股恐懼阻止了你採取必要的行動來保護你自己；但就某方面而言，對你來說是太恐怖了一些，因此你必須去睡覺，好讓

你的另外一面採取防衛行動。」

比利似乎在思考這件事，不一會兒又抬頭往上看，彷彿想努力更進一步瞭解整個事件。「我為什麼會變成這樣？」

「一定是在你很小的時候，曾經發生過讓你驚嚇的事。」

經過一段時間的沈默，比利哭了起來。「我不想再回憶那些事，那只會讓我更痛苦。」

「但是你曾問過我，當你面對會受到傷害的情況時，爲什麼必須去睡覺？」

比利看看四週，用哽塞的聲音說道：「我怎麼會來這家醫院？」

「譚博士、柯絲薇醫師以及吳可妮博士認爲，如果你到醫院，就可以不必睡覺了。在這兒，你可以學到如何解決困難、如何面對驚嚇。」

「你是說你們辦得到囉？」比利哭著問。

「我們當然願意試著幫助你，不過你願意讓我們試試看嗎？」

比利的聲音再次升高大喊：「你的意思是說，你會把那些人從我身上移走嗎？」

喬哈丁坐回椅子，他必須很小心不可做出過多的承諾。「我們願意幫助你，讓你不必再睡覺。至於你的另外一面，則可以幫助你成爲一位強壯健康的人。」

「我再也不會聽到他們的說話聲？他們也無法再讓我睡覺囉？」

喬哈丁很小心地選擇字眼。「如果你變得夠堅強的話，就沒有任何必要讓你睡覺了。」

「我從來就不知道有人可以幫我忙，我……我不知道……我一直都在打轉……當我一醒來……就被鎖在房裡回到箱子內……」他哭得更大聲了，眼珠因爲恐怖而上上下下不停晃動。

「這的確很恐怖，」喬哈丁說道，並試著安撫他。「很恐怖的威脅。」

「我一直被關在箱子裡。」比利的聲音仍在提高，「他知不知道我在這兒？」

「誰？」

「我爸爸。」

「我不認識你父親，也不清楚他是否知道你在這兒。」

「我……我什麼都不可以說。如果他知道你和我談過話，他就會……噢……他會殺了我……然後把我埋在穀倉裡……」

比利呈現出非常痛苦的表情，不一會兒整張臉往下垂，就像斷了線似的，喬哈丁知道他走了。

此刻出現的是亞倫溫柔的聲音。「比利睡著了，亞瑟並未要他睡，是他自己睡著的，因爲他又想起往事了。」

「討論那些往事很痛苦，對不對？」

「你跟他說些什麼？」

「關於米查的事。」

「哦……原來如此。這麼一來……」他瞄了一下攝影機，「這機器是幹什麼用的？」

「我告訴過比利，我希望把整個過程錄下來，他說沒問題。你爲什麼會出來呢？」

「是亞瑟要我出來的，我猜想大概是因爲那些記憶嚇壞了比利吧！他覺得自己被陷在這兒！」

喬哈丁開始說明他和比利曾經談過的內容，然後又想到了一個主意。「告訴我，我可不可能同時在這兒和你、亞瑟一起說話？由我們三個人一同討論到底發生了什麼事，好嗎？」

「這個嘛……我倒是可以問問亞瑟。」

「我想同時問你和亞瑟一些意見，就是關於比利目前是否較以前堅強，不再想自殺，而且他是否可以處理更多的事情。」

「他不再想自殺了。」聲音傳來了，那是一種溫和、清晰、英國上流社會特有的口音，喬哈丁知道亞瑟決定親自出現。自從吳可妮的會診之後，就從未再見過亞瑟。

爲了保持鎮定、不露出驚訝的模樣，喬哈丁繼續剛才的話題。「不過……和他說話時，是否還必須很小心？他是不是還很神經過敏？」

「是的，」亞瑟邊說邊將兩手指尖互抵，「他很容易受到驚嚇。」

喬哈丁指出，他還不想在此刻談論米查，但比利似乎反而想要談。

「你觸發了他過去的記憶，」亞瑟非常小心地慎選用字，「那是浮現在他腦海裡的第一件事，恐懼也隨之襲來，這就足以逼他睡覺了。我並沒有做什麼，我反而是讓他醒著的。」

「比利醒著時說過的話你都知道嗎？」

「只知道一部份，並非全部；他的想法我不一定都清楚，但是當他思考時，我可以感受到他內心的恐懼。因為某種原因，實際上他無法清楚聽見我對他說的話。不過他好像知道什麼時候是我們讓他入睡的，什麼時候是他自己入睡的。」

喬哈丁和亞瑟談論了一些不同人格的背景。不過，正當亞瑟開始回憶時，卻突然搖了一下頭，終止討論。「有人在門口。」說完就離開了。

那是醫務助理傑夫，他曾說過，必須在十一點四十五分回來帶比利。

亞瑟安排由湯姆與傑夫一道返回病房。

第二天，也就是吳可妮來訪的前兩天，看到面前不停顫抖的雙膝，喬哈丁知道，比利再度出現了。比利曾聽過亞瑟和雷根的名字，現在他想知道他們是誰。

該怎麼告訴他呢？喬哈丁心中如此暗想。此刻，他腦海裡浮現出當比利知道眞相而自殺時的恐怖景象。巴爾的摩市一位同業的病患在獲知自己是多重人格者之後，竟於監獄中上吊自殺。想到這裡，喬哈丁深深吸了一口氣，然後說：「那個聲音聽來像詹姆士．龐德電影裡的是亞瑟，亞瑟是你名字中的一個。」

比利的膝蓋停止晃動，兩隻眼睛張開了。

「你有一部分是亞瑟，想不想和他見面？」

比利全身又開始顫抖，他注意到自己的膝蓋抖得很厲害，他用雙手按住想要制止。「不，這會讓我想睡覺。」

「比利，我在想，如果你眞正努力去試的話，即使亞瑟出來和你交談，你仍然可以保持清醒聽見他說話，而且他也可以瞭解你的問題在哪兒。」

「那太可怕了！」

「你相信我嗎？」

比利點點頭。

「那就沒問題。當你坐在那兒時，亞瑟便會出來和我說話，你不必去睡覺，你會聽見並且記住他說的每一句話，就像其他人一樣；雖然你會離開一會兒，但仍然還有意識。」

「什麼是『出來』？上次你也這麼說，但你並未告訴我那是什麼？」

「那是亞瑟的用語，每當有事發生時，你身體中的某一個人就會出來處理，就像是一盞大聚光燈打在那個人身上，輪到他出場一般，只要是踏入聚光燈範圍內的人就會保持清醒。現在，把眼睛閉上，你也同樣可以看得見。」

當比利閉上眼睛時，喬哈丁醫師忍著不呼吸。

「我看見了！我好像站在一座漆黑的舞台上，聚光燈就照在我身上。」

「怎麼樣？比利，現在你只要移向另一側，離開燈光的範圍就行，我知道亞瑟會出來和我們談話的。」

「我已經離開光圈了。」比利說道，膝蓋也停止了顫抖。

「亞瑟，比利要和你談一談，」喬哈丁說，「很抱歉打擾你叫你出來，但這對比利的治療很重要，我要讓他認識你和其他人。」

喬哈丁發現自己的手掌心竟然出汗了，當比利張開眼睛時，眼神已有明顯的改變；從原來的皺眉表情轉爲銳利的眼神，這次出來的是他昨天曾聽過的聲音——從咬緊的下顎冒出的英國口音。

「比利，我是亞瑟，我要你知道，這是個安全地方，這兒的人都試著幫你忙。」

比利的臉部表情隨之改變，眼睛睜大，看著四週，驚訝地問：「爲什麼我以前不認識你？」

他再次變回亞瑟。「依我的判斷，在你眞正準備好以前，告訴你是沒有用的，你一直都有自殺傾向，因此我們必須等待適當的時機告訴你這個秘密。」

喬哈丁在一旁聆聽他們的對話，心中感到有些驚訝；但是，當病人談了大約十分鐘後，他卻覺得很高興。其間，亞瑟告訴比利有關雷根以及其他八個人，而且向他解釋喬哈丁醫師的工作是要將所有的意念結合在一起。

「你能辦到嗎？」比利轉向喬哈丁醫師。

「我們稱它爲融合，比利，我們會慢慢進行的；首先是亞倫和湯姆，因爲他們兩人有許多相似之處；接下來，我們會融合其他人，一個接一個，直到你成爲一個完整體爲止。」

「爲什麼要把我和他們融合在一起；爲什麼不讓他們消失？」

喬哈丁雙手緊握。「因爲其他醫生曾試過這種方法，結果似乎不理想，最理想的狀況就是讓你的每一部份集合在一起。首先，讓他們彼此進行溝通，然後記住每一個人曾經做過的事。最後，你必須將不同的人聚集在一塊兒，這就是融合。」

「什麼時候開始進行？」

「吳可妮博士後天會來看你，我們會與曾協助過你的工作人員舉行討論會。因爲有部分工作人員從未有過類似的經驗，所以我們會播放錄影帶，對你做更進一步的瞭解。如此對你更有益。」

比利點點頭。當他的注意力轉向內部時，眼睛也隨之睜大許多。只見他接連點了好幾次頭，然後驚訝地望著喬哈丁醫師。

「怎麼了？比利？」

「亞瑟說他必須決定那天早上由誰出來。」

(6)

哈丁醫院充滿了興奮的氣氛。吳可妮曾在一九五五年的夏天來此演講。但這次完全不同，因爲她要面對的是一位惡名遠播的病患，同時也是本院第一位接受廿四小時觀察的多重人格病患。雖然院中同仁仍有兩派不同的看法，但每個人都希望能親耳聽到吳可妮博士與比利之間的談話。

醫院行政大樓地下室的房間裡擠進了幾乎有一百人，不但有各科醫生和各部門的行政人員，甚至連眷屬也都擠在後半段——他們與比利的病情毫無關係。有人坐在地板上，有人靠在牆邊，還有人站在鄰近的交誼廳裡。

喬哈丁醫師將錄下的帶子播放給在場的觀衆觀看，內容是各醫師與不同人格者間的交談，其中亞瑟與雷根的出現更吸引觀衆們的興趣，因爲病療區以外的工作人員均未曾見過。比利一出現在螢幕上，整個房間便突然安靜下來，當他大叫道：「這些人是誰？他們爲什麼不讓我清醒？」時，包括羅莎在內的所有觀衆，無不用手擦拭臉上的淚水。

錄影帶播完後，由吳可妮帶領比利進入房間展開簡短的交談。她分別與亞瑟、雷根、丹尼以及大衛說話，他們也依序回答問題。但是，羅莎可以看出他們非常不滿。會談結束時，羅莎從群衆吵雜的談話中注意到病療區的同仁似乎都很氣憤。馬安妮和菲羅拉兩名護士直抱怨不該讓比利成爲特殊人物；羅莎、尼克和尹朵娜則對於將比利曝光在衆人之前感到非常憤慨。

吳可妮離去之後，治療策略再度改變，喬哈丁開始專注在人格融合工作上。

郭瑪琳醫師安排定期會議，讓各種人格開始回憶有關虐待及苦毒的往事，經由這樣的作業，進一步消除比利在八歲時造成人格分離的困擾因素。

郭瑪琳不贊同融合計劃，她說她知道這是吳可妮博士的治療方法，或許在某種病例中那是正確的，但我們必須想一想，如果雷根與其他人融合成功，事後比利卻被送進監獄，在一個充滿敵意的環境中，他將無法保護自己，極可能會再度自殺。

「他不也曾在牢房中活下來了嗎？」有人這麼說。

「沒錯，那時有雷根保護他。但是，如果他再次遭到一個懷有敵意的男子強暴時——你知道這種事在監牢裡是常有的事——他就很可能會自殺。」

「融合各種人格是我們的責任，」喬哈丁說，「是法院要我們做的工作。」醫師鼓勵比利與其他人格交談應對，讓他知道其他人的存在，並更進一步認識他們。由於不停暗示，比利出現的時間愈來愈長。融合的過程必須區分成好幾個階段進行，人格相近或素質相通者先融合；接著，融合後的新人格必須再經由更強烈的暗示結合在一起，直到最後與比利融合為止。

由於亞倫與湯姆十分近似，他們兩人率先融合。接下來好幾個小時，則是與喬哈丁醫師的爭論與分析；亞倫甚至花更多時間與亞瑟、雷根進行內部討論。亞倫和湯姆非常努力配合喬哈丁的融合工作，但並不容易，因為湯姆有亞倫所沒有的畏懼；比方說，亞倫喜歡棒球，但湯姆害怕棒球，因為小時候擔任過二壘手，有一次曾為了犯錯而受罰。喬哈丁建議丹尼、亞倫及其他人格協助湯姆，談論他害怕的事，並且鼓勵他打棒球。至於藝術療法，也持續進行，包括油畫在內。

根據亞倫表示，那些年輕小孩無法瞭解什麼是「融合」，因此亞瑟便透過比喻的方式向他們說明。亞瑟是以孩子們都知道的鹽來做比喻，他解釋鹽是由個別的結晶體構成。加入水之後，顆粒就會溶解；當水份蒸發掉，又變回原來的固體結晶顆粒，其中不會增加什麼，也不會減少什麼，只是曾經改變過型態。

「現在每個人都瞭解了，」亞倫說，「融合只不過是將鹽倒進水裡攪拌而已。」

六月五日，葛蘭護士有下述的記載：「比利說，他曾花了一個小時將《湯姆》與《亞倫》融合在一起，他覺得實在是太不可思議了。」

尹朵娜提出的報告則表示，比利曾告訴她，他對融合有些擔心，因為他不希望有人死去而讓原有的天份或長處也因此減弱。「但我們正在努力。」亞倫向她保證。

第二天，史凱瑞和茱迪前來探望，同時帶來好消息，法院已核准延長比利在哈丁醫院接受觀察治療的時間；欲完成人格融合，至少得再花三個月的時間。

六月十四日星期三晚上，在音樂大樓中，羅莎仔細聆聽湯姆敲打小鼓，她知道以前亞倫曾玩過這種樂器，在目前融合的階段中，他顯然比不上亞倫單獨敲打時的水準。

「我總感覺好像偷了亞倫的天份。」他告訴她。

「你還是湯姆嗎？」

「我是組合體，但還沒有名字，這令我很擔憂。」

「但是，別人叫你比利時，你還是會回應呀！」

「沒錯，我一直都是這麼回應的。」他說道，然後輕敲出爵士樂節奏的鼓聲。

「有任何原因讓你無法繼續這麼回應嗎？」

他聳聳肩，「我想，這對每一個人來說會簡單些。好吧！」他繼續打鼓，「妳可以繼續稱呼我比利。」

融合工作無法一蹴可及，在不同的時段裡，融合所需時間也不相同，除了亞瑟、雷根和比利之外，七種不同的人格均已融合成一體。爲了避免錯誤，亞瑟爲這個融合完成的人格取了一個新的名字「肯尼」。但是大家卻無法接受，因此每個人還是稱他爲比利。

晚上，另一位病患從比利的字紙簍中找到一張紙條交給楊海倫，看來有點像是遺書。因此，比利立即遭到嚴密的監視。根據楊海倫提出的報告指出，該星期以來，比利不斷重複融合與分裂，而且融合的時間似乎愈來愈長；七月十四日，幾乎一整天都在進行融合，外表看來非常平靜。

日子一天接著一天過去，融合工作持續進行，但偶而會有意識失控的情形出現。

八日廿八日當天，茱迪和史凱瑞再次來到醫院探望他們的當事人。他們告知喬哈丁醫師，距離法官規定繳交鑑定報告的日子只剩三個星期了。如果喬哈丁醫師認爲融合工作已完成，而且當事人也有行爲能力時，佛傑法官便將訂定開庭日期。

「或許我們應先討論有關審判時的策略，」亞瑟說道，「因爲我想改變答辯方式。雷根願意承認那三件搶劫案並接受懲罰，但他並無強暴的意圖。」

「但在法院起訴的十項罪行中，有四項是強暴罪。」

「依照阿達娜的說法，那三位女子都十分合作。」亞瑟說，「她們之中沒有人受到傷害，都有逃跑的機會；而且阿達娜說，她把部分的錢分別還給她們，若再加上社會保險給付，那她們實際收到的金額就比原先的損失還多了。」

「那些受害者並未提到這一點。」茱迪回應道。

「妳打算相信誰？」亞瑟不屑地說，「她們？還是我？」

「假設三個人當中只有一個人反駁阿達娜的說詞，我們就會質問那個人；但是，如果三個人都不承認……你是知道的，這些受害者彼此不認識，而且也不會互相通消息的。」

「或許有一個人願意說出事實。」

「你怎麼知道當時發生了什麼事？」茱迪問道，「你自己也不在現場呀！」

「但阿達娜在那兒！」亞瑟說。

茱迪和史凱瑞都不認爲受害者會合作，但他們瞭解亞瑟談論的是阿達娜的見解。

「我們可以和她談談嗎？」史凱瑞問。

亞瑟搖搖頭，「由於她做了那些事，已經被我們放逐，不得再出現。沒有任何例外。」

「這樣一來，我們只好保持最初的抗辯立場。」史凱瑞說，「無罪，因精神異常所以無罪。」

亞瑟冷酷地看著他，嘴唇微微掀動。「你絕不可代替我們聲稱精神異常！」

「這是我們唯一的希望。」茱迪說道。

「我並沒有精神異常，」亞瑟的語氣相當堅持，「討論到此爲止。」

第二天，茱迪和史凱瑞收到另一張紙條，比利聲稱不再由他們爲他辯護，他爲自己辯護。

「他又開除我們了。」史凱瑞說道，「妳的看法如何？」

「我從未見過什麼紙條通知，」茱迪說，同時將紙條歸檔。「紙片丟了。我的意思是，由於我們偉大的檔案系統，或許需要六個月或七個月的時間才能找到。」

接下來的幾天，另外四封解雇通知書都被藏到檔案櫃裡，而且當他們拒絕針對這些信件做任何回答，亞瑟最後也放棄開革他們的念頭了。

「提出精神異常的抗辯，我們是否就會贏？」茱迪問。

史凱瑞點燃煙斗吐出一口煙。「如果柯絲薇、譚如茜、郭瑪琳、喬哈丁和吳可妮願意做證，犯罪發生時，比利正處於精神異常的狀態。在俄州的法律規定下，我想我們會有很好的機會。」

「但以前你曾說，至今還沒有任何多重人格者在犯下重大刑案後，能以精神異常的理由脫罪。」

「這個嘛……」史凱瑞微笑道，「威廉・密里根將會是第一個案例。」

(7)

喬哈丁醫生發現自己正在與良心交戰。他很清楚，比利毫無疑問已被融合或接近融合到可以接受法院審判的程度了，這已不再是問題。八月下旬的某個夜晚，喬哈丁尚未入睡，他正在審閱寫給佛傑法官的文件，心中思忖著，是否能以多重人格做爲罪行抗辯的理由。

他非常在意所謂「罪行責任」的問題，他擔任自己的證詞會被他人誤用；果眞如此，多重人格的治療將會帶來不良的影響；包括病人、醫學界以及其他證人在內。但是，如果佛傑法官能接受他的說法——由於人格上的分歧導致犯罪行為而被判無罪開釋時——那麼這將會是俄亥俄州史無前例的判決，或許全國也說不定。

喬哈丁相信，比利對於十月下旬的罪行毫無控制能力。喬哈丁的主要任務是瞭解更多的實情並引導至一個更新的領域，以便未來遇到相同問題時，經由瞭解比利可為未來的社會有所助益。為了這個案子，他打了不少電話向專家請教，或與其他同事商討。一九七八年九月十二日，他寫了一篇長達九頁的報告給佛傑法官，在報告中他談到比利在醫學、社會以及心理方面的經歷。

「病患提到，」他這麼寫，「在他的家庭中，母親和小孩們均遭到肉體上的虐待，他自己就曾遭遇過殘暴的虐待，其中還包括肛交在內的性虐待。依照病患的說法，這是在他八、九歲時發生的事，一共持續了大約一年的時間，通常是他與繼父在農場裡獨處時發生的。他說他很擔心繼父會殺他，他繼父曾威脅道：『我要把你埋在穀倉裡，然後告訴你母親說你逃跑了。』」

在為整個案件進行分析時，喬哈丁指出，比利親生父親的自殺讓他失去了父愛和關懷，這令他處在「不理性的權力壓迫下，而極度的罪惡感導致他趨於緊張、衝突，同時造成一些幻想。」繼而「受到繼父為滿足本身的不平衡，強加在他身上的性行為與虐待。」

由於幼時的比利看見母親也遭繼父無情鞭打，此種經驗造成比利「有如身受母親的恐懼和痛苦一般……」同時也導致他「陷入焦慮、不安的精神分裂狀態，處於一種極不穩定的迷幻世界中，而且他隨時都會發生不可預測並且由不同人格出現在夢境裡，這些事情再加上繼父的輕視、肉體上的虐待和性虐待等行爲，終於造成人格不斷分歧的現象……」

喬哈丁醫師做了以下的結論：「我的結論是，病患已有能力接受審判，他的多重人格業已完成融合……同時我仍認爲在此之前，病患的心智有障礙，因此他無法爲一九七七年十月下旬所犯的罪行負責。」

九月十五日，茱迪將答辯狀更改爲：「無罪。由於被告精神異常，因此無罪。」

(8)

直到目前爲止，關於這次的多重人格治療，社會大衆尚未知悉，只有相關的醫護人員、法官與辯護律師知道這件事，這是由於公設辯護律師堅持該項治療必須保密，否則如果讓媒體發現了，治療和審判都將更形困難。

蔡伯納檢察官也同意，他不贊成對外宣佈，更何況法院也尚未進行任何聽證。

但是，九月廿七日早晨，《哥倫布市快報》的頭條新聞卻刊登：

性格「融合」只為接受審判
強暴嫌犯同時擁有十重人格

當報上的新聞在哈丁醫院傳開時，醫院同仁便鼓勵比利自己向其他病患說明，以免他們輕信來自外界的不正確傳言。於是，比利告訴小組內的其他病患他曾被控訴的罪行，但因爲他是人格分裂者，所以連他自己也不確定這些罪行是不是他犯下的。

電視晚間新聞也播報了相同的消息，比利看了之後，含淚回到自己的房間。

幾天後，比利畫了一幅畫，畫中的年輕漂亮女孩有一雙怪異的眼神，根據葛蘭護士報告指出，那是阿達娜的畫像。

十月三日，史凱瑞駕駛旅行車前來探望比利，這樣就方便載回比利的畫作。他向比利解釋，茱迪正與她丈夫前往義大利渡假，所以無法參加公聽會，但她會趕回來參加法庭的審判。他們併肩而行。言談中，史凱瑞爲了讓比利有心理準備，所以他告訴比利，在公聽會舉行前，比利可能會被移往富蘭克林郡立監獄拘留。

喬哈丁非常確定比利的人格已完成融合，從比利目前不再有分裂的表現，以及比利本人似乎已具有各種不同人格的氣質現況中，他相信任務已經完成。起初，他會看到某個人的一部份和另一個人的一部份，但逐漸地，他覺得那是一種均衡現象，醫院人員也有同感，所有各種不同人格的特徵已可在一個人——威廉·密里根——的身上看見。喬哈丁表示，他的病人已準備好了。

十月四日是比利被移往監獄的前兩天，《哥倫布市快報》記者佛哈瑞刊出第二篇有關比利的報導。報導中指出，他是從匿名人士手中取得喬哈丁醫師的鑑定報告影本。他找到了茱迪和史凱瑞，要求他們發表意見，並表示將在報紙上披露相關詳情。史凱瑞和茱迪立刻將這件事通知佛傑法官，法官決定這些消息也應該讓《哥倫布市快報》知道。由於案情已走漏消息，因此公設辯護律師同意發表意見，並允許記者拍攝史凱瑞自醫院載回的那幾幅畫像——摩西正要摔毀刻有十誡的石版、一位吹著獸角的猶太樂師、一幅風景畫和阿達娜的畫像。

報上的報導激怒了比利，在與郭瑪琳進行最後一次的討論中，他的情緒變得很差。因爲他擔心由於本身具有女同性戀者人格，不知其他犯人將會如何對待他。

他告訴郭瑪琳：「如果他們認爲我有罪，送我回利巴嫩監獄，那我就必死無疑！」

「這樣一來，米查就勝利了！」

「那我該怎麼做？我體內累積太多的恨，我快無法控制了。」

雖然她很少提供意見或建議，而較重視病患的自發性，但是她知道已經沒有時間進行如此的治療了。

「你可以化仇恨爲積極的正面企圖，」她建議道，「你受創於幼年的虐待，你有能力擊敗那些可怕的記憶，擊敗那些讓你痛苦的人，只要決心用生命去抵抗，這一切都可以辦到。記住，只要活著就會得勝。如果你死了，虐待你的人便將獲得最後的勝利，你則是失敗的一方。」

當天稍晚，比利在房間與尹朵娜談話，他從床下取出湯姆大約七個月前藏在床下的刮鬍刀片。

「拿去，」他說，「我不再需要它了，我要活下去。」

當尹朵娜抱住他時，她的眼眶中含著淚水。

比利告訴羅莎：「我不想再參加迷你小組了，我必須要有獨立的心理準備，我必須堅強起來！不要對我說再見！」

儘管如此，小組成員仍製作了一張卡片送他。當羅莎將卡片遞給他時，他居然放聲大哭。

「這是我一生中的第一次，」他說道，「我想我已經有正常人的反應了，我能感受到我常聽到的『悲喜交集的情感』了，這是以前未曾有過的感覺。」

十月六日星期五是比利離開醫院的日子，羅莎當天正值輪休，但她還是到醫院來陪他。她知道這一定會遭到其他同仁的白眼和諷刺的話，但她並不在意。她走進交誼廳看見比利，只見他身穿三件式西裝，非常冷靜地在那兒踱步等待。

羅莎和尹朵娜陪他走到行政大樓，副警長戴著墨鏡。在櫃台前等著。

當副警長取出手銬時，羅莎擋在比利前方，她質問帶上手銬就像銬野獸一樣是否有必要。

「是的，女士，」副警長說，「這是法律規定。」

「看在老天的份上，」尹朵娜大叫道，「當初他被帶來時，是由兩位女士陪他前來；現在你一個大男人警察卻要銬住他，這是爲什麼？」

「女士，這是規定，我很抱歉。」

比利將手伸出去。當手銬扣上時，羅莎看見他有點兒退縮。他跨入警車，警車沿著彎曲的道路緩緩駛往石橋，她們跟著車子往前走，揮手說道別。回到醫院後，兩人不禁嚎啕大哭。

第四章

(1)

當蔡伯納和薛泰讀完喬哈丁的報告後，同意該份報告是他們曾看過最完整的一份，這不是臨時做出的報告；檢查時間超過七個月，而且除了喬哈丁，還包括許多其他專家的看法。

一九七八年十月六日，公聽會結束後，根據喬哈丁提出的報告，佛傑法官宣佈比利已有足夠的能力接受審判，他將審判日訂於十二月四日。

史凱瑞很滿意這樣的安排，但他要求必須依照犯罪當時的法律進行審判。（俄亥俄州的法律自十一月一日起有所更動，證明「精神異常」的責任落在辯方律師身上，而非檢察官。）

蔡伯納檢察官提出異議。

「我會考慮採納這項提議，」佛傑法官說，「我知道當初法律剛變動時，其他案子也曾有人提出類似的提議——再說，被告有權選擇對自己有利的法律條文進行辯護。但是，我並不清楚那些案子的判決或判例結果如何。」

走出法庭時，史凱瑞告訴蔡伯納和薛泰，他準備代表他的當事人放棄陪審團的審判，而改邀佛傑法官來審理。

史凱瑞離開時，蔡伯納說道，「這件案子差不多告一段落了。」

「不像當初所想的是一宗單純案件。」薛泰如此回答。

稍後，佛傑法官表示，檢方一致同意接受喬哈丁提出的報告，但不同意比利當時精神異常。這令他感到爲難。

返回監獄後，史凱瑞和茱迪發現比利再度陷入低潮，他多半時間都在畫畫、沈思。

「爲什麼在開庭前，我不能留在哈丁醫院？」比利問茱迪。

「這是不可能的，法院讓你去那兒七個月已經很幸運了，忍耐一下，兩個月後就要開庭了。」

「你現在必須振作起來！」史凱瑞說，「我強烈的感覺，如果你能接受審判，你會被判無罪；如果因爲崩潰而無法接受審判，他們就會送你回利瑪醫院。」

但是，某天下午，有位守衛看見比利躺在床上用鉛筆畫畫，而且發現圖案是個衣衫襤褸的洋娃娃，頸子上有條繩子，吊在一片破鏡前。

「嗨！比利，你爲什麼畫這幅畫？」

「因爲我很生氣，」那是低沈的斯拉夫口音，「該是某人死亡的時候了。」

守衛聽見斯拉夫口音之後，立即觸按下警鈴，雷根則以一種玩世不恭的態度望著他。

「現在不論你是誰，給我往後退！」守衛說道，「畫留在床上，背靠牆！」

雷根遵從他的命令，並且看見其他守衛陸續朝牢房門口集合。他們打開牢門，迅速衝進來把畫搶走，然後把門關上。

「天啊！」一位守衛叫道，「這是病態畫嘛！」

「找他的律師過來，」有人這麼說，「他又開始崩潰了。」

當史凱瑞和茱迪到達時，他們遇見的是亞瑟。亞瑟解釋說，比利還未完全融合成功。

「但他融合的程度已足夠接受審判，」亞瑟向他們保證，「比利已經知道被起訴的罪名，而且在抗辯中他會合作，但是我和雷根仍是獨立的個體，如你所知，這兒充滿了敵意，因此目前由雷根做主。但是，如果比利再不被移回醫院，我就無法保證他是否能融合了。」

富蘭克林地方警長哈利告訴報社記者，說副警長曾看見當雷根出現時表現出來的強壯和耐力。雷根曾被帶到娛樂室，結果他選擇拳擊沙包，並以「直拳連續攻擊沙包達十九分三十秒之久！」哈利說，「正常人根本就無法以直拳攻擊超過三分鐘。他的力道很大，我們擔心他的手臂是否受傷，所以帶他去給醫生檢查。但結果出來是毫髮無傷。」

十月廿四日，佛傑法官再次命令西南心理復健中心對比利進行檢查，並提出是否適合接受審判的報告。後來，法官又下令，立刻將比利從監獄轉到俄亥俄中央精神病院。

十一月十五日，西南心理復健中心主任耿醫生提出的報告說，上次柯絲薇醫師和譚如茜博士看見比利時，她們發現比利有能力接受審判，協助律師爲自己辯護，但加註寫道：「目前他正處於非常脆弱的心理狀態下，人格的融合現象隨時都可能再次分裂。」

十一月廿九日，《戴頓日報》與《哥倫布市快報》分別刊出米查否認他曾對自己的養子有性虐待行爲，根據美聯社的報導：

繼父米查否認曾虐待威廉．密里根

米查聲稱他已憤怒至極，因爲報導說他曾在肉體與性慾上虐待過他的養子威廉．密里根。醫生還說比利有十重人格。

「從來就沒有人告訴我！」米查如此抱怨，並聲稱比利指控的性虐待全屬「無稽之談」！根據一份由喬哈丁醫師簽署的報告，專家們也指出比利呈現的是多重人格行爲，而且無法知道其他人格曾經做過的事，他們指責，造成這種現象的部份原因，是出於比利幼年時期受到的虐待……

米查表示，由於這些報導，讓他受到極大傷害。

「沒有人諒解我，這的確很惱人！」

他表示，令他感到更憤怒的是，那些報導並未說明該指控僅爲比利和他的醫生片面之詞。

「這都要怪那孩子，」米查說，「所有報導都是他們（醫師及比利）捏造的！」

他不願表明是否將採取法律行動。

雖然比利愈來愈可能因精神異常而獲判無罪釋放，但是茱迪和史凱瑞知道其中仍有一層障礙，直到目前為止，類似案件的判決結果都是被告被送往利瑪醫院。然而，再過三天，即十二月十日，俄州法律中一條有關精神病患的條款即將生效。大意是：若因精神異常而獲判無罪者，可不再以罪犯的身份而以病患的身份接受治療。這條新法律的精神在於將犯人送往限制最少的州立精神病院，對當事人或其他同房囚犯而言較能保證安全，而病患本身也能在法院的管轄之下。

由於審判日期訂於十二月四日，而且比利為第一個依俄亥俄州新法律接受審判的被告，審判結果很可能將比利送到一個可以接受更佳治療的地方，而不一定是利瑪醫院。

由於費用之故，當然不可能送往哈丁醫院，必須是有能力治療多重人格病患的州立醫院。

吳可妮提及一家距離哥倫布市大約七十五哩的州立精神病院，那兒有一位醫師曾治療過多重人格病患，同時享有盛名，她提議的是郭大衛，他是俄州雅典市雅典心理健康中心的主治醫師。

檢察官辦公室要求向麥理查法官澄清在俄州新法律下的審判程序，佛傑法官同意這項要求，於是安排了一次會議。但茱迪和史凱瑞知道，會議主題一定不只這些。佛傑法官會在場，他將決定哪些證物可在週一時提出，同時也可做決定若因精神異常而被判無罪，比利將被送往何處治療。

史凱瑞和茱迪必須知道郭大衛是否同意接受比利，這很重要；雖然茱迪曾聽過郭大衛這個人，而且也曾寫信向他索取有關多重人格的資料，但她從未提及比利。現在，她打電話給他，問他是否願意收容比利，而且如果可能的話，他可前來哥倫布市參加星期五的會議。

郭醫師說他必須先與院長討論，而院長也必須與上級主管單位，也就是州政府的心理衛生局接洽。郭醫師說他會考慮收容比利，同時也同意參加星期五的會議。

十二月一日，茱迪不耐地等候郭醫師。麥理查法官辦公室外的大廳裡，擠滿了許多參與本案的人士：包括喬哈丁醫師、柯絲薇醫師、譚如茜博士和蔡伯納檢察官。十點左右，她看見接待員指著一位微胖的中年男子，滿頭白髮，銳利的眼神彷彿飛鷹一般。

她介紹郭醫師給史凱瑞與其他人認識，接著引領他進入麥理查法官的辦公室。

郭醫師坐在第二排，聆聽律師們討論新法律與比利的案子之間的適用問題。過了一會兒，佛傑法官與麥理查法官也進來了，他們重述一遍剛才談論的內容，蔡伯納檢察官談到他搜集到的專家資料，並且承認在控告時很難反駁被告所提出的證據，他不會攻擊西南心理復健中心及哈丁醫院提出的報告；史凱瑞也指出，被告方面不打算反駁比利曾犯下的罪行。

當衆人在談論下週一法庭的進行方式時，郭大衛彷彿置身事外似的，他認爲這好像是審判前的預演；先是史凱瑞與茱迪在記錄中刪除受害者的姓名，接下來則預測，如果佛傑法官判定比利困精神異常而無罪釋放時，將會發生什麼結果……

這時，史凱瑞站起來說道：「這位是雅典醫院的郭醫師，他在雅典心理健康中心曾有治療多重人格病患的經驗，該院是州立醫院，加州的吳可妮博士極力推薦郭醫師負責治療工作。」

郭大衛突然發現所有目光都朝他射來。佛傑法官問道：「郭醫師，您願意爲他進行治療嗎？」

突然間，他警覺到，那些人正將一個燙手山芋丟給他，因此他最好能澄清自己的立場。

「是的，我會接納他。但是，如果他到本院來，我要用我以前治療其他多重人格病患的方式治療他，是一種公開的方式。」他看看四週的人，然後用堅定的語氣繼續說，「如果我因某些限制而無法這麼做的話，就別將他送過來。」

每個人都點頭表示同意。

返回雅典醫院的路上，郭醫師在想，如果依剛才會議的方式進行審判的話，比利將會是第一位犯下重罪，卻因多重人格而獲判無罪的首宗案例，這也將是史無前例的精神病判例。

(2)

十二月四日早晨，比利從中央精神病院被載到法院，當他從車鏡中看見自己的八字鬍不見時，嚇了一大跳。他不記得曾刮過鬍子，心想會是誰做的？八字鬍在第一次及第二次強暴案之間已剃了一次，後來又長了出來。現在，他又失落了一段時間，而且再度浮出在哈丁醫師以及富蘭克林郡立監獄裡最後幾天時的奇怪感覺。雷根和亞瑟的人格仍是獨立的，除非確定不會被送回監獄，否則他們不會同意與其他人格融合。目前的比利，至少已完成了部份的融合，可以接受審判。

雖然他知道自己並非純粹的比利或完全融合的比利，但當別人稱他爲比利時，他仍會回答，他目前處於兩種狀態之間。他心裡在想，如果完全融合了，那又將會是什麼樣的感覺？

剛才，他走到停在醫院門口的警車時，發現副警長以異樣的眼光望著他。在前往法院的路上，警車故意繞遠路，好擺脫任何可能尾隨而來的記者。但是，警車一到達監獄大門，立刻就有一位女士和一位手提攝影機的男士在大門關上之前也擠了進來。

「到了，比利。」駕駛員同時將車門打開。

「我不下車，」比利說，「除非記者和攝影機離開！如果不保護我，我就要告訴我的律師！」

駕駛員轉身發現了他們，「你們是誰？」

「第四頻道新聞部，我們有許可證。」

駕駛看看比利，比利搖搖頭，「律師告訴我，不可接近任何記者，我不要出來。」

「好啦！你們在這裡他是不肯出來的！」警員告訴記者。

「我們有權利……」那位女士提出異議。

「但也侵犯了我的權利！」比利在車內大喊。

「發生了什麼事！」警衛室一位警官衝出來吼叫。

警員答道：「這些人在這兒，比利就不肯下車。」

「嘿！朋友，」威立士警佐說，「恐怕兩位必須離開，我們才能讓他下車。」

記者悻悻然離開後，比利才由威立士引導下車走進屋裡。

威立士帶他上去三樓，「還記得我嗎？孩子。」

走出電梯時，比利點點頭，「你對我滿尊重的。」

「是啊，除了洗臉盆，你從未找過我麻煩。」威立士遞給他一根煙，「你現在出名了。」

「我並沒有這種感覺，」比利說，「我恨死了。」

「我見過第四頻道、第十頻道、NBC、ABC和CBS電視台記者，這是我見過最多電視記者的一次。」

他們走到鄰接小接待室的入口處，這兒可以通到法院大廳。守衛向他點點頭，「少了八字鬍，都快認不出你了！」然後按鈴通知中央控制室開門。門開了，幾個法警押著他搜身。

「好了，」一位法警說，「走我前面，沿著走道到法庭。」

到達法院大廳七樓時，茱迪和史凱瑞與他們會合，發現比利的八字鬍不見了。

「沒鬍子好看多了，」茱迪說道，「更乾淨。」

只見比利的手指豎在唇上。史凱瑞警覺到發生了什麼事，正要開口時，一位配戴對講機的警官走了上來，抓住比利的手臂，說警長要比利到三樓去。

「稍等一下，」史凱瑞說，「審判地點在這樓。」

「先生，我不清楚什麼事，」警官說，「但是警長要我帶他立刻下去。」

「你在這兒等，」史凱瑞告訴茱迪，「我和他一起下去，看看有什麼事。」

他與警官、比利一同進入電梯，但是，在到達三樓，電梯門開啓之際，史凱瑞立刻知道是怎麼回事了——鎂光燈一閃，是《哥倫布市快報》的記者和攝影師。

「這是搞什麼鬼？」史凱瑞大吼，「大騙子！快住手！」

記者說他們只想拍幾張照片，最好是戴手銬的，警長已經答應了。

「去他的鬼！」史凱瑞叫道，「你無權對我的當事人這麼做！」他帶著比利轉身進入電梯。後來他們來到法庭旁的休息室。譚如茜和柯絲薇這時也來了，他們擁抱比利安慰他。但是，當他們離去要進法庭時，休息室裡就只剩比利和警官。比利開始發抖，緊緊抓住椅子的兩側。

「好了，比利，」警官說，「現在你可以進去了。」

當史凱瑞發現比利被帶進來時，庭內所有的素描家無不張大了眼睛，然後迅速拿起橡皮擦開始猛擦。史凱瑞忍不住笑了，因為他們擦去的是比利的八字鬍。

「法官先生，」史凱瑞靠近長椅說，「檢察官和被告都已同意不須傳喚證人或要比利站在詢問席上，案情的經過採朗誦的方式唸出來，這是雙方同意的。」

佛傑法官看了一下字條，「這表示你不反對檢方提出的控訴，而你的當事人除了性攻擊之外，也承認其他被指控的罪名囉？」

「是的，法官大人，但是因被告精神異常，我們希望能獲判無罪開釋。」

「蔡伯納檢察官，你對西南心理復健中心以及哈丁醫院提出的報告是否有任何異議？」

蔡伯納檢察官站了起來，「沒有，法官先生，我們對於哈丁醫師、譚博士、郭醫師以及吳博士所提出的報告無異議，這些報告均顯示被告是在不自知的情況下犯下罪行的。」

茱迪唸出被告的證詞，由書記官載入法庭記錄中，在唸出聲時，她不時瞄向比利，發現他的臉色十分蒼白，她希望他不會因內心的痛苦而再度導致人格分裂。

根據張瑪麗太太的證詞表示，她曾經目睹比利的母親遭米查多次鞭打後的事實。有一次，比利去找她，說他的母親被打傷得很厲害，於是張太太就跟著到他家去，看見桃樂絲——比利的母親——躺在床上發抖，她找來醫生為桃樂絲療傷，而且還陪了她一天。

被告的母親如果被傳喚，她將會出庭作證她的前夫米查常在喝酒後，對她施加暴力，她也願意作證米查都會顯出性興奮。桃樂絲表示，米查嫉妒比利，常毆打他出氣。有一次，他將比利綁在馬犁上，還有一次是綁在穀倉大門上，『這麼做，只是為了要教訓那孩子！』桃樂絲還表示，她自己並不清楚她前夫對比利虐待的嚴重性、甚至雞姦，直到本案發生才……

史凱瑞看見比利在聆聽證詞時用雙手蒙住眼睛。「有紙巾嗎？」比利問。

史凱瑞看到有十幾個人把紙巾遞給他。

桃樂絲曾看過比利柔弱的一面。當時他正在準備早餐，她說比利走路的樣子好像女孩，說話的聲音也是輕聲細語的。還有一次，她發現比利在蘭開斯特市某棟建築物的逃生梯上，他的眼睛似乎很恍惚，當時他逃學，是校長打電話通知她的。這種恍惚的狀態，她曾見過好幾次，而且每當比利脫離恍惚狀態之後，都說他並不記得曾經發生過的事。

桃樂絲表示，她自己並未主動要求與米查分手，因為她希望家人能在一起，直到孩子們受不了而發出最後通牒時，她才與米查離婚。

西南心理復健中心譚博士與柯醫師的報告也在庭上唸出。接下來是比利的長兄傑姆的證詞：

如果傑姆被傳喚出庭，他將做出如下的證詞。根據傑姆表示，他和比利經常被米查帶往穀倉。到達時，米查就會要他去野地裡獵兔子，比利則被父親留下來，每次返回穀倉時，他都會看到比利大哭的模樣。好幾次比利都說繼父傷害他。當米查看見比利把這些事告訴傑姆時，米查都會說穀倉的工作做完了。接著對他們說：「我們都不想讓母親生氣吧？」然後，在回家之前，繼父會帶著他與比利到冰淇淋店。

傑姆也表示，他可以作證他們家中所有發生在比利身上的虐待情形。

十二點半，佛傑法官詢問是否有任何一方希望做出結論，結果雙方均放棄權利。

「現在談到的是精神異常的抗辯，」佛傑法官說，「所有證據均來自於醫學證物；毫無疑問，所有醫師、學者均指出，被告做案時，乃處於精神異常的狀態中，因此被告無法分辨是非，這同時表示被告喪失了抗拒犯罪的能力。」

此刻，史凱瑞閉口屏息。

「相反的，由於缺乏其他任何證據，根據本席手上現有的報告證據，本席只能宣佈，威廉·密里根因精神異常無罪釋放。」佛傑法官敲了三響議事槌之後，宣佈退庭。

茱迪突然有放聲一哭的衝動，但忍住了。只見她推著比利避開群衆進入休息室，譚如茜趕來向她致賀，柯絲薇和其他人也來了，結果是大夥兒哭成一團。

只有史凱瑞站在一旁。「好了，比利，」他說，「現在我們必須趕在麥理查法官之前先到達檢驗法庭，但是出去的時候，一定會遇上記者和攝影師。」

「不可以走後門嗎？」

史凱瑞搖搖頭，「我們已經勝訴了，我不希望你得罪那些新聞界，他們已經等了好幾個鐘頭，你必須面對鎂光燈，回答一些問題，我可不希望他們說我們偷偷從後門溜走了。」

當史凱瑞和比利走入大廳時，記者群立刻一擁而上，鎂光燈閃個不停。

「威廉·密里根先生，你現在的感覺如何？」

「很好。」

「審判結束了，你現在的心情是否比較開朗？」

「不。」

「爲什麼？」

「這個嘛……」比利說道，「往後還有很多事要處理。」

「今後你的目標是什麼？」

「希望成爲一般的老百姓，我想重新學習認識生命的意義。」

史凱瑞輕輕推著比利向前走，他們來到八樓麥理查法官的辦公室，但他已出去吃午飯了。因此史凱瑞和比利下午一點還必須再返回法院。

蔡伯納打電話給每一位受害者，告訴她們審判的經過。「依照證物與法律，我相信佛傑法官的判決是正確的。」薛泰也同意他的看法。

午餐後，麥理查法官看完了精神科醫師們的建議，他批示將比利送往雅典心理健康中心由郭大衛醫生照顧。

比利再次被帶往會議室。第六頻道的記者問了他一些問題，還拍了一些特寫鏡頭。當時，茱迪與史凱瑞有事被請了出去，在他們回來之前，比利已被送往雅典醫院了。

由於無法向史凱瑞和茱迪道別，比利有點兒難過。突然，一位警官用手銬銬住他，推他下樓，進入停在外面的警車；另一位警官端了杯咖啡放在比利手上，隨手將車門關上。轉彎時，杯裡的熱咖啡濺到比利的西裝外套，於是比利把杯子丟在座椅後，只覺得很不自在，心情也愈來愈壞。

他不知道雅典那家醫院會是什麼樣子，或許那只是一座監獄。他記得痛苦已經過去了，許多人仍想將他關進牢。他知道假釋單位已通知史凱瑞，由於比利違法攜械，所以在治療之後仍要把他關起來。比利在想，應該不會是利巴嫩監獄，由於他有暴力傾向，或許會被關進路卡斯爾監獄。亞瑟到哪兒去了？還有雷根呢？他們是否願意進行人格融合的工作？

押解比利的警車沿著積雪的三十三號公路前行，經過他成長的蘭開斯特市，那兒也是他上學以及企圖自殺的地方。在那座城市裡，有太多他無法承受的壓力。他太疲倦了，想要離開，於是閉上雙眼，想忘掉一切……

幾秒鐘後，丹尼看看四週，不清楚自己要被載往何處。他只感到一陣寒冷、孤獨和害怕。

第五章

(1)

當他們抵達雅典醫院時，天已經快黑了，那是一棟維多利亞式建築，位在積雪的山腰上，可以俯瞰俄亥俄大學（譯註：位於哥倫布市的是俄亥俄州立大學，位於雅典市的則是俄亥俄大學，二者不同。）經過寬敞的大道，走上一條狹窄彎曲的小路時，丹尼開始發抖了，兩位警官陪著他，登上石階朝一座白色柱子配上古老紅磚的建築物走去。

他們帶領他到達三樓，當電梯門開啓時，警官說道：「你眞幸運。」丹尼開始有些退卻，但警官仍推他進入一扇厚重鐵門，門上寫著：『入院掛號與集中治療』

這兒不像醫院也不像牢房，長廊的一側是一間接著一間像旅館的小房間，地板上舖有地毯，天花板下有吊燈，而且還有窗簾和眞皮座椅，兩面牆上均有門，護士站看起來像服務櫃台。

「天哪！」警官說道，「簡直就像渡假中心！」

一位高個兒年長的女士站在辦公室門外，仁慈的大臉有黑色的耳環裝飾，似乎剛染過髮。當他們進入辦公室時，她露出微笑說：「可以告訴我你們的名字嗎？」

「女士，我們已獲准送他來這兒了。」

「是啊！」她說道，「在文件上我們必須登記是誰帶病患來的。」

警官不太情願地告訴她名字，丹尼站在一旁很不自然地將手指張開，因爲手銬太緊，銬得有點兒痲木了。

郭大衛見狀，便對警官說：「快把手銬取下來！」

警官依言將手銬打開，丹尼揉揉手腕，眼睛望著皮膚上的深刻痕跡。「我發生了什麼事嗎？」他的表情頗哀怨。

「年輕人，你叫什麼名字？」郭大衛醫生問道。

「丹尼。」

解開手銬的警官大笑道：「我的天哪！又來了！」

郭大衛起身把門關上，他對人格的再度分裂現象並不意外。喬哈丁曾告訴他，融合的結果並不紮實。而且，根據他自己以往治療多重人格病患的經驗，他知道像審判之類的緊張情境，可能會造成分裂的現象。目前首要之務是得到丹尼的信任。

「很高興見到你，丹尼，」他說道，「你幾歲啦？」

「十四歲。」

「在哪兒出生的？」

他聳聳肩，「我不知道，蘭開斯特吧？或許。」

郭醫師想了幾分鐘，當他看見比利疲倦的面容時，將筆放下。「往後再問你問題，今晚先好好休息，這位是凱莎琳太太，心理健康技師，她帶你去你的房間，你可以打開皮箱，放好衣服。」

郭醫師離去，凱莎琳帶他走過大廳到左邊最前面的房間，門是開啓的。

「我的房間？不可能！」

「別逗了，年輕人，」凱莎琳走進房間將窗戶打開，「這兒的視野很好，可以俯瞰雅典市和俄亥俄大學，現在天黑看不見，明天早上就能看見了，到這兒可別見外！」

她離去之後，丹尼坐在房間外的椅子上，他害怕離開那張椅子，直到另一位技師將走廊上的燈關掉爲止。他走進房間坐在床上，身體不斷發抖，眼裡直流淚；他知道，只要有人對他好，他就必須報答那個人。

他躺在床上，不知還會發生什麼事，他試著保持清醒，但因爲太疲倦了，終於昏昏入睡。

(2)

一九七八年十二月五日早晨，丹尼醒來發現陽光從窗子照射進來，他站在窗口，眺望河流和另外一邊的大學建築。這時，有人敲門，進來的是一位成熟漂亮短髮的大眼睛女人。

「我是迪諾瑪，早班主任，如果你願意的話，我可以爲你介紹這兒的環境和餐廳。」

他跟著她參觀電視房、彈子房和福利社，通過雙重門之後，有一間小咖啡廳，廳內中間有一方長桌，沿著牆面有四張方桌，遠處有個服務櫃台。

「去拿餐盤和餐具，這兒吃的是自助餐。」

他取了餐盤，然後又把手伸進一只圓型容器取其他餐具，結果發現摸出的是一把餐刀，於是他立刻將刀拋開，餐刀打到牆壁之後掉在地板上發出聲響，每個人都抬起頭看發生了什麼事。

「怎麼回事？」迪諾瑪問。

「我……我怕刀子，我不喜歡。」

她將刀拾起，爲他拿了一隻叉子放在他的餐盤上，「去吧！」她說道，「拿一些吃的東西。」

早餐後，當他走過護士站時，迪諾瑪向他打招呼。「對了，如果想出去走走，只要在牆上的本子裡登記，我們就知道你出去了。」

他瞪著她，聲音有些沙啞。「妳是說我可以離開病房？」

「這兒是開放式醫院，可以在這棟房子裡到處逛；如果郭醫師覺得你可以的話，只要簽個名字就可以到花園走走。」

他不太相信地看著她，「花園？但花園沒有圍牆吔！」

她笑了，「沒錯！這兒是醫院，不是監獄。」

當天下午，郭醫師來到比利的房間，「感覺如何？」

「很好，但我想其他人該不會和我一樣也能來去自如吧？在哈丁醫院，一直都有人監視。」

「那是在受審前，」郭醫師說，「有件事你必須記得，你曾接受過審判，獲判無罪，如今在我眼裡你已不是罪犯。不論以前你曾經做過什麼事，或是在你身體裡的人所做的事，全都成了過去，這是一個新的人生，你在這兒所做的一切，你的進步狀況、你如何接受各種事物——你如何與比利相處、自我融合——這些全是爲了要讓你的病情一天比一天好，你必須要有這樣的願望，在這兒是不會有人輕視你的。」

當天稍晚，《哥倫布市快報》上登出比利轉到雅典醫院的報導，另外也將審判過程做了簡要報導，其中包括米查的妻子桃樂絲，以及孩子們聲稱關於米查虐待比利的證言，同時也刊載了米查與他的律師寄給報社的誓言：

我是米查，一九六三年十月與比利的母親結婚，我接納了比利和他兄長與後來的妹妹。

比利指控我曾鞭打、虐待強姦他，尤其是在他八、九歲時；這些指控全屬無稽之談，甚至那些心理學家及精神科醫生將關於比利的檢查報告呈給佛傑法官前，事先並未與我討論。

在我心中，毫無疑問的，比利不斷在騙人，愚弄那些爲他檢查的醫師、學者。在我與他母親結婚的十年中，他是個習慣性的騙子，我認爲他騙人已習以爲常。

比利對我的指控，經多家報章雜誌的報導，已對我造成許多困擾——心理壓力與痛苦；我投書之目的，乃是要證明自己的清白並澄清我的名譽。

比利到達一個星期後的某天早晨，郭醫師再度來訪。「今天起，治療工作要開始了。先到我的辦公室來。」丹尼跟在他身後，心裡十分害怕。郭醫師指著一張舒適的座椅，然後自己也坐在對面的椅子上。

「我要你瞭解，從你的檔案中我已經知道許多關於你的事。文件還眞厚。現在，我們要做一些類似吳可妮博士曾做過的事。我與她談過，我知道她先讓你放輕鬆，然後可以和亞瑟、雷根以及其他人談話，這就是我們要做的事。」

「怎麼做？我無法叫他們出來呀！」

「你只要靠在椅背上舒適地坐著聽我說話，我確信亞瑟會知道吳博士和我一樣是朋友，你被送來這兒接受治療是她建議的，因爲她對我有信心，我也希望你對我有信心。」

丹尼在椅子上蠕動，然後靠在椅背上坐好，整個人放輕鬆，兩隻眼睛左顧右盼，幾秒鐘後又向上看，突然警覺起來。

「是的，郭醫師，」他雙手互握，「我很感激吳博士推薦的是你，你會得到我完全的合作。」

由於郭醫師早已期待英國口音的出現，因此一點兒也不緊張，他有太多次與多重人格者相處的機會；突然出現另外一種人格，並不是什麼大驚小怪的事。

「呃……對……是的，是否可以告訴我你的名字？我必須記下來。」

「我是亞瑟，是你要和我說話的。」

「是的，亞瑟，我當然知道你是誰，尤其是你一口標準的英國口音，但我確信，你知道我絕不做任何假設……」

「郭醫師，我沒有口音，你才有呀！」

郭醫師面無表情地看了他一眼，「啊！是的，很抱歉，希望你不介意回答一些問題。」

「儘管問吧！這是我來這兒的目的，只要可能的話，我是有問必答。」

「我想和你討論一些關於不同人格的重要事實……」

「是人，郭醫師，不是人格，正如亞倫向喬哈丁說的一樣，當你們稱呼我們爲人格時，給我們的感覺是，你們並不承認我們的存在，這對治療是不利的。」

郭醫師仔細觀察亞瑟，決定不理會那種高傲的姿態，「對不起，我想知道關於人的事情。」

「我會儘可能提供你資料的。」

郭醫師陸續提出問題，亞瑟也依續談到了喬哈丁醫師曾記載的九個不同的人格的年紀、外表、特性、能力以及出現的原因。

「爲什麼會有小孩子出現？就是克麗斯汀，她的角色是什麼？」

「陪伴孤獨的孩子。」

「她的性情如何？」

「害羞，但只要雷根有凶暴行爲她就出現，雷根崇拜她，所以她有辦法讓他避免使用暴力。」

「爲何她只有三歲？」

亞瑟很有自信的笑著，「讓其中一個人知道不多或完全不知道曾發生過什麼事是很重要的，她不知情會是很好的保護；如果比利必須隱藏什麼的話，她就會出現，她畫畫、玩跳房子遊戲或撫摸阿達娜的洋娃娃，她很可愛，我對她特別鍾愛。你知道嗎？她是英國人。」

「這我倒不知道。」

「是的，她是克里斯朵夫的妹妹。」

郭醫師打量他一會兒，「亞瑟，你是否也認識其他人？」

「是的。」

「一直就認識他們嗎？」

「不。」

「你是如何知道他們的存在？」

「用減法呀！當我知道我失去一些時間時，就開始仔細觀察其他人，我發現他們彼此不相同；然後開始思索，並藉著問一些問題，發現其中的眞相；慢慢地，經過了幾年，我開始建立與其他人接觸的方法。」

「這麼說來，我很高興能與你見面，如果我要幫助比利的話，也就是幫助你們所有的人，我需要你的協助。」

「你可以在任何時候找我。」

「在你離開前，我有個重要問題要問你。」

「是的。」

「史凱瑞向我談到一些報紙上曾提及的事，他說從這件事的發展看來，你們的談話與受害者的描述有些部分不吻合。比方說關於犯罪行為的說法以及菲爾這個名字——他認為，或許除了已知的九種人格之外，還有其他人格存在，這方面的事你是否清楚？」

他並未回答，只是兩眼發呆，嘴唇開始顫動，漸漸出現畏縮的神情，幾秒鐘後，兩隻眼睛開始閃動，看看四週，「我的天哪！別再發生了！」

「喂！」郭醫師說道，「我是郭醫師，為了記錄，可否告訴我你的名字？」

「比利。」

「我知道了！比利，我是你的醫生，你被送來這兒由我來照顧。」

比利手放頭上，眼神仍有些茫然。「我步出法庭，走進警車……」他迅速看看手腕和衣服。

「比利，你還記得什麼事嗎？」

「警察把我的手銬得很緊，然後把一杯很燙的咖啡遞給我，又把車門關上。車子啓動時，咖啡濺到西裝外套上，那是我記得最後的一件事——我的西裝外套呢？」

「比利，在你的衣櫃裡，我們可以送去乾洗，那些污漬會洗掉的。」

「我覺得很奇怪。」他說。

「可不可以說來聽聽？」

「腦子裡似乎少了一些東西。」

「記憶？」

「不是，審判前我好像和其他人融合在一起，你知道嗎？但現在似乎又分裂出去了。」他敲敲自己的頭。

「沒錯，比利，或許再過幾天或幾星期，我們可以試著將那些散去的部分再組合回來。」

「我現在在什麼地方？」

「這兒是俄亥俄州雅典市的雅典心理健康中心。」

他安靜了下來，「我知道！這兒是麥理查法官曾說過的醫院，我記得他說要送我來這裡。」

察覺到自己正與融合中的比利面對面，郭醫師採取溫柔的語氣與他談話，小心問他一些比較中性的問題。郭大衛對人格變換時面部表情有如此大幅度的改變感到驚訝。亞瑟緊咬的下巴、緊閉的嘴唇、深沈的目光讓他看起來頗自負，而比利則是一副大眼睛遲滯的表情，看來很虛弱而且容易受傷害的樣子；他不像丹尼那種畏懼中帶有些許體貼的神情，比利看起來比較近似狼狽；雖然急切回答問題，試著要討好醫生，但很明顯的，他並不知道那些問題的答案。

「很抱歉，有時候當你問我問題，我認爲知道答案，但事實上卻又找不到。亞瑟或雷根應該知道答案，他們都比我聰明，而且記憶力也比我好，但我不知道他們去哪裡了。」

「這不打緊，比利，你的記憶力會恢復的，而且會比你預期的還更高。」

「喬哈丁醫師也這麼說過，他說當我融合時就可以恢復記憶力。事實上也的確如此。但是經過審判之後，又有人分裂出去了，這是爲什麼？」

「比利，答案我還不清楚。那你又是如何知道發生這種現象的呢？」

比利搖搖頭，「我只知道亞瑟和雷根現在不和我在一起，他們不在時，我的記性就比較差，我一生中失落了很多東西，因爲他們讓我沈睡了很久，是亞瑟告訴我的。」

「亞瑟是否和你談得很多呢？」

比利點點頭，「在哈丁醫院，自從喬哈丁介紹我給他之後，都是亞瑟告訴我該做什麼事。」

「我想你應該聽從亞瑟的指示，多重人格者通常在衆多人格中有個人認識其他所有的人，並且會試著幫助他們，我們稱他爲『內部自我救助者』，又叫做ＩＳＨ。」

「亞瑟？他是ＩＳＨ？」

「我想大概是吧！他很適合這個角色；聰明，知道其他人的存在，有道德心。」

「亞瑟很有道德觀念，規矩都是由他訂定的。」

「什麼規矩？」

「如何行事，做什麼事，什麼不可以做之類的。」

「那麼，我想亞瑟對你的治療會有很大的幫助，如果他和我們合作的話。」

「我相信他會的，」比利說道，「因爲亞瑟經常說，讓我們聚在一起非常重要，和平相處，這樣我才可以成爲有用的公民，對社會有所貢獻，但我不知道他現在在哪兒。」

談話之中，郭醫師覺得比利對他的信心正在加強中。

郭醫師帶他回病房，介紹他的房間，並且再次將他介紹給値班主任以及其他工作人員。

「諾瑪，這位是比利，」郭醫師說，「他是新來的，我們需要有個人帶他熟悉環境。」

「當然，郭醫師。」

但是，當迪諾瑪引比利走回房間時，她卻盯著他說：「你已經知道這兒的情況了，所以沒必要再走一趟。」

當比利知道當天晚上母親和妹妹會來看他時，他變得很緊張。審判時，他曾看見自己的妹妹凱西，當初那個十四歲的小女孩，如今居然長成亭亭玉立的廿一歲女人了。在他堅持下，母親並未到庭旁聽。雖然凱西曾向他保證，母親曾多次去哈丁醫院探望他，而且在利巴嫩監獄時也是如此，但他一點兒也記不得了。

上次見到母親時他十六歲，當時體內的其他人格還未讓他沈睡。母親在他心中的影像已是好久以前的畫面了：美麗的臉龐上濺滿了鮮血，一大束頭髮從頭皮上掉下來……那是他記憶的面孔，當時的他十四歲。

當母親和妹妹到達時，他眞的不敢相信母親已是如此蒼老，臉上佈滿皺紋，頭髮一圈圈的，看來好像假髮，但是她藍色的眼睛和翹起的嘴唇依舊很可愛。

她和凱西回憶起當年的時光，兩個人似乎在比賽誰的記憶好，那段日子正是他小時候最迷糊的時光。現在，他們終於知道那是因爲其他人格所造成的。

「我一直知道有兩個人，」母親說道，「我一直說一個是我的比利，另一個人我不認識，我試著告訴他們比利需要幫助，但沒人願意聽我；我告訴醫生和律師，就是沒人相信我說的。」

凱西看著母親說：「但是，如果妳告訴他們有關米查的事，就可能有人會相信。」

「當時我並不知道，」母親說，「凱西，神可以見證，如果我當時知道他對比利做了什麼，我一定會把他的心給刨出來。我從未將那把刀拿開過，比利。」

比利皺起眉頭，「什麼刀子？」

「這事就像是昨天發生的一樣，」母親說道，同時將腿上的裙子整平，「當時你大約十四歲，我發現在你的枕頭下有一把小刀，我曾問你是怎麼回事，你知道你怎麼回答嗎？我想應該是另外一個你回答的，『女士，妳的丈夫今天早晨難逃一死！』這些話是你親口說的，神可以作證。」

「雪兒現在怎麼樣了？」比利改變了話題問道。

他母親望著地板。

「怎麼了？」比利又問。

「她很好，」他母親說。

「總感覺不太對勁。」

「她懷孕了，」凱西說，「她離開她丈夫，正要回俄亥俄州和母親同住，直到孩子生下來。」

比利用手揮揮，像要揮去煙霧一般，「我知道不對勁，我感受到了。」

他母親點點頭，「你一直有辦法讓人說出來，就像千里眼一樣。人們是怎麼說的？」

「第六感。」凱西回道。

「妳也一樣。」他母親說，你們兩個人什麼事情都知道；即使不說話，也知道別人的心裡在想什麼，這一直讓我不寒而慄。」

她們停留了一個多小時。離開時，比利躺在床上，凝望窗外雅典市燈光閃耀的夜景。

(3)

接下來幾天，比利在醫院草地上慢跑、讀書、看電視、接受治療課程，哥倫布市的報紙定期刊登有關他的故事，《People雜誌》刊出關於他一生的故事，照片也出現在《哥倫布月刊》上。經過這些報刊雜誌的披露，有很多人打電話到醫院，要求向他買畫。在郭醫師的核准下，他獲得一些作畫材料，在房中搭起畫架，畫了十幾幅人物和風景畫。

比利告訴郭醫師有不少人曾與史凱瑞、茱迪接頭，談論有關他生平故事的版權，另外也有人希望他能參加六十分鐘和其他電視節目。

「你希望有人寫你的故事嗎？比利？」郭醫師問。

「有錢最好！痊癒之後，我必須回到社會，到時候就需要錢過生活。畢竟誰會給我工作呢？」

「除了錢之外，你對外在世界對你的遭遇有什麼看法？」

比利皺起眉頭，「我認爲可以協助人們瞭解虐待兒童的結果是什麼！」

「好，如果眞想找個人寫下你的故事，或許我可以安排一位我認識而且信任的作家和你見面，他在俄亥俄大學教書，寫的書有一本已拍成電影，我這麼說只不過是要讓你有更多的選擇。」

「你認爲作家願意寫一本有關我的書嗎？」

「和他見個面沒什麼關係，你可以聽聽他的想法。」

「好啊！這是個好主意，我喜歡。」

當天晚上，比利幻想他與一位作家談話時的情景，假想那作家是什麼樣的人，或許身穿斜紋軟尼西裝，嘴裡含著一根雪茄好似亞瑟。能在大學裡教書一定是偉大人物吧？作家不都是住在紐約或比佛利山莊裡嗎？郭醫師爲什麼會推薦他呢？他一定是個很小心的人。史凱瑞曾說過，寫一本書可能可以賺很多錢，更別說是拍電影了。誰又會飾演他的角色呢？

他整夜翻來覆去，就這樣過了一晚上。他非常興奮，卻也害怕，要和一位眞正的作家見面，這位作家的書還被拍成電影，那會是多麼難得的經驗啊！最後，當他睡著時天也快亮了。亞瑟認爲比利沒有能力與作家會談，因此必須由亞倫出面。

「爲何選上我？」亞倫問。

「你是最佳演員，誰會比你更合適？你很機警，不會吃虧上當。」

「每次都是我當擋箭牌。」亞倫抱怨道。

「那正是你的專長！」亞瑟如此告訴他。

第二天，亞倫與作家見面時，他嚇了一大跳，而且非常失望，那作家並不像他想像中的高大有魅力，他只是個留鬍子、戴眼鏡的瘦小男人，身穿一件棕色燈心絨運動服。

彼此介紹之後，走進郭醫師的辦公室。亞倫坐在皮椅上點燃一根煙，作家坐在他對面也點上一根雪茄。閒聊了一會兒之後，亞倫談到主題。

「郭醫師說或許你有興趣寫我的故事，」亞倫說道，「你認爲有這個價値嗎？」

作家笑了笑，吐出一口煙，「不一定，我必須多方瞭解你，確定出版商是否有興趣出書，必須與報紙或雜誌上刊載的那類不同。」

郭醫師露出微笑，「這一點絕對沒問題，我可以向你保證。」

亞倫傾身向前，手肘頂在膝蓋上，「我還有很多故事，但我不會就這樣告訴你，我在哥倫布市的律師說，有很多人想拿到版權。有一位好萊塢來的人打算買下電視和電影的權利，這個星期另一位作家會飛來這裡提出購買條件和合約。」

「聽起來滿誘人的嘛！」作家說，「由於你已是知名人物了，所以我想應該有很多人想閱讀關於你一生的故事。」

亞倫點點頭笑笑，並決定要多瞭解對方一些。

「我希望能讀一些你寫過的書，好讓我知道你的作品，郭醫師說你有一本書還拍成了電影。」

「我會送你一本小說，讀完之後，如果有興趣，我們再見面。」

作家離去後，郭醫師建議，在採取任何進一步的動作之前，比利應該先找一個當地律師負責自己的權益。哥倫布市原來的公設律師將不再代表他了。

那個星期，亞倫、亞瑟和比利輪流閱讀作家送來的小說。讀完後，比利告訴亞瑟：「我想他應該可以爲我們寫書。」

「我同意，」亞瑟說，「他那種內心世界的表現手法，正符合我們的要求。若想瞭解比利的問題，寫出來的內容必須是內心世界，作家必須站在比利的立場來寫這本書。」

雷根叫道：「我不同意，我不同意把我們的故事寫成書。」

「爲什麼？」亞倫問。

「讓我這麼說吧！比利會和那個作家說話，你們也會出來說話，這樣很可能就會把以前的罪行都說出來。」

亞瑟思考了一會兒，「我們可以不把這些事說出來呀！」

「除此之外，」亞倫說，「我們還可以隨時脫身。如果談話中有任何事情傷害我們，比利可以隨時中止這本書的寫作。」

「要怎麼做呢？」

「只要否認所有的事情就行了，」亞倫說，「我可以說我只是假裝自己具有多重人格，如果我說那全是虛構的故事，就不會有人去買它了。」

「誰會相信？」雷根問道。

亞倫聳聳肩，「這沒關係，沒有一家出版商願意冒險出一本有可能說謊的書。」

「亞倫說的沒錯。」亞瑟說。

「同樣的理論也可用於比利簽署的任何合約上。」亞倫補充說道。

「你的意思是說他無法勝任簽約。」雷根問。

亞倫笑了，「我們不是『因精神異常獲判無罪』嗎？我在電話中與史凱瑞律師曾談到這一點。根據他的說法，我們永遠都可以說我們是在精神異常的狀態下簽下這份合約的，因爲郭醫師強迫我們簽。如果有必要，那份合約就被視同無效。」

亞瑟點點頭，「也就是說，我們可以安全無慮地要求作家爲這本書找出版商。」

「我仍然不認爲這是明智之舉。」雷根說道。

「我相信這非常重要，」亞瑟表示，「把故事公諸於世！雖然也有其他談到多重人格的書，但從未有像比利一樣的書。如果世人可以因此瞭解這些現象是如何發生的，那我們對人類的心理健康會很有貢獻。」

「除此之外，」亞倫說，「我們還可以賺很多錢！」

雷根接著說，「這是我今天聽到最好而且也最明智的辯論。」

「我想你最喜歡錢了，」亞倫說。

「這也是雷根最有趣的矛盾，」亞瑟說，「他是忠誠的共產黨員，卻因愛錢而偷錢。」

「但是你應該會同意，我每次都把我們剩下的東西或錢拿去幫助那些貧困的人。」雷根說。

「是嗎？」亞倫笑道，「或許我們可以因慈善損贈而減稅囉？」

(4)

十二月十九日，當地報紙《雅典訊息報》的主編打電話到醫院，要求採訪比利。比利和郭醫師都同意了。

郭醫師引領比利進入會議室，他將比利介紹給《雅典訊息報》的主編艾哈伯、記者赫鮑伯以及攝影師佛蓋爾。郭醫師展示比利的畫作，而比利則回答有關他過去的問題——他曾企圖自殺以及由其他人格主導之類的事。

「關於那些暴力行為你有何看法？」艾哈伯問，「雅典市的居民如何才能保證安全？如果你獲准在外走動，如何才能保證你不會威脅到本地居民的安全？」

「我想，」郭醫師回答，「關於暴力行為不應由比利回答，該由另外一個人格回答。」

他帶著比利走出會議室進入他的辦公室，要比利坐下。

「現在，比利，我想你必須與雅典市的當地媒體建立良好的人際關係，一般百姓有必要知道你對他們並不會造成危險。總有一天，你必須到城裡不受人監視，能自由上街買作畫的材料、看場電影或買個漢堡，顯然這些報社人員的心腸仁慈，我想應該讓他們與雷根談一談。」

比利安靜地坐在那兒，嘴唇微微蠕動。過了一會兒，他身體前傾。「郭醫師，你瘋了嗎？」

郭醫師聽出這個粗魯的聲音，「雷根，你為何這麼說？」

「這麼做是不對的，我們必須努力讓比利醒著。」

「如果不重要，我是不會叫你出來的。」

「當然不重要，那只是報紙的宣傳，我反對，我很生氣！」

「沒錯，」郭醫師謹慎地說，「但社會大衆要的是保證，保證你們是法院所說的那樣。」

「我不在乎別人怎麼想，我不想讓個人隱私出現在報紙的頭條新聞上。」

「但在雅典市，保持良好的媒體關係是很重要的，這兒的居民想法如何，對你的治療和你的權利有很大的影響。」

雷根思考了一會兒，他感覺郭醫師是想利用他來加強他對新聞界所說的眞實性，但郭醫師的話也很合理。「你認為這麼做是正確的嗎？」他問。

「如果不是的話，我才不會如此建議。」

「好吧！」雷根說，「我同意接受記者的訪問。」

郭醫師帶領他返回會議室，三位記者則感激似的抬起頭。

「我會回答問題。」雷根說道。

這完全不同的口音令赫鮑伯感到驚訝而有些遲疑。「我……我的意思是……我們正在問……

我們想要確定本市不會……比利不是暴力份子。」

「只在有人要傷害比利、有人要欺負女士或小孩時，我才會採用暴力。」雷根說，「只有在類似的情形發生時我才會介入。你會讓別人傷害你的小孩嗎？不會的，你會保護你的妻子和小孩，甚至任何一位婦女。如果有人想傷害比利，我就會保護他。但是，在不被激怒的情況下就採取暴力，是一種野蠻行為，我可不是野蠻人。」

問過幾個問題後，記者要求與亞瑟說話。郭醫師轉達了他們的要求，然後只見雷根充滿敵意的表情彷彿融化了，接著出現的是傲慢、深邃的表情。亞瑟看看四週，從口袋裡取出煙斗。點燃，吸了一口再緩緩吐出一縷長煙。

「這太瘋狂了！」他說道。

「什麼太瘋狂了？」郭醫師問。

「讓比利沈睡而要我們出來呀！我已盡了最大的力量讓比利醒著。你知道嗎？讓他控制一切是很重要的，但是……」他將注意力轉到記者身上，「現在回答你們有關暴力的問題。我可以向這座城市的所有母親保證，她們晚上可以不必鎖門，比利已經進步了，他從我這兒得到了理智，從雷根那兒得到了控制暴力的能力，我們正在教導他，他也不斷的吸收。當比利學習了我們教他的一切之後，我們就會消失。」

只見那些記者立刻在記事本上寫下來。

郭醫師要求比利出現。當他再度出現時，他開始咳嗽。「我的天哪！那玩意兒會讓我窒息！」他把煙斗丟在桌上，「我不抽煙。」

在回答了更多的問題之後，比利說他已經不記得郭醫師帶他離開房間後所發生的任何事情，他熱切地談論自己未來的理想，他希望出售一些自己的畫作，將一部份錢捐給兒童虐待基金會。

當報社人員離開時，郭醫師發現他們三人都十分震驚。他在陪比利回房時說：「看來，又有更多相信我們的同件了。」

由於茱迪正忙著處理另外一個案子，因此史凱瑞陪同事務所的主管前來雅典市探望比利。史凱瑞想要更進一步瞭解那位即將寫書的作家和戈愛蘭律師，戈律師是比利僱來處理公民權利的。早上十一點，他們在會議室碰面，同時還有郭醫師、比利的妹妹和她的未婚夫鮑伯。比利堅持說這是他自己做的決定，他要這位作家爲他寫書。史凱瑞轉身遞給戈律師一張寫有出版商、作家以及一家願意將故事拍成電影的製片人清單。

會議之後，史凱瑞抽出一點時間單獨與比利聊天。「我目前手頭上正在處理一件報紙頭條新聞上的案子，」他說，「二二口徑的槍擊事件。」

比利表情嚴肅說道：「你必須答應我一件事。」

「什麼事？」

「如果眞是那個人幹下的話，別爲他辯護。」

史凱瑞笑了，「從你的口裡說出來，比利，那眞是很重要。」

史凱瑞離開時，心緒非常複雜——比利的問題現在已由別人接手處理了，過去的十四個月，的確很不可思議，更是累壞人的日子。

由於這件案子，他和妻子離婚，因爲他一直沒時間與家人共聚，而且更由於他爲聲名狼籍、強暴女人的瘋子辯護無罪開釋，每到深夜總會有人打電話抗議，這些騷擾也造成了家人的負擔；他的小孩因爲父親爲比利辯護，甚至爲此與同學大打出手。

在處理這個案件時，他必須欺騙其他委託人，好讓自己有更多時間處理比利的案子。正如茱迪說的，「由於擔心忽略了其他人，你得加倍努力工作，結果是由我們的家庭和家人付出了代價。」

跨進車內，望了一眼巨大醜陋的維多利亞式建築點點頭；現在，比利已是其他人的責任了。

(5)

十二月廿三日，比利因爲要與作家面談而感到有些緊張。他對幼時的生活記憶少之又少，只是一些零星的片段，而且還是從別人那兒聽來的呢！他該如何告訴作家有關他的故事？

早餐後，他走到大廳盡頭，倒了第二杯咖啡，坐在椅子上等待作家的到來。上個星期，他的律師戈愛蘭代表他與作家和出版商簽了一份合約，那的確不容易；但是，麻煩才正開始呢！

「比利，有訪客。」迪諾瑪的叫聲嚇了他一跳，他從椅子上跳起來，咖啡濺濕了衣服。只見作家正穿過前門的階梯朝這兒走來。

「嗨！」作家微笑道，「準備開始了嗎？」

比利領他到自己房間，看著這位留鬍子的作家取出錄音機、筆記本、鉛筆、煙斗和煙絲，然後坐在椅子上。「每次開始，先說出你的名字；爲了寫作上的需要，請問我現在是與誰說話？」

「比利。」

「好的，第一次與我在郭醫師辦公室見面時，你曾經談到『聚光燈』，當時你說不太認識我，所以未加說明，現在可以說了嗎？」

比利注視地板，十分難爲情。「那天你聽到的並不是我，我很害羞，是不會與你說話的。」

「是嗎？那天是誰呢？」

「亞倫。」

作家皺起眉頭，若有所思地吐了一口煙。「好的，」他在記事本上做個記錄，「能不能告訴我什麼是『聚光燈』呢？」

「我也是學來的，就像在哈丁醫院只完成部分融合爲止我曾學過的東西一樣。那是亞瑟告訴其他小孩走進眞實世界時的一個用語。」

「你們走出來的地方是什麼模樣？你看到的是什麼？」

「地板上有一片圖形光線，每個人都站在光線旁或躺在四週的床上，有人注視，有人睡覺，也有人忙著處理自己有興趣的事。但不論是誰，只要站出來，那個人就有了意識。」

「當每個人都被稱爲比利時，是不是每個人都有反應？」

「睡覺時，如果有人叫喚『比利』，所有人都會回應。有一次，吳可妮博士向我解釋，其他人會爲了隱藏多重人格的事實而做出一些行爲來掩飾。我的存在之所以會被人知道，是因爲當時大衛非常害怕，對譚如茜博士說溜了嘴。」

「當初其他人存在時，你知不知道？」

他點點頭，靠在椅背上思考，「我還小的時候，克麗斯汀就來了，我不記得那是什麼時候。在八歲快九歲時，他們大部份都已經進來了，我繼父米查他……米查……」他突然打住不說話。

「如果這件事讓你很難過，那就別說了。」

「沒關係，醫生說，突破我自己對我而言很重要。」

他閉上了雙眼，「我記得當時是愚人節之後的那個星期，我四年級，他帶我到農場幫他整理田地，帶我走進穀倉，將我綁起來，然後……然後……」他眼中充滿了淚水，聲音也變粗了，有些遲疑，像小孩一樣。

「如果太痛苦，就別……」

「他打我，」他邊說邊揉手腕，「他發動引擎，當時我想我可能會被引擎撕裂、被葉片打碎。他說，如果我告訴我母親，他會把我埋在穀倉裡，然後告訴我母親因爲我恨她而逃走了。」淚水不斷流了下來，「下次，再發生同樣事件時，我只需閉上雙眼，畫面就會消失。現在我知道了，多虧當時喬哈丁醫師幫我恢復記憶，我才知道，當時被綁在引擎上的人是丹尼，後來由大衛出現承受痛苦。」

作家發現自己也因憤怒而渾身抖個不停。「天哪！你能活過來還眞是奇蹟！」

「現在我已經明白了，」比利低聲說道，「警察來逮捕我時，我並不是眞正被逮捕，反而是獲救，對於事發前的受害者我感到很抱歉，但是，最後我的確感覺到神對我露出微笑，這是廿二年來從未有過的事。」

第六章

(1)

聖誕節的次日，作家駛過了彎彎曲曲的漫長道路，前往雅典的心理健康中心與比利進行第二次面談。他感覺，比利在醫院裡的過節情緒一定很低落。

作家聽說聖誕節前一週，比利曾要求郭醫師允許他去勒岡市的妹妹家過節，但郭醫師說他不宜外出，因爲他到院才兩星期。院中其他病患至少都有一段很短的假期。比利認爲，如果醫生說治療他與其他病患並無不同，那麼他就該獲得應有的待遇。由於郭醫師知道比利正在試探他，而且也瞭解，得到比利的信任很重要，因此郭醫師同意向上級申請。但郭醫師很清楚，這是不可能核准的。

這項申請案果然引起了不少反應，包括假釋機關、州政府心理健康局和哥倫布市的檢察官辦公室。蔡伯納檢察官甚至也打了電話詢問史凱瑞，雅典市到底在搞什麼鬼。史凱瑞說他會試著去查一查，「但我現在已經不是他的律師了。」他補上一句。

「如果我是你，我會打電話給他的醫生，」蔡伯納說，「告訴他們要冷靜的想一想，如果在判決看管後才兩星期就讓他外出休假，大衆一定會針對俄亥俄州精神異常刑事犯，提出訂定新法令的要求。」正如郭醫師預期的，申請被駁回了。

當作家打開厚重的鐵門走向比利房間時，他發現整座醫院彷彿空無一人，他敲敲比利的房門。

「等一等。」一個睡意很重的聲音。

門打開時，只見比利似乎剛起床，他看著腕上的電子錶，臉上表情很迷惑。「我不記得我買過這只錶。」他走向桌子瞄了桌上的紙一眼，然後遞給作家，那是醫院福利社開的廿六元收據。

「我不記得買過這只錶。有人花了我的錢──那些錢是我賣畫得來的，我不認爲這是對的。」

「或許福利社小姐會取回去。」作家回答道。

比利看了一下，「留下來也好，反正我也需要，品質不怎麼好，但是……我看看。」

「如果你沒買，會是誰買的？」

他往四週看了看，好像要查探是否有其他人在房裡，「我曾聽到一些奇怪的名字。」

「說說看？」

「凱文和菲利浦。」

作家試著不露出驚訝的表情，他曾讀過關於比利十種人格的報導，但從未有人提到剛才說的兩個名字，作家檢查錄音機，確認它是否正常運轉。「這件事你告訴郭醫師了沒有？」

「還沒，」他說，「我想我會的，但我不知道這代表什麼？他們是誰？爲何我想到他們？」

當比利說話時，作家想到了十二月十八日《新聞週刊》上登載的最後一段：「無論如何，其中還有一些未解開的疑點……他對那些被強暴者聲稱的《游擊隊》和《殺手》指的究竟是什麼？醫師們認為，比利或許還有未經揭露的其他人格——其中的一些人或許犯過一些未被發現的罪行。」

「比利，在此之前，我想我們有必要設定一些基本規則：首先，我要確認你告訴我的話不會被別人用來做為傷害你的言詞。如果你覺得你告訴我的一些事情可能會被人用來攻擊你，那麼，你只要說『不要列入記錄』，我就會把錄音機關掉。在我的檔案中，不會有任何資料連累你，如果你忘了說，我會主動制止你，同時把錄音機關掉。清楚了嗎？」

比利點點頭。

「另外一件事，如果你曾經計劃犯案，別告訴我。如果你告訴我，我必須立即向警方報案，否則我也會被視為共犯。」

他看起來彷彿受了驚嚇，「我不會計劃任何其他犯罪行為的。」

「我很高興聽到你這麼說。現在，告訴我那兩個名字。」

「凱文和菲利浦。」

「這兩個名字對你有什麼意義？」

比利看看桌上的鏡子，「沒什麼，我不記得了。但是，一直有句話浮在我心頭——《惹人厭的傢伙》，這與亞瑟有些關聯，但我不知道是什麼。」

作家傾身向前，「告訴我亞瑟的事，他是什麼樣的人？」

「沒有感情，他讓我想起《星際之旅》中的史波克，他是那種在餐廳裡一不順眼就大發牢騷的人。他經常爲自己向別人解釋，但是如果別人不知他在說些什麼時，他就會很生氣。他就是無法容忍。他永遠說自己很忙——許多事要安排、計劃和組織。」

「他從來不曾放鬆過？」

「有時候他會下下棋——通常是與雷根下棋——但他最討厭的就是浪費時間。」

比利聳聳肩，「亞瑟不屬於那種你喜歡或不喜歡的人，而是那種你尊敬或不尊敬的人。」

「亞瑟的長相是不是和你不太一樣呢？」

「身高、體重和我差不多——六呎高、一百九十磅重，但是他戴眼鏡。」

第二次的談話持續了三個小時，他們談到一些報紙上曾經提及的人格、比利家庭的一些事情以及幼年時的回憶。作家正在摸索如何使一些資料能依自己的方式收集。目前最主要的問題是『記憶喪失』，由於比利的記憶中有許多空白，因此若想知道他的幼年生活，或是七年之中由其他人格主宰他的詳情是不可能的。作家最後決定，雖然他必須杜撰一些內容，但他仍會忠實於比利的眞實經歷；除了未解決的罪行之外，一切都依比利所說的記載。問題是，他擔心這個故事中有太多瑕疵的情節；如此一來，就很難成書了。

(2)

郭醫師抬起頭，辦公室外的巨響令他分心，他的秘書正與一位有布魯克林口音的男子說話。

「郭醫師很忙，現在無法見你。」

「小姐，我不管他有多忙，我必須見他，我有東西要給他。」

郭醫師才站起來，辦公室的門就被推開了，比利站在那兒。

「你是比利的醫生嗎？」

「我是郭醫師，」

「耶！好，我是菲利浦，我們之中有些人認爲，這鬼玩意兒應該要交給你。」他將黃色的法律用箋「啪」的一聲丟在桌上，然後轉身走出去。郭醫師看了一眼，發現那是一連串名單：比利十種人格的名字，同時還有其他名字，最後一個並不是名字，而是《老師》。

他本想追出去，但是突然想到更好的方法，於是抓起電話撥給醫療微波技術員。

「喬治，我打算今天與比利、馬大衛開會，我要你做全程錄影。」然後掛上電話，開始研究那份名單。其中有很多不熟悉的名字——一共有二十四個。郭醫師不敢想像將會發生什麼結果。是否曾經也有人處理過類似的案例？而那個《老師》到底是誰？

午餐後，郭醫師敲比利房門。一會兒，比利將門打開，還有睡意，頭髮散亂。「什麼事啊？」

「比利，今天下午我們排了進度，過來參加吧！」

「好啊，郭醫師。」

比利隨著這位身材矮小卻精力充沛的男子走出健康中心。他們沿著走廊朝現代化的老人醫學大樓前進，經過飲料自動販賣機，推開醫療微波室的房門。

喬治已等在房裡，攝影機也架設好了。比利和郭醫師進來時，喬治向他們點點頭。右側有一排椅子，像是爲不存在的觀衆準備的。左側的百摺拉門前擺了攝影機和一些監視器設備。比利坐在郭醫師指示的位子上，喬治幫比利把麥克風繫在胸前。此時，一位黑髮男子進入房間，郭醫師走上前去歡迎他，他正是資深臨床心理醫師馬大衛。喬治比個手勢表示攝影機已準備就緒，郭醫師於是正式開始。「爲了記錄，請告訴我們你叫什麼名字？」

「比利。」

「好，比利，我需要你的協助得到一些資料。我們知道『你們』之中出現了一些新名字，據你所知，是否眞的還有其他人？」

比利一臉驚慌的模樣，他輪流不停的看著郭醫師和馬醫師。

「哥倫布市有位心理學者問我有關菲利浦名字的事。」郭醫師發現比利的膝蓋上下不停抖動，神情異常緊張。「其他名字像是蕭恩、馬克或羅勃，這些名字對你有什麼意義嗎？」

比利想了一會兒，望向遠方，嘴唇蠕動，像是在自言自語，然後喃喃說道：「我剛聽見他們在說話，亞瑟和某個人正在爭論，那些名字在我腦海裡迴響，我不知道他們在說什麼。」他遲疑了一會兒，「亞瑟說：『蕭恩並不遲鈍，在心理上並不遲鈍，但他天生是個聾子，動作是慢了些，就他的年紀來說，這樣並不正常……』自從吳可妮博士叫醒我之後，每天睡覺前我的腦子裡就會展開一場持續不斷的戰爭。」

他的嘴唇又在動了，郭醫師用眼神指示喬治給比利臉部一個特寫鏡頭。

「你希望由誰來解釋？」比利頗神經質地問道。

「你認為我和誰談比較好？」

「我不確定，過去這幾天一直都很混亂，我不清楚該問誰。」

「你自己是否可以離開《聚光燈》？比利？」

比利立刻露出驚訝、受到傷害的表情，似乎以為郭醫師要趕他走。

「比利，我並不是要……」

比利兩眼茫然，僵坐許久，然後四處張望，就像才剛驚醒。只見他扳動手指關節、怒目而視。

「你已經樹立不少敵人了，郭醫師。」

「可否說明清楚？」

「唔……我才不管，問題出在亞瑟身上。」

「為什麼？」

「因爲《惹人厭的傢伙》進來了。」

「誰是惹人厭的傢伙？」

「那些被亞瑟弄啞的傢伙，因爲他們已經失去利用價值了。」

「如果他們沒有利用價值，爲什麼會存在呢？」

雷根怒目相視，「你希望我們怎麼做？殺了他們嗎？」

「我知道了，」郭醫師說，「繼續說下去。」

「我不滿意亞瑟的決定，他和我一樣是守護者，我並非什麼事都辦得到。」

「可否多告訴我一些有關《惹人厭的傢伙》？他們是否很凶暴？是罪犯嗎？」

「我是唯一有暴力傾向的人，但只在某種情況下才如此。」突然，他注視手錶，一臉驚訝。

「那是你的手錶嗎？」郭醫師問。

「我不知這是哪兒來的，一定是趁我不注意時比利買的！如我所說，其他人都不是賊。」他笑一笑，「亞瑟對《惹人厭的傢伙》的態度很執著，他告誡其他人絕不可提起那些人，這是秘密。」

「在此之前，這件事爲什麼都沒有人揭露呢？」

「從來就沒人問過呀！」

「從來沒人問過？」

他聳聳肩，「或許有人問過比利或大衛，但這兩個人都不知情。在未獲得完全信任之前，那些《惹人厭的傢伙》是不會被公開的。」

「既然如此，爲什麼又要告訴我呢？」

「亞瑟漸漸喪失主宰地位，那些惹人厭的傢伙正在反抗，他們自己要讓你知道。名單是凱文寫的，那是必要的第一步驟。但是，在沒有足夠的信賴關係之前，對於公開之事，我們採保留態度，否則我們會喪失防禦能力。我曾發誓不可洩密，但我又不會說謊。」

「雷根，往後還會發生什麼事？」

「我們會團結起來，同舟共濟，完全的控制，記憶不再喪失，只有一個人擁有支配權。」

「那個人會是誰？」

「老師。」

「誰是《老師》？」

「他是個很受歡迎的人，和普通人一樣，有優點也有缺點。他也知道現在的比利，他的情緒會隨著環境而改變。老師未公開過自己的名字，但我知道誰是老師。如果你知道誰是老師，你一定又會把我們視爲精神異常者。」

「爲什麼？」

「郭醫師，其實你已見過部分的老師了。讓我這麼說吧！主要的問題是，我們這些人是如何學到我們所知的事物呢？全都是老師教的，他教湯姆電子和脫逃術；教亞瑟生物學、物理學和化學；教我有關武器的知識和如何控制腎上腺素，以便發揮我最大的力量；他還教我們每一個人畫畫，老師是無所不知。」

「雷根，誰是老師？」

「老師就是完整的比利，但比利自己並不知道。」

「你爲什麼會出來告訴我們這些事？雷根？」

「因爲亞瑟在發脾氣，他犯了錯，控制不嚴——讓凱文和菲利浦暴露了《惹人厭的傢伙》的存在。亞瑟雖然很聰明，但他也只是常人。現在裡面已是反叛之聲四起。」

郭醫師做手勢，要馬大衛把椅子拉近些，「如果馬醫師參加的話，你介意嗎？」

「在你們面前，比利會很緊張，但我不會。」雷根打量四週的電線和設備，搖搖頭，「這兒好像是湯姆的玩具房。」

「可否多告訴我一些有關老師的事？」馬大衛問。

「讓我這麼說吧！比利小時候是個天才，當時我們是一個整體，現在的他並不知道。」

「那麼他爲什麼需要你呢？」馬大衛問。

「我是爲了保護比利的肉體而被創造出來的。」

「但是你知道，實際上你只是比利的一種想像。」

雷根靠向椅背笑著說：「曾有人這麼說過，我也接受這個說法，但比利並不接受，比利在許多事情上失敗了，這也就是爲何有《惹人厭的傢伙》的存在原因。」

「你認爲比利知道自己就是老師嗎？」馬大衛問。

「讓他知道的話，他會很生氣。但是，當你和老師說話時，就像同一個完整的比利在說話。」雷根再次檢查手錶，「花比利的錢卻不讓比利知道，是不公平的，但手錶可以讓比利知道自己失落了多少時間。」

這時，郭醫師說道：「雷根，難道你不認爲現在正是你們面對現實、解決問題的時候嗎？」

「我自己並沒有問題，我是問題的一部份。」

「如果比利知道他就是老師的話，他會有什麼反應？」

「如果他發現了，我會把他給毀了。」

接下來的療程中，雷根告訴郭醫師，說在他與亞瑟經過長時間激烈討論後，他們同意把「比利就是老師」的事實告訴比利。最初，亞瑟認爲比利無法承受如此的打擊，而且如果知道了，反而會精神錯亂。現在，他們兩人都同意，若要比利好轉過來，有必要讓他知道眞相。

郭醫師很高興聽到此一結論。從雷根的報告中得知，雷根與亞瑟之間的爭論、惹人厭的傢伙的叛變等事，已使整個狀況進入危險狀態。他認爲讓比利見其他人的時機到了。讓比利知道他就是那位累積許多知識、通曉許多技能並傳授出去的老師，如此可強化他接受自己就是老師的能力。

郭醫師提出與比利說話的要求，當他發現膝蓋上下抖動時就知道是誰出來了。他告訴比利有關亞瑟和雷根所做的決定。當比利點頭並說已準備好時，臉上露出既興奮又恐懼的複雜表情。郭醫師將錄影帶放進錄影機，調整聲音之後，靠坐在椅子上觀察病患的反應。

比利看見螢幕中的自己忍不住笑了起來。稍後，當他看見發抖的膝蓋，而自己的膝蓋也同樣抖個不停時，立刻用兩手壓在膝蓋上制止；而當螢幕中顯示出嘴唇蠕動的畫面時，他便立刻把手按在嘴上，眼睛睜得大大的，彷彿無法置信。接下來是雷根的臉，看來和比利的一模一樣；再來是雷根的聲音：「你已經樹立不少敵人了，郭醫師。」當雷根談到名單上的廿四個名字以及《惹人厭的傢伙》時，比利的表情立刻轉為畏懼、迷惑；當雷根談到老師時，比利的嘴張得更大了。老師曾經教導過每個人，但誰是老師呢？

「老師就是完整的比利，但比利自己不知道。」雷根在電視裡這麼說。

郭醫師看見比利蹣跚離去，看起來很虛弱，全身不停冒汗。

比利走出醫療微波室，沿階梯到達三樓，一些人向他打招呼，但是他並無任何反應。走過空蕩蕩的醫院大廳，他突然因虛弱而發抖，跌坐在椅子上。

他就是《老師》。

他就是那個有智慧、有美術天份、有強健體魄、有逃脫技巧的人。

他試著瞭解這一切。最初存在的，是一個只有基本人格的比利；是一個出生過、擁有出生證明的比利。後來，他分裂成好幾個部分，但是這些部份的後面，卻有一個沒有名字的實體——就是雷根所說的《老師》。

如果這廿四個人格融合為一，那麼這個人就會是《老師》，也就是完整的比利，這對治療而言很重要。作家也需要這位老師，以便知悉曾經發生的一切……

比利閉上雙眼，感覺到一股奇怪的暖流從腳底流向手臂、肩膀和頭部，他還感覺到自己的震動與脈動，低頭看見腳邊的聚光燈白色的亮光刺痛了雙眼。這時候，他知道他們每一個人都必須在同一時間出現。所有人站在聚光燈下了；他們互相推擠……墜落……碰撞……被拋進精神世界……，所有人一起漂流……滑行……結合……

然後，他從另一側出來了。

他握緊雙手舉到眼前注視。現在，他知道以前爲什麼無法完全融合了，因爲當時有一些人並未出現。所有他曾經創造出來的人格，以及比利自幼年到現在的所有動作、思想、記憶，全都浮現在眼前。成功與失敗的關鍵——亞瑟曾試圖隱藏《惹人厭的傢伙》，後來無法得逞的事實，比利現在已經瞭然於心；他知道自己的歷史：他們的荒謬、他們的不幸、他們未被公開的罪行；同時，也知道當他回想往事，並且說給作家聽時，其他廿三個人也會知道。他們知道自己生活中的故事，一旦知道了，記憶便不再喪失。他們不再像以前一樣了。一思及此，反而讓他很傷感，彷彿失落了什麼。然而，到底失落了多久？

他發現有人朝大廳走來，於是轉身看看到底是誰。他知道，部份的他曾見過這矮小的醫師。

郭醫師通過大廳，走向護士站，看見比利坐在電視房外的椅子上。但是，當比利站起轉身的時候，郭醫師知道那不是以前見過的比利或任何其他人格——他的態度非常大方，毫無武裝的眼神。郭醫師猜想一定發生了什麼事，他認爲讓病患知道主治醫師有敏銳的洞察力是很重要的。郭醫師自覺必須冒一些風險，於是雙手交叉，兩眼直視對方的眼睛。

「你是老師，對嗎？我一直在等你。」

《老師》低頭望著身材矮小的郭醫師，點點頭。在他的笑容中有一股穩定的堅強。「你已經撤去我所有的防衛了，郭醫師。」

「我並未這麼做，你應該也知道，是時間到了。」

「一切都將改觀。」

「你希望我恢復嗎？」

「不，不希望。」

「現在你可以告訴作家完整的故事了，你能追溯多久前的回憶？」

《老師》凝神望著他，「所有的回憶。我記得剛滿月的比利從佛羅里達的醫院被帶回家。他差點兒就死了，因爲喉嚨哽住了，所以被送到醫院。我記得他的生父莫強尼，是個猶太裔喜劇演員，最後自殺死了。我還記得比利在幻想世界中出現的第一位玩伴。」

郭醫師笑一笑，點點頭拍了一下《老師》的手臂。「很高興和你在一起，老師，還有很多事物等著我們去學習呢！」

第二部　『老師』的誕生

第七章

(1)

桃樂絲回想起一九五五年的三月。在餵完嬰孩吃藥之後，發現懷中剛滿月、面色紅潤的兒子突然口吐白沫。

「強尼！」她尖聲高喊，「快帶比利去醫院！」強尼急急忙忙衝進廚房。

「他什麼都吃不下，」桃樂絲說，「一餵就吐！他是吃過這些藥才這樣的。」

強尼大聲喚來傭人咪咪照顧大兒子傑姆，然後逕自奔到門外發動汽車。桃樂絲抱著比利上車，開車前往邁阿密海灘的西奈山醫院。急診室裡，一位年輕的實習醫生看了孩子一眼說道：

「夫人，已經太遲了。」

「他還活著呀！」她大吼，「去你媽的！你一定要救我的孩子！」

在桃樂絲的催促下，實習醫生接過嬰孩，結結巴巴的說：「我們……我們會盡力而爲。」

掛號櫃台後的護士請他們塡寫掛號單。

「孩子的姓名、地址？」

「莫威廉，」莫強尼回答，「北邁阿密灘，東北一五四街，一三一一號。」

了。

「宗教信仰？」

他停了一下望向妻子。他原本想說「猶太教」，但在看了妻子臉上的表情之後，他卻猶豫了。

「天主教。」桃樂絲說。

強尼轉身走向候客室，桃樂絲跟過去跌坐在長椅上，看著丈夫吞雲吐霧。她猜想，或許強尼還在懷疑比利是不是他的親身骨肉。比利不像一年半前出生的哥哥傑姆，傑姆是一頭黑髮，膚色也比較深。當時，強尼因爲傑姆的誕生而欣喜若狂，曾說要找到原妻辦離婚手續，但卻未付諸行動。儘管如此，他還是買了一幢粉紅色的房子，後院還有不少棕櫚樹。因爲他說，在演藝圈裡，擁有美滿的家庭很重要；對桃樂絲而言，目前的婚姻生活比起和前夫陳迪克在俄亥俄州的日子要好太多了。但是，她知道如今強尼的情況並不是很好，他說的笑話不太受歡迎，年輕的喜劇演員是當今的票房保證，強尼已淪爲跑龍套的角色。他以前曾是紅遍當地的名角，但現在的演出機會少了，幾乎整日沈迷於賭博和飲酒。現在的他是夜總會節目中第一個出場的暖場人物，不再是壓軸戲的主角了。

他不再是以前的強尼了，以前他會爲她安排演唱、平安送她回家。他常說：「保護廿一歲俄亥俄州的鄉下俏姑娘是我的責任。」但是，現在她不再覺得有安全感了。

強尼三十六歲，左眼失明，身體卻壯得像悍衛戰士。強尼對桃樂絲而言，愈來愈像父親了。

「煙不要抽太多！」她說。

他在煙灰缸裡將煙按熄了，雙手插在口袋裡。

「今晚我不想去表演。」

「這個月已經太多場沒去了，強尼。」

他犀利的眼神打斷她的說話。他正要開口時，醫生走了過來，「莫先生、莫太太，我想你們的小孩已無大礙了，食道裡有東西嗆住，已在我們的控制之中，狀況穩定了。兩位現在可以先回家，如果有任何變化，我們會打電話通知你們。」

比利活過來了。在第一年，他在邁阿密進了好幾次醫院。強尼和桃樂絲到外地演出時，比利和傑姆就交由傭人咪咪或托嬰中心照顧。不久，桃樂絲又懷孕了，是第三胎，就在比利出生一年後。強尼要她去古巴墮胎，她拒絕了。多年後，她告訴孩子們這麼做是犯法的。一九五六年十二月三十一日，大年夜，凱西出生了，生產費用帳單令強尼昏了頭。他借了不少錢喝酒賭博。桃樂絲知道他借的六千元都是吸人血的高利貸。兩人爲此爭吵，強尼動手打她。

一九五八年秋天，酗酒加上沮喪，強尼住進了醫院，院方允許他在傑姆五歲生日——十月十九日當天請假外出。桃樂絲當天晚上工作結束，返家時已經很晚了，一進門就見到被強尼掀翻過的桌子，另外還有半瓶威士忌酒和地板上的安眠藥空瓶。

(2)

《老師》還記得，比利心中的第一位朋友並沒有名字。四歲生日前的某一天，傑姆不願意與比利玩耍，凱西年紀又太小，父親自顧看書，因此比利獨坐在房裡玩玩具，他覺得孤單又無聊。過了不久，他看見一個黑髮、黑眼珠的小男孩坐在對面注視他。比利將玩具兵推向小男孩，小男孩拾起玩具兵放在卡車上，將卡車前前後後推動，兩人彼此並未交談。

當天晚上，比利和那個不知名的小男孩，看見父親從藥櫃裡取出藥瓶。當父親倒出所有藥丸吞下時，鏡子裡映出了整個經過情形。後來，只見父親坐在桌子前默默不語。比利躺在嬰兒床上，不知名的小男孩消失了。午夜時分，母親的尖叫聲將他驚醒。只見她急忙打電話給警方，傑姆和他站在窗旁。不久，比利看見有輪子的擔架和燈光閃爍的車子將父親載走了。

第二天，父親並未回來陪他玩，母親則非常生氣、忙碌，而傑姆又不在身旁，凱西年紀太小；比利想和凱西玩耍、說話，但母親說她太小了，必須小心。因此，當他再次感到孤獨無聊時，便閉上眼睛入睡。

《克麗絲汀》睜開眼睛，爬上凱西的嬰兒床。當凱西哭泣時，克麗絲汀可以從她臉上的表情清楚知道她要什麼。因此，克麗絲汀走到美麗的女士那兒，告訴她說凱西肚子餓了。

「比利，謝謝你。」母親說，「你是好孩子，你照顧一下妹妹，我去燒晚飯。我外出工作前，會為你唸一段床邊故事。」

克麗絲汀並不認識比利，她也不知道別人為何要喊她比利，但她很高興能與凱西玩耍。她拿了一根紅色蠟筆，走到嬰兒床旁的牆上為凱西畫了一個洋娃娃。

克麗絲汀聽見有人來了，抬頭一看，原來是那位美麗的女士正在低頭看她在牆上畫的圖案，然後又看看她手上的蠟筆。

「搗蛋鬼！不准亂畫！你這壞小孩！」桃樂絲大吼。

克麗絲汀閉上眼睛離開了。

這時，睜開眼睛的是比利，他看見母親怒氣沖天的表情。她抓住比利猛搖晃，比利嚇得哭了起來，他不知道自己為什麼被處罰。然後看見牆上的畫，心裡在想，到底是誰做了這件缺德事。

「我不是壞小孩！」他哭叫著。

「你在牆上畫畫，還不是壞小孩？」她繼續高喊。

他搖搖頭，「不是比利畫的，是凱西畫的！」他手指著嬰兒床。

「不准說謊！」桃樂絲用手指使勁戳比利的胸部，「說謊……是……是不好的，騙子都會下地獄！你現在給我回房去！」

傑姆不願與他說話。比利心想，牆上的畫是不是傑姆畫的？哭了一會兒，閉上眼睡著了……

當克麗絲汀睜開眼睛時，發現一個年紀較大的男孩睡在房間另一頭。她四處想找個洋娃娃玩，但觸目所及全是玩具兵和卡車，她不要這些玩具，她想要洋娃娃和奶嘴瓶。

她溜出房間去找凱西的嬰兒床，連續找了三個房間才找到。凱西已經睡著了。克麗絲汀拿走了凱西的洋娃娃之後便回床睡覺。

早上，比利因拿走凱西的洋娃娃而遭罰。桃樂絲發現洋娃娃在比利床上，於是猛力搖醒他。

「下次不可以再這樣！那是凱西的洋娃娃。」

克麗絲汀學習到了，當比利的母親在家時，她必須非常小心與凱西相處。起初，她以為房裡那個男孩是比利，但每個人都叫他傑姆，因此她知道那是哥哥，她自己的名字是克麗絲汀。然而，因為每個人都喊她比利，所以她學會必須回應。她非常喜歡凱西，她與凱西一同玩耍，教她學字。凱西學走路時，克麗絲汀會在一旁看著；凱西肚子餓時，她知道凱西喜歡吃什麼；她知道凱西容易受到哪些傷害，若有任何差錯，她會去告訴桃樂絲。她們一起玩蓋房子遊戲。母親不在時，她很喜歡和凱西玩穿衣服遊戲：她們會穿上桃樂絲的衣裳、帽子，打扮得像在夜總會唱歌一般。克麗絲汀喜歡為凱西畫像，但不在牆上畫了。桃樂絲給她們許多紙筆，每個人都稱讚比利有繪畫天份。

強尼一出院，桃樂絲就開始擔心。當他與孩子們玩耍，或是想作一些新曲、練習準備上台演出時，都很正常。但是，她一不在，他就會打電話到地下馬券莊下注。她想制止他，但換來的卻是詛咒和痛毆。後來，強尼乾脆離家出走，住進旅館，不與孩子們共度聖誕節，也未參加凱西三歲的除夕生日會。

一月十八日，一通警察局打來的電話吵醒了桃樂絲。有人發現強尼的屍體躺在汽車旅館外的旅行車中，一根管子從排氣管接到車後窗，他留下一封長達八頁的遺書指責妻子桃樂絲，並且吩咐如何運用保險公司的賠償金去償還他的債務。

當桃樂絲告訴孩子們父親已經上天堂時，傑姆和比利立刻跑到窗旁抬頭仰望天空。

一個星期後，放高利貸的人來了，他威脅桃樂絲償還六千元的借款，否則要她和小孩好看。於是她帶著孩子逃離家園，搬到奇拉哥市的姊姊那兒。後來，又搬到俄亥俄州的塞拉維市；在那兒，她遇見前夫陳迪克，經過幾次約會和承諾，兩人又再婚。

(3)

比利快五歲時的某天早上，他走進廚房，踮起腳尖想從廚架上拿洗碗布；突然間，廚架上的糖果罐摔到地上，他試著將破碎的罐子黏回去，但爲時已晚。聽到有人進來時，不禁全身發抖，因爲他不想受罰，也不想受傷。他知道自己做錯事了，但不想知道將會發生什麼結果，更不想聽到母親對他的訓斥，於是閉上雙眼入睡……

《蕭恩》睜開眼睛，看了看四周，只見地板上全是糖果罐的碎片。發生了什麼事？我爲什麼會在這裡？

一位漂亮的女士走了進來，只見她朝這兒怒視，嘴巴一開一閉的。但是他聽不見任何聲音。她用力搖他，不斷的搖，他仍然聽不見任何聲音。後來，她甚至用食指戳他的胸部，臉都漲紅了，嘴巴還在動。他不知道她爲什麼對他那麼生氣。她把他拖進房間，將房門關上。他只是安靜的坐在那兒，心想不知待會兒會發生什麼事。然後又睡著了。

當比利醒來時，心中期待因打破玻璃罐子必然降臨的鞭打，但處罰並未出現。他是怎麼回到房間的？無論如何，反正他已經習慣了。當他在某地時，只要閉上眼睛，然後再張開眼睛時，便會發現自己所處的時間變了，甚至連地方也換了。他以爲這是每個人都會有的現象。到目前爲止，他發現常有人叫他騙子，並且會爲了一些沒做過的事而懲罰他。這次則相反，他做錯事了，醒來時卻未受罰。他心想，不知母親什麼時候才會處罰他，這種感覺令他很緊張。那天，他一直待在房裡不敢出來，只希望傑姆儘快放學回來，或是能再見到那位玩玩具乒的黑髮小男孩。他瞇起眼睛，希望能看見小男孩，但什麼也沒發生。

奇怪的是，他再也沒有孤單的感覺了，每次只要感到很孤單、悲傷或無聊時，只需閉上眼睛即可。當他再度張開眼睛時，就會在不同的地方出現。有時，陽光如果太刺眼，他也會閉上眼睛，醒來時已是夜晚時分了，有時候則正好相反。其他時間他會與凱西或傑姆玩耍，但是偶而一眨眼，又變成一個人坐在草地上了。發生這種情形之後，手臂上有時會出現紅色的揑痕或是一種被打了一巴掌的疼痛感。

令他高興的是，再也沒有人會處罰他了。

(4)

桃樂絲與陳迪克破鏡重圓的時間只有一年，最後還是分手了。她在蘭開斯特的鄉村俱樂部找到服務生的工作，同時還在酒吧裡唱歌維持生活。她將小孩送到俄亥俄州塞拉維市的聖約翰學校。一年級時，比利的日子還不錯，修女們無不稱讚他的繪畫天份。他素描動作很快，以他六歲的年級而言，對於光影、色彩的掌握確實有些奇特。到了二年級，史蒂芬修女認爲，他必須只能使用右手寫字畫畫。「魔鬼在你的左手，比利，必須將它趕出來！」他看到她拿起長尺，於是閉上眼睛……

蕭恩張望了一下，只見一位身穿黑裳和漿過的圍裙的女士，手上拿著長尺向自己走來。他知道自己來這兒是要接受懲罰的，但爲什麼？她的嘴巴在動，不知她在說些什麼，只是一臉無辜的表情望著她那張因生氣而漲紅的臉。她抓起蕭恩的左手，並將長尺高高舉起，朝手掌心痛打幾下。

眼淚不禁如泉湧般流下。反覆思索，爲什麼自己又要爲沒做過的事而受罰？這不公平！

蕭恩離開時，比利張開眼睛，史蒂芬修女已走開了。他看看左手掌上的條痕，有火焚的刺痛；臉上似乎也有些東西，用手去摸，才知道是淚水。

雖然傑姆只大比利一年又四個月，但他永遠不會忘記比利在七歲那年的暑假蹺家之事。他們先打包一些食物，比利要他準備小刀和衣服，說是出去探險。比利還說，他們回來時會一舉成名，帶回財富。他對比利的計劃與決心十分心動，於是同意與他一起行動。他們背上行李，溜出家門，經過市中心，到達四處長滿苜蓿的田野。比利指著田野中的五、六棵蘋果樹，說那是吃午餐的地點，傑姆一路遵從他的指示。

當兩人坐在蘋果樹下，邊吃蘋果邊討論往後的探險時，傑姆總感覺似乎要颳大風了，這會兒蘋果紛紛從樹上掉落下來。

「嘿！」傑姆說道，「暴風雨快來了。」

比利環顧四周，「你看那些蜜蜂！」

放眼望去，田野裡全是發出嗡嗡聲的蜜蜂。「糟糕！我們被包圍了，蜜蜂會把我們螫死，我們完蛋了！救命呀！救命呀！」傑姆高聲大叫，「快來救我們呀！」

比利迅速收拾了一下，「走來的路上並沒有蜜蜂螫我們，所以最好還是沿著原路走——但要用跑的。出發吧！」

傑姆停止了吼叫，跟著他跑。他們越過田野，一路奔回大馬路，果眞未被螫傷。

「你的反應很快嘛！」傑姆說。

比利凝望漸暗的天空，「天要變了，今天就到此爲止。我們回家吧！但絕不可說出來，這樣以後我們還有機會出來。」

回家的路上，傑姆心中暗想，自己爲什麼會聽任比利的領導呢？那年的暑假已近尾聲。他們到塞拉維附近的叢林中探險。來到哈吉溪時，有一條繩子從樹枝上垂吊至水面。

「我們可以盪過去！」比利說。

「讓我先試。」傑姆說，「我是大哥，我先過去，如果安全，你再接著盪。」

傑姆抓住繩子向後退了幾步起跑。盪出去，才過四分之三，便脫手陷入泥淖，開始往下沈。

「是流沙！」傑姆大喊。

比利見狀，迅速找到一根長竿丟給傑姆，然後自己又爬上樹，沿繩子往下攀，將傑姆拉到安全的地方。安抵溪邊時，傑姆躺在那兒看著他。

比利並未說話，傑姆則抓住比利的臂膀。「比利你救了我的性命，我欠你一份情。」

凱西和比利或傑姆不同，她喜歡天主教學校，她很敬仰修女，她決定長大之後也要去當修女。她崇拜父親，並且努力尋找任何有關父親的事物。母親曾告訴她，父親因病被送進醫院，後來病故了。她現在五歲，不論做任何事，她都會先問自己：「這是不是我父親強尼要我去做的事呢？」這種想法一直維持到她成年。

桃樂絲當歌手存了一些錢，還買下酒吧的部分股份。後來，她遇見一位氣質瀟灑、能言善道的年輕人。這位年輕人提出不錯的點子。他提議他們兩人可以到佛羅里達開一家晚餐俱樂部，而且動作必須快。她可以先帶孩子去佛羅里達看幾個地方，他則留在原地出售她在酒吧的股份，然後才前往佛羅里達與她會合，她唯一要做的只是簽一份讓度股份同意書。

她依他的建議進行，將孩子放在佛羅里達的妹妹家，自己則拜訪幾家打算出售的酒吧。就這樣等了一個月。結果，他一直都未出現。知道受騙上當後，她只得一文不名的返回塞拉維。

一九六二年，她在一家保齡球交誼廳中演唱，也就是在那兒遇見米查的，他已喪妻，現在和小女兒雪兒住在一起，雪兒的年紀與比利相仿，他還有個已長大成人的女兒，擔任護士的工作，米查開始與桃樂絲約會，還介紹她到他服務的公司上班。

一開始，比利就不喜歡他，於是告訴傑姆：「我不相信他。」

塞拉維的南瓜節是美國中西部頗富盛名的節日，是一年一度的重要日子。除了遊行和花車，整個市街全都成了南瓜市集，小販們在自己的攤販前叫賣南瓜甜甜圈、南瓜糖和南瓜漢堡，全城張燈結彩彷如嘉年華會。一九六三年的南瓜節，是個歡樂時光。

桃樂絲覺得生活已趨好轉，她遇到的是有固定工作的男人；不但照顧她，還答應接納她三個小孩。他會是個好父親。當然，她也會善待雪兒。一九六三年十月廿七日，米查與桃樂絲結婚了。

婚後三個星期，十一月中旬的一個星期天，他帶著家人到俄亥俄州的不來梅鎮造訪他父親的小農場，開車只需十五分鐘就到了。對孩子們來說，走過白色的農舍是十分令人興奮的經驗。他們在陽台上盪鞦韆，在老舊的紅色穀倉玩捉迷藏。米查告訴孩子們，週末時必須來這兒工作，因爲農場裡種了蔬菜，有許多雜務要有人處理。

比利看著田地裡雜亂腐爛的南瓜，心想，農場是該整理整理了。他決定回家之後，要爲新的父親畫一幅畫送他。

隔週星期五，女子修道院院長和梅森神父走進三年級的教室，他們與史蒂芬修女低聲交談。「請各位同學全體起立，低頭默哀。」史蒂芬修女邊說邊流下眼淚。梅森神父嚴肅的語氣令孩子們感到迷惑，他們注意聆聽。「孩子們，或許大家不知道目前的世界局勢，但我必須告訴你們，今天早上甘迺迪總統不幸遇刺身亡。現在，讓我們爲他禱告。」禱告完畢後，小朋友們被安排下課，等候巴士送他們回家。由於受到大人們的悲傷感染，孩子們站在那兒靜候。

週末時，當全家人圍坐在電視機前收看總統的葬禮儀式時，比利發現母親在掉眼淚，這令他很難過，他無法忍受這樣的情景或是聽見她在哭泣。因此，他閉上眼睛……

蕭恩出來了，他注視著沒有聲音的電視畫面，看見大家都在看電視，他走到電視機前，將臉靠近螢幕，感受電視機的震動。雪兒見狀便將他推開。於是蕭恩回到自己的房間坐在床上，他發現如果咬緊牙齒緩緩從口中吐出空氣，他的頭部也會有奇怪的震動——滋滋滋滋滋滋。他坐在那兒反覆吐氣。滋滋滋滋滋滋……

米查將三個小孩從聖約翰學校轉出來，送到塞拉維的公立小學就讀。身爲愛爾蘭清教徒，他們家從未有人進過天主教會學校，他們上的都是美以美教會的學校。

孩子們不喜歡禱告詞中的聖母瑪利亞被刪掉，他們習慣說瑪利亞了。他們尤其不喜歡小孩專用的禱告詞，就像雪兒唸的：「現在，我要躺下來睡覺。」

比利暗自決定，如果要他改變宗教信仰，他寧願跟隨生父莫強尼的宗教——猶太教。

第八章

(1)

婚後不久，搬到距離蘭開斯特不遠的地方時，桃樂絲發現米查對四個孩子很嚴苛；在餐桌上不准說話、不可大笑、必須依順時鐘方向傳遞鹽罐；有客人在座時，孩子們必須坐直，腳平放於地、雙手置於膝上。

他不准凱西坐在母親腿上，「妳已經長大了！」米查對七歲的女孩說。

有一次，傑姆要求比利遞給他鹽罐，由於比利手太短、傳不到，不小心摔破了，米查便對他大吼：「你怎麼老是出錯？都已經九歲了，還像個小孩！」他們對繼父越來越畏懼，尤其在他喝了啤酒之後，他們更怕他。

由於不敢表達心中的不滿，因此比利更畏縮、更隱藏自己了。他對嚴厲、敵意以及懲罰並不瞭解。有一次，當米查對比利大吼大叫時，比利兩眼瞪視他；最後，米查的聲音成了嘶吼：「我和你說話時，別這樣看我！」他的怒罵聲更令比利畏縮、兩眼下伏……

通常，蕭恩睜開眼睛朝四週張望時，總會看到眼前的人不斷張嘴閉嘴怒視他；有時是那位美麗的女士、有時是男孩或女孩，年紀較大的男孩會推他或搶走他的玩具。他們張嘴時，蕭恩也會張嘴發出怪聲，只要一這麼做，他們就會笑。但另外那個大男人則會生氣的瞪視他。遇到這種情形，蕭恩就會大哭，腦袋裡同時會出現一種奇怪的感覺；接著，蕭恩會閉上眼睛離去。

過了一會兒，凱西記起比利小時最喜歡的遊戲。

「比利，快扮成蜜蜂的樣子，」凱西說，「讓雪兒看看。」

比利看著她們，不太瞭解她們說什麼，「什麼蜜蜂？」

「你常做的動作呀！滋滋滋滋滋滋！」

比利含混的學著蜜蜂發出滋滋聲。

「你好好笑哦！」

「你晚上爲什麼會發出滋滋滋的聲音？」後來傑姆在房裡問他。他們睡在一間古老的雙人木床上，比利發出的怪聲讓傑姆在睡夢中驚醒好幾次。

比利對傑姆說的和那些女孩提到的怪動作覺得難爲情，他自己根本也不清楚是怎麼回事。但他立刻回答：「那是我發明的遊戲。」

「什麼遊戲？」

「就叫『小蜜蜂』，我表演給你看。」他用兩手在床罩下比成圈圈四處游動，「滋滋滋滋滋，你看！這是床罩下的蜜蜂家族。」

比利將一隻手從床單下抽出來，握成像杯子的形狀。聲音彷彿來自手掌心，然後那隻手上上下下沿著枕頭和床單前進。直到傑姆捏疼了他的手臂爲止。

「爲什麼捏我？」

「有一隻蜜蜂螫你呀！現在你抓住它，我們可以打死它或抓在手裡。」

就這樣，嗡嗡的聲音充滿了整個房間，聲音愈來愈大，傑姆加入了，聲音更大。

「嘿！嘿！你弄疼我了！」

「不是我，」比利說，「你抓了小蜜蜂，它父親和兄弟現在全來報仇了！」

傑姆於是放開手中的小蜜蜂。這時，比利讓整個蜜蜂家族圍繞在枕頭上被嚇壞的小蜜蜂四週。

「這遊戲很好玩！」傑姆說，「明天晚上我們再玩！」

黑暗中，比利躺在床上，還沒睡著。他想，或許那就是產生怪聲的原因，或許他在腦子裡發明這個遊戲。他並不知道屋裡還有其他人也會聽見他發出的怪聲，說不定這種事也同樣發生在其他人身上，就像失落時間一樣，他以爲每個人都有失落時間的經驗。他常聽母親或鄰人說，「天哪！我不知道時間是怎麼過的！」或「眞的這麼晚了嗎？」或「爲什麼日子這麼快就過去了？」

(2)

《老師》記得很清楚，某個星期天，就在四月一日愚人節之後。三個星期前，比利剛滿九歲，他感覺米查不斷在注意他。當時比利在翻閱雜誌，抬頭時，發現繼父直往這兒瞧；米查的手抵住下巴，坐在那兒臉上毫無表情。比利站了起來，將雜誌小心放回書報架，坐在常被指定的位子上，腳平放於地，雙手置於膝上。但是，米查仍盯著他看。最後，比利站起來走到外面的陽台，也不知該做什麼。心中只想著和大狗傑克玩，每個人都說傑克是隻凶惡的狗，但比利卻與牠相處得很好。當他抬起頭時，發現繼父竟然從浴室的窗後直盯著他看。

一整天，包括晚上在內，繼父眼睛從沒放過他，於是比利開始顫抖，因爲不知繼父將會怎麼對待他。繼父什麼話也沒說，只是兩眼直瞧他，注視他每一個行動。

全家人圍在電視機前觀賞華德迪斯奈的影集，比利躺在地板上，不時回頭張望繼父，還是那張撲克牌一般的冷峻面孔。當比利起身坐到母親身旁時，米查也站起來踩著很重的步伐走出客廳。

當天晚上，比利失眠了。

第二早，早餐前，米查走進廚房，似乎昨晚也沒睡好。他說因爲今天有很多工作，要帶比利一起去農場。米查走小路前往農場，其實這條路比較遠。一路上，米查沒說一句話。他打開車庫門，將卡車駛往穀倉。比利閉上眼睛，陣陣痛苦傳來……

在喬哈丁醫師向法院提出的報告中，有如下的內容：「根據病患表示……他受到虐待以及包括米查強迫的肛交，依病患所言，是他八、九歲的時候發生的，前後長達一年之久，都是他和繼父——米查——單獨相處時在農場裡發生的。他說他很害怕繼父會殺死他，因爲繼父威脅他，要把他埋在穀倉裡，告訴母親說他逃家………。就從那時刻起，他的精神和感情破碎成廿四個部份。」

(3)

凱西、傑姆與雪兒事後均證實了《老師》的記憶，那是有關母親第一次挨揍的經過。根據桃樂絲所言，米查對於她與工廠隔桌一位黑人同事搭訕非常生氣。當時，她負責生產線上的電腦控制沖壓作業，她發現那位同事在裝配線上打瞌睡，於是走過去叫醒他，他也向她表示謝意。

回到工作桌之後，只見米查一臉憤怒的表情。回家的路上，他仍是怒氣沖沖、不發一語。返回家中，她終於開口問道：「你到底是怎麼了？說出來聽聽呀！」

「妳和那個黑鬼有什麼不可告人的關係？」米查反問。

「什麼關係？你鬼扯些什麼呀？」

孩子們在客廳裡看見他毆打她，比利站在那兒，簡直嚇壞了。他想阻止繼父再鞭打母親，但他聞到酒味，擔心繼父會把他也給殺了，埋掉之後告訴母親說他逃家。

比利跑回房間，呯的一聲將房門關上用背頂緊，雙手蒙住耳朵，但仍能聽見母親的尖叫哀號。他逐漸下滑，最後坐在地板上，用力閉上眼睛；由於蕭恩天生耳聾，所有聲音都聽不見……

在《老師》的回憶中，那是第一次的《混亂時期》，比利一天到晚恍恍惚惚，整個生活糾纏不清；由於時間的失落，也不知是幾月幾日星期幾了。他四年級的導師發現了他怪異的行為，尤其是當其中一個人格不知曾發生什麼事時，便會說出一些奇怪的話或起身在教室裡閒逛，比利就會被叫到教室一角罰站。事實上，此時面對牆壁罰站的是三歲大的克麗絲汀。

她可以站在那兒很久都不說話，避免比利再惹上不必要的麻煩。馬克對任何事都只有短暫的好奇心，時間長了就忍耐不住；湯姆有背叛的性格；大衛則是出氣筒；《傑森》是壓力安全閥，經常大叫。《鮑比》常在幻想中迷失；《賽繆爾》是猶太人，祈禱很拿手。他們之中的任何人都會因做錯事而讓比利陷於迷惑。唯有三歲不到的克麗絲汀可以安靜地站在那兒不說一句話。

克麗絲汀這個小女孩的任務之一，就是在牆角罰站。

第一個聽到其他人格說話的人也是克麗絲汀。一天早上，在上學途中，她停下來摘野花，結果發現了野漆樹和桑樹，她想採成一束花送給老師，如此一來，老師或許會少叫她罰站了。當她走過蘋果樹時，又改變主意決定改採蘋果，於是將野花丟了去採蘋果。由於蘋果樹很高採不到，竟悲傷地哭了起來。

「小女孩，發生了什麼事呀？爲什麼哭呢？」

看看四週，沒見到任何人。「我採不到蘋果。」她說。

「別哭了，雷根會爲妳採。」

《雷根》鼓起他全身力氣搖晃蘋果樹，折彎了一根大樹枝，「拿去，」他說道，「這些蘋果全都給妳。」他爲她採了許多蘋果，並且還帶克麗絲汀上學。

當雷根才一離開，克麗絲汀懷中的蘋果便掉得一馬路都是。一輛急駛的汽車正朝其中最大、最亮的蘋果奔馳而來，那正是她準備送給老師的。因此，她急得想撿回來。就在此刻，雷根將她推向一側，避免被卡車撞到。只見車子把蘋果壓爛了，她放聲大哭，雷根見狀，拾起了其他蘋果，在身上擦拭乾淨後，交給她帶去學校。

當她將蘋果交給老師時，老師說：「謝謝你，比利。」這讓克麗絲汀不高興了，因爲蘋果是她拿來的。她走向桌椅，卻不知座位在哪兒，於是挑了教室左邊的座位。幾分鐘後，一個大男生說：「快滾開我的位子！」她感覺很難過，但是，當她感覺雷根就快出來揍那男孩時，她卻立刻起身走向另外一張椅子。

「喂！那是我的座位！」站在黑板前的女孩叫道：「老師，比利坐了我的椅子。」

「你不知道自己的座位嗎？」老師問道。

克麗絲汀搖搖頭。

老師隨後指著教室右邊的一張空座位，「回到自己的座位，比利，現在就去！」

克麗絲汀並不知道老師爲什麼要生氣，她曾試過很多方法想博得老師的歡心。含著眼淚，她感受到雷根又再度想出來對老師採取不利的行動，因此她緊閉雙眼，腳跺了一下，制止雷根的出現；隨後，她也消失了。

比利張開眼睛，發現自己是在課堂裡。天哪！自己是怎麼來上學的？爲什麼同學們都盯著他看呢？爲什麼他們都在傻笑呢？

離開教室時，老師叫住他。「比利，謝謝你送我的蘋果，你非常客氣，眞的很抱歉，我曾經處罰你。」他看著老師走下樓梯，心裡實在不明白老師到底在說些什麼。

(4)

當凱西和傑姆第一次聽到比利的英國口音時，他們還以爲他在扮演小丑。當時，傑姆與比利在房裡整理要清洗的衣物，凱西來到門口看比利是否已準備好，可以和她還有雪兒一起上學。

「比利，發生了什麼事？」她問道，只見他一臉茫然的表情。

他注視她，環顧房間和另外一個男孩。那個男孩也正在瞪他。他不知道這兩個人是誰，也不知道自己爲什麼會在這裡。他並不認識誰是比利，只知道自己叫亞瑟，英國來的。

他低下頭看著自己腳上穿的襪子，一隻黑、一隻紫。「這兩隻襪子不成對。」

女孩吱吱笑了起來，那男孩也一樣。「比利，你眞是帥呆了！你說話的口氣好像福爾摩斯電影裡的華生醫生，對不對？」女孩說完便走了。那個叫傑姆的男孩也跟著跑出去，嘴裡還大喊：「再不快一點就要遲到了！」

他心想自己明明叫亞瑟，爲什麼他們要叫他比利呢？

他會不會是個騙子？是不是混在其他人之中潛入房間當奸細？是偵探嗎？若想要弄清這疑惑，看來還得下一番工夫！他爲什麼穿兩隻不同顏色的襪子？是誰幫他穿上的？到底發生了什麼事？

「比利，快點！再遲到的話，你是知道老爹會怎麼處罰我們的！」

亞瑟做下決定，如果他想成為騙子，就必須同他們一起上學。但是，一路上他都沒說話。經過教室時，凱西說：「比利，你要去哪兒？趕緊進教室吧！」

他走到教室最後面，直到發現最後一個空位——坐下來應當很安全。他什麼地方也不看，只是把頭抬得高高的，不敢開口說話，因為其他人因他奇怪的口音已經在笑他了。

女老師分發給同學們油印的數學考卷。「考完後，把試卷夾在書本裡，到外面休息，休息之後再回來檢查你們的答案；看完了，我會收回考卷打分數。」

亞瑟看了考卷一眼，對那些乘法和除法的試題冷笑。他拿起筆迅速作答。寫完後，他將考卷放進書本，雙手交叉，兩眼看著高處。這些題目太簡單了。

運動場上那些孩子們的吵雜聲令他厭煩，他閉上眼睛……

休息過後，老師說：「請各位同學把書本裡的考卷拿出來。」

比利抬起頭來，不知所措。

他在課堂裡做了什麼？是怎麼來學校的？他只記得早晨起過床，但不記得穿衣服或上學的事，他已經忘了起床之後發生的事。

「在交出考卷前，各位同學可以先檢查一下答案對不對！」

什麼考卷？他一點兒也不知道發生了什麼事。如果老師問起，他決定告訴她，他忘記了或放在外面。他必須編個理由搪塞。他翻開自己的課本，無法置信地兩眼發直，書本裡果然有一張考卷，五十題的答案全都寫好了。他注意到那不是他的筆跡——有點類似，但又像是寫得很快的筆跡。他常有這種經驗，每次他都假裝那些東西是自己的。但是，他很清楚，以他那麼差勁的數學程度，是不可能寫完這些題目的。他瞄了一下隔壁的女同學，她還沒寫完呢！他聳聳肩，拾起鉛筆在考卷上方寫下自己的名字《威廉·密里根》。他並未檢查，因爲他根本就不知如何檢查。

「你寫完了嗎？」

他抬起頭來，發現老師就站在面前。「是的。」

「你沒檢查嗎？」

「沒有。」

「你有自信通過考試嗎？」

「我不知道，」比利說，「老師改完考卷之後就知道了。」

她將考卷拿到她桌上。幾秒鐘後，他看見老師的眉頭皺了起來，然後走到他背後。「比利，讓我看一下你的課本。」

他把課本遞給老師，老師翻了幾頁。

「讓我看你的手。」

他讓老師檢查手心。老師又要求看他的袖口、口袋裡裝的東西，最後又看了一下抽屜。

「好吧！」最後老師說，「我不明白，你是不可能事先知道答案的，因爲今天早上我才用油印機印好考卷，唯一的答案在我皮包裡。」

「我通過了嗎？」比利問。

她不情願地將考卷交給他。「你考得很好。」

比利的老師們稱他是逃學生、闖禍者、騙子，從四年級到八年級，他常進出訓導處、校長室和心理輔導室。隨著年齡的成長，他必須不斷編造故事、歪曲事實，避免承認大多數他不知道發生在他身上幾天、幾小時甚至幾分鐘前才發生的事。每個人都注意到他常昏睡，都說他是怪人。

當他瞭解自己與眾不同，這才發現並非每個人都會失落時間，周遭的每個人都指證他曾做過或說出某些事，唯獨他自己不知道。他想，自己一定是精神異常了；他也把這個想法隱藏起來。

無論如何，他一直保守這個秘密。

《老師》回憶道，當時是一九六九的春天，比利十四歲，就讀八年級，米查帶他到農場，在玉米田裡交給他一隻鏟子要他開始挖洞……

柯絲薇醫師後來在提交給法院的報告中是這麼寫的：「……繼父對比利性虐待，並且威脅他，如果把這件事告訴母親的話，就會將他活埋。他甚至曾經眞的埋過比利，只在比利的嘴上放一根煙斗好呼吸空氣……在鏟去比利身上的泥土之前，他從煙斗口撒尿，撒在比利的臉上。」

……從那天起，丹尼懼怕土地，再也不敢躺在草地上、觸摸地面或是描繪風景畫。

(5)

數日後，比利進入自己的房間，伸手打開床頭燈，什麼也沒發生。他反覆扭動開關，電燈仍然不亮。他悄悄走進廚房，取出一顆新燈泡，換燈泡時，他觸了一下電，立刻退向牆壁……

《湯姆》睜開眼睛，四週張望，不知會發生什麼事。他看見床上的燈泡，拾了起來，將燈泡裝在燈座上鎖緊；碰到金屬頸時，還被電了一下。他媽的！到底在搞什麼鬼？他取下燈頭，打量燈座孔內，用手去摸時又觸電了。他坐在那兒想解決這個問題。這鬼玩意兒是哪兒來的？他沿著電線尋找電源插座，然後將插頭拔出來，再摸了金屬頸。沒事！這麼說來，是牆壁造成觸電囉？

他注視插座上的兩個小孔，然後跑下樓去，沿著電線從天花板追蹤到保險盒，然後從保險絲上的電線跟蹤到戶外；當他看到電線是來自馬路上的電線桿時，他停住了。原來這些討厭的電線桿的用途在此啊！

湯姆順著電線桿想探究它們的源頭，當他走到一棟建築物的圍牆前，看到告示牌『俄亥俄州電力公司』時天已黑了。他心想，好了，這些電力的來源又在哪裡呢？

回家後，他取出電話簿，找到『俄亥俄州電力公司』，記下公司地址。現在天太黑了，明天上午再去查看電是哪兒來的。

第二天，湯姆來到市中心的『俄亥俄州電力公司』，一走進去便說不出話來；有好多人坐在裡面接聽電話、打字。管他的！只不過是辦公室。當他走回大街思忖該如何追查電從何處來時，正好經過市政大樓前方一棟標示著『圖書館』的建築。

對了，可以去查書呀！他走進圖書館二樓，在目錄中查詢《電力》。他找到了相關書籍開始閱讀。他在驚訝中學習到了水庫、水力發電、燃煤或其他燃料，都可讓機械產生電力點亮燈泡。

他一直讀到天黑才罷。走在蘭開斯特的市街上，看著陸續亮起的電燈，他很興奮自己知道電是哪兒來的了。他打算繼續學習有關這些機械或其他有關電力的知識。他站在一家電器商店櫥窗外，有一群人正在圍觀電視，畫面中有個身穿太空衣的人緩緩攀下扶梯。

「你能相信嗎？」有人說，「這些畫面是從月球上拍攝傳回來的！」

「……人類的一大步……」電視裡傳出這樣的聲音。

湯姆抬頭看了一下月亮，再回過頭看看電視，這也是他未來要學習的目標。

然後，他看到窗玻璃上映出一個女人的身影。

桃樂絲說道：「比利，該回家了。」

他抬頭看著比利的漂亮母親，告訴她自己是湯姆。但是她仍將手放在他肩上，帶進車裡。

「比利，你不可以再到城裡遊盪了。老爹回來之前最好先回到家，否則有你瞧的。」

一路上，桃樂絲一直注視比利，但比利沒做聲。

她給湯姆一些東西吃，然後說：「你爲什麼不進房去畫畫？你每次畫畫就會安靜下來，你最近太急躁了。」

他只是聳聳肩，走進擺放許多繪畫材料的房間。他很快就畫出馬路兩旁有電線桿的夜景。畫完之後，向後退了幾步，欣賞自己的作品。對一個初學畫的人而言，眞的是很棒。第二天，他很早就起床，畫了一幅有月亮的風景畫，雖然那是屬於白天的景色。

(6)

比利喜歡花與詩，他幫母親料理家事，但他知道，米查都因此叫他『膽小鬼』和『同性戀』。

所以，他不再幫母親做家事，也不再寫詩，多半是由《阿達娜》偷偷出來幫他做。

一天晚上，米查在看電視，那是描述二次世界大戰的影片，其中出現一位蓋世太保用橡皮管鞭打罪犯的劇情。影片結束時，他走到花園裡剪了一條四呎長的橡皮管，折成一半用黑色膠布將兩端黏在一起當手把。進屋時，他看見比利正在洗碗盤。

阿達娜在毫無預警的情形下，只感覺背後被抽打，應聲跌在地板上。

然後，米查將橡皮管掛在牆上，回房睡覺去了。

自此，在阿達娜的心目中，男人是殘暴、充滿怨恨而且永遠不可信任的傢伙，她希望桃樂絲或其他姊妹——凱西或雪兒——擁抱她、親吻她、安慰她，讓不好的感覺遠離。但是，她知道這會造成麻煩，因此只好獨自回房飲泣、入睡。

米查經常要橡皮管，多半都用來鞭打比利。在桃樂絲的記憶中，她曾試著將睡袍或長袍掛在門後的橡皮管上，希望米查只要沒見到橡皮管，就不會去碰它。過了好久，米查果然也沒再要橡皮管了，於是桃樂絲便把橡皮管給丟了，他也從不知道橡皮管的下落。

除了在暗地裡玩馬達、電子設備之外，湯姆也開始學習脫逃技術，閱讀有關霍迪尼和西爾維斯特等脫逃大師的資料、書籍。但是，當他知道其中一些技巧只是魔術之後，心中不禁大感失望。

後來的幾年，傑姆記得弟弟要他用繩子將弟弟緊緊綁好，結果弟弟卻能立刻脫繩而出。當湯姆一人獨處時，他會學習各種結繩方法，然後想出最簡單的方法，讓手腕從繩套中靈活脫離。

讀完《非洲猴子陷阱》——用來捕捉猴子的一種器具，猴子會從狹窄的縫隙中伸手拾取食物，因捨不得放掉食物而被獵人捕獲——湯姆又開始研究人類的手部結構，從百科全書中瞭解骨骼。他發現，如果手能壓縮得比手掌小，很容易就能擺脫束縛。他丈量自己的手掌和手腕，開始一系列的練習；壓縮、擠壓自己的骨頭和關節。當他最後練成可將手掌壓縮得比手腕小時，他就知道，從此沒有任何鎖鍊或刑具可以困住他了。

湯姆認爲他也必須知道如何從上了鎖的房間裡脫逃。有一次，趁著比利的母親外出留下他一個人在家，他用螺絲起子將門鎖拆下，研究鎖的結構和功能。他將鎖的內部機構畫成圖面，還記下形狀。每當他看見其他不同的鎖時，就一定會拆開，研究之後再組合回去。

有一天，他逛街時走到一間鎖店，老闆允許他參觀不同形狀的鎖，在腦子裡記下各種不同的鎖是如何發揮功能。那位老闆甚至借了一本有關磁性鎖、曲軸鎖以及不同型式鎖具的書給湯姆，湯姆很用功、很努力的進行各項研究。他在一家運動器材店看見了幾副手銬，當下決定，只要有錢就買副回家研究解開手銬的技術。

某天晚餐上，米查的態度非常惡劣，湯姆暗自思索該用什麼方法懲罰他而不被發現，後來，他想到一個主意了。

他找來銼刀，拆下米查的電動刮鬍刀，將刀片磨鈍，接著再組裝回去。

第二天早上，當米查刮鬍時，湯姆就站在浴室外。不一會兒，只聽見刮鬍刀卡答的一聲，接下來是米查的哀號。因爲鈍刀片無法刮鬍子，只會拉鬍子。

隨後，米查衝出浴室。「看什麼看，混蛋傢伙！別站在那兒像個木頭人似的。」

湯姆手插口袋走開了，還把頭別向一邊，免得米查看見他在偷笑。

《亞倫》是在被幾位素行不良的鄰人，打算將他丟到工地坑洞裡時第一次出現的。起初，他和他們起了爭執，說破了嘴還是無法說服他們。結果，那些傢伙居然將他丟進坑裡，還丟石塊砸他。他心想，再耗下去也不是辦法……

丹尼聽見石塊砸在自己眼前的撞擊聲接連不斷。抬頭一看，那些壞孩子仍站在坑洞上丟石塊：其中一塊打中了腳，另外一塊打中了背。於是丹尼跑到另一側的壁穴裡，嘗試找出脫身的法子。最後，他知道坑洞太陡了，根本就無法爬上去，索性就盤坐在污泥中……

《雷根》跳了起來，從口袋裡掏出蝴蝶刀，一股腦兒攀上洞口朝壞孩子衝過去。刀刃出鞘，他用忿怒的眼睛瞪視那些傢伙；只要誰敢動手，他就一定會用刀戳。那些大孩子從沒想到，這個比他們矮小的傢伙竟會如此勇猛，不由嚇得一哄而散。於是雷根也走回家去了。

根據傑姆後來回想這件事表示，當那些孩子的父母親抱怨比利用蝴蝶刀恐嚇他們孩子時，米查也聽信他們的片面之詞，於是將比利拖到屋後毒打了一頓。

(7)

桃樂絲知道小兒子已經變了，而且行徑非常古怪。

「有時候，比利似乎變了個人似的，」這是她後來的回憶，「他常心不在焉，和他說話時，他不回答我，似乎人在遠方，眼睛望向遠處。他會像夢遊一樣在鬧街上閒逛，甚至在學校也如此。有時候，還沒來得及溜出學校就被逮回去了。然後，老師打電話通知我，要我到學校接他。如果逃學不見蹤跡，學校只好打電話給我。我常發現他在市內閒逛。帶他回家之後，我會告訴他：『好了，比利，回房去睡吧！』這時，他竟然不知道自己的臥房在何處，還必須要我帶。『感覺怎麼樣？』他醒來時我會這麼問他，但他卻以怪異的神情說：『我今天一直都在家嗎？』然後我會說：『不是的，比利，你不是一直都在家裡的。你不記得我去找你嗎？你去學校，楊老師打電話給我，我趕到學校找你。你忘了我帶你回家嗎？』他的表情十分茫然：『哦？』我就問他：『你不記得了嗎？』他只說：『我今天不太舒服。』老師說那是嗑藥的關係。」桃樂絲繼續說，「但我知道事實絕非如此，因爲我孩子從不嗑藥，甚至連一片阿斯匹靈也不吃，要他吃藥還必須與他談條件。偶而，他放學回家時，整個人不是錯亂了，要不就是處於睡眠狀態中。除非醒來了，否則他不願與我說話。醒來的那個，才是我兒子比利。我曾告訴每一個人，比利需要別人的幫助。」

(8)

亞瑟有時會在課堂中出現，尤其在上有關英國及殖民地歷史時。他花了許多時間在蘭開斯特公共圖書館裡讀書，他從書籍和第一手資料中學習的知識，比老師教的還多。

學校老師對『波士頓茶宴』的說明令亞瑟很生氣，他曾在一本加拿大的書本中讀到這段歷史，該書揭穿了一群喝醉的水手們策劃的陰謀。但是，當亞瑟開口說話時，所有人都笑了，於是他走出教室，將那些笑聲拋諸腦後。他走回圖書館，漂亮的圖書管理員並不會笑他說話時的口音。

亞瑟很清楚有其他人在身邊，因爲在查看日曆上的日期時，他知道總有些事情不對勁。依照他讀到和觀察到的現象判斷，他睡覺時似乎還有其他人並未睡覺。

不久，他開始向別人請教。「我昨天做過了什麼事？」他會問凱西、傑姆、雪兒和桃樂絲。但是，他們描述的內容卻令他感到完全陌生。他必須用邏輯的方式找尋答案。

有一天，他快要入睡時，發現腦子裡有別人出現，於是強迫自己保持清醒。

「你是誰呀？」他問道，「我命令你告訴我！」

他聽見回答的聲音，「你他媽的又是誰呢？」

「我叫亞瑟，你呢？」

「湯姆。」

「湯姆，你在這兒做什麼？」

「你又在這兒做什麼？」

腦子裡的問答交互進行。

「你是怎麼來的？」亞瑟問道。

「我不知道，你知道嗎？」

「不知道，但我會去查明。」

「怎麼查？」

「我們一定要找出其中的邏輯。我有個主意，我們兩人都把自己清醒的時刻記錄下來，看看加起來的時間是否就是一整天的時間。」

「好啊！這主意不賴！」

亞瑟說道：「每過一個小時，就在衣櫥門內側做個記號，我也會這麼做，然後再計算是否正好是一天的時間。」

答案是否定的。一定還有其他人。

只要亞瑟一清醒，便會努力尋找失落的時間，而且還尋找其他分享時間和軀體的人。在遇見湯姆之後，他陸陸續續又遇見了其他人，總共有二十三位，包括他自己和外在世界人們所稱的比利。經由演繹法的驗證，他獲知他們的名字、他們的行爲以及他們曾做過的事。

在亞瑟之前，只有克麗絲汀似乎知道有其他人的存在。後來，亞瑟發現，在其他人清醒時，她可以知道腦子中發生的事。亞瑟心想，自己是否也可以發展如此的技巧。

他針對這個主意與亞倫討論。亞倫是個口才不錯的人。

「亞倫，下次輪到你清醒時，我要你很努力的想，並且告訴我發生在你周遭的一切事物。」

亞倫答應了。日後他出現時，便告訴亞瑟所有他看見的事物。亞瑟盡了相當大的努力，可以從亞倫的眼睛看見外界的事物。結果他發現，雖然只在他留意而且清醒時才能辦到，但是卻也能在無意識的情況下達到這個要求。這對他而言，證明了精神確實能克服物質。

亞瑟很清楚由於他的知識，他成了這個龐大、分歧的家庭負責人了，他們都存在於同一具軀體裡，因此有必要制定一套遊戲規則，以免產生混亂。由於他是唯一能不動肝火處理事情的人，因此認爲自己必須插手瞭解整個事情的經過，想出一個公平可行的辦法。

(9)

當比利神情茫然在校園走廊下走動時，同學們就會趁機欺負他。他忽而自言自語，忽而舉止像女孩。某個寒冷午後休息時分，一些男同學圍在他身邊辱罵他。後來，有人向他丟石塊，擊中他的臉側。起初，他並不知道發生了什麼事；只知道他不可以動怒，否則老爹會處罰他。

《雷根》出來了，他眼露怒光。有個男孩撿起石頭朝他丟來，一手被他接住，他立刻又丟了回去，結果擊中那男孩的頭。

當雷根從口袋裡掏出彈簧刀時，所有男孩無不嚇得逃之夭夭。雷根站在那兒環顧四週，想知道自己身在何處，是怎麼來這兒的。他將刀子收起來放進口袋離去，他不知道剛才發生了什麼事。

但亞瑟卻能感覺到他的存在，他敏捷的身手、他的忿怒；同時也知道雷根爲何出現。他知道雷根這種火爆脾氣最適合派上用場了。然而，在自我介紹前，他必須先瞭解對方。最令他吃驚的是，雷根那一口斯拉夫口音。在亞瑟的心目中，斯拉夫人是最早的野蠻民族，因此他認爲，與雷根打交道就好比是同野蠻人往來。雖然危險，但在緊急時，他卻很有用。

幾個星期後，《凱文》和其他幾個調皮小孩與別的社區的孩子打泥戰，地點在一棟建築工地前的垃圾堆。凱文抓起泥塊擲向對方，只要未擊中而泥塊撞碎時，他就大笑。

後來，他聽見一個奇怪的聲音說道：「丟！丟！快丟！」

他停下來張望，身邊並沒有人。稍後，他又聽見了：「丟！丟！快丟！」聲音像是布魯克林戰士，凱文曾在電視戰爭影集中看過。

凱文停了下來，坐在垃圾堆上，思索到底是誰與他說話。

「你在哪裡？」凱文問。

「你在哪裡？」那聲音也問。

「我站在坑洞後的垃圾堆上。」

「是嗎？我也一樣。」

「你叫什麼名字？」凱文問道。

「菲利浦。那你呢？」

「凱文。」

「名字好怪！」

「是呀，如果讓我見到你，我準會把你揍扁。」

「你住哪兒？」菲利浦問。

「我住春日街。你是哪兒來的？」

「紐約的布魯克林區來的，不過現在我也住春日街。」

「我住春日街九三三號，一間白色房子，是個叫米查的人的房子。」凱文說，「他都叫我比利。」

「天哪！我也住那兒！我知道那個人，他也叫我比利，但我從未在那兒見過你呀！」

「我也沒看過你！」凱文說道。

「他奶奶的！」菲利浦說，「我們去打破幾塊學校的玻璃窗吧！」

「太帥了！」凱文說道，然後便跟菲利浦跑到學校打破十二扇窗子。

亞瑟聽到他們的對話，知道這兩個人有犯罪傾向，將來可能會惹麻煩。

雷根知道有人與他共用一具身體，也知道比利，從一開始有知覺時就已經知道了——大衛是忍受痛苦者，丹尼一直活在恐懼中。三歲大的克麗絲汀是他崇拜的偶像——但是，他知道還有其他人，許多尚未見過的人。他所認識的五個人，還不足以代表那些聲音和發生過的事。

雷根知道自己姓華達斯考維尼契，家鄉在南斯拉夫，他存在的原因乃是爲了活命，使用各種方法保護其他人——尤其是小孩子。他身體強壯，而且擁有蜘蛛般的警覺性，可以察覺到蜘蛛網上的任何入侵者，他可以吸收所有人的恐懼感，進而轉化爲行動。他曾發誓要自我訓練、鍛鍊身體、習得軍事技巧。但是，在這充滿敵意的世界裡，這樣仍然不夠。

雷根到城裡的運動器材店買了一把小刀，然後在樹林中練習『靴側拔刀』和『快手飛刀』的戰鬥技巧，直到天黑了才回家。他決定從今以後不論何時何地，一定要隨身攜帶武器。

返家途中，他聽見英國口音的聲音，於是迅速轉身蹲下，拔出小刀，卻看不見半點人影。

「我在你腦子裡，雷根，我們分享同一具身體。」一路上，亞瑟向他說明身體內的其他人。

「你眞的在我腦子裡嗎？」雷根問道。

「沒錯！」

「你也知道我正在做的事囉？」

「最近我在觀察你，認爲你的刀法很好，但你不可只玩一種武器，還必須學習槍和炸彈。」

「我對炸藥一竅不通，電線和線路也一樣。」

「那是湯姆的專長，他對電子、機械方面很在行。」

「誰是湯姆？」

「我會陸續介紹給你認識。如果我們想在這世界上生存下去，就必須從混沌中理出頭緒。」

「你說的『混沌』是什麼意思？」

「當比利失去意識時，就會有不同的人陸續出來面對外面的那些人，結果做出來的事都有頭無尾，出了問題又沒人解決，每個人都不清楚發生了什麼事——我把這種情形稱爲『混沌』，我們必須找出一種控制的方法。」

「我不喜歡被人控制。」雷根如此表示。

「重要的是，」亞瑟說，「學習如何控制事物，如何控制別人，這樣我們才能生存下去，我認爲這才是最要緊的。」

「那第二重要的呢？」

「自我修養。」

「我同意。」雷根附和道。

「我告訴你一本我曾讀過的書，它教我們如何控制腎上腺素，進而得到最大的體能。」

雷根一聽到生物學就很興奮，因爲他最感興趣的是如何將恐懼轉化爲力量的理論，不過他對亞瑟高傲的態度不以爲然，卻又無法否認這個英國人的確博學識廣。

「你下棋嗎？」亞瑟問。

「當然。」雷根答道。

「那我的兵到國王四。」

雷根想了一會兒，答道：「騎士到女王旁的主教三。」

亞瑟想像著棋盤，「哈！印第安式防禦，下得好！」

結果是亞瑟贏了一盤。從此以後，他們經常一起下棋。雷根不得不承認，亞瑟比他更能專一心思。但他卻也安慰自己，亞瑟在體能上無法同他相比。

「我們必須靠你來保護。」亞瑟說道。

「你怎麼知道我心裡在想什麼？」

「很簡單，有一天你也會的。」

「比利知道我們的存在嗎？」

「不，不知道。他只聽見我們的聲音，看見我們的幻象，卻不知道我們的存在。」

「不該有人告訴他？」

「我不認為有這個必要。他知道了以後，很可能會精神異常。」

第九章

(1)

一九七〇年三月，史坦伯利初中的學校心理學者馬丁提出如下的報告：

好幾次，比利不記得自己在什麼地方，也不知道自己的東西放哪兒，在沒有人扶持之下不會走路。最近，比利因爲與老師、同學常發生口角而逃學。他的情緒很低落，一味的哭泣令人無法與他溝通。最近有人看見比利走到一輛行駛中的汽車前。爲了這件事，他被帶到醫師那兒檢查，診斷的結果是『精神恍惚』。

根據我檢查的結果，比利似乎很沮喪，但仍能妥善控制自己的行爲。我們發現，他非常不喜歡他繼父，而且因此對家庭起了很大的反感。比利認爲，他繼父是個毫無感情的暴君，這件事在與他母親的面談中得到了證實。她表示，由於比利的生父自殺身亡，因此比利的繼父常將比利與他生父做比較，他常說比利和他母親必須爲他生父的死負責（比利的母親如此表示）。

(2)

史坦伯利初中校長楊約翰發現，比利常常不上課。上課時，他會坐在校長辦公室前的台階上或體育館後面。楊校長見到了，便會坐在他旁邊與他交談。

有時，比利會談到他過世的父親，並且說將來長大要當個演藝人員，另外也談到當年家中的困境。但是，校長知道，比利多半時間都處在恍惚的狀態中。他會帶比利坐進自己的車裡，然後載他回家。經過許多類似的事件後，楊校長便將比利的情形向費爾德郡的心理健康中心提出。

布朗醫師是一位精神科醫師，他是在一九七〇年三月六日第一次見到比利。布朗醫生很瘦，留有灰色的腮鬍，下巴後縮。他從厚厚的鏡片注視這孩子，一個乾淨、健康的十五歲男孩，但眼神有點兒畏畏縮縮的。

「他的聲音很平穩，」布朗醫師在記事本上如此描述，「精神不太集中。」

比利注視著他。

「你的感覺如何？」布朗問他。

「好像夢一樣來來去去的。我爸爸恨我，我聽見他大吼大叫，我房間裡有一盞紅燈，我看見一座花園、一條路——有花、有水、有樹，但是沒有人。我看見許多不真實的事情。一扇門上有很多鎖，有人敲門想出來。我看見一位婦人掉下來，突然間，她變成一塊金屬，我無法救她。我是唯一不需要ＬＳＤ（一種迷幻藥）就可以四處旅行的人。」

「你對父母有何看法？」布朗醫師問道。

「我擔心他會殺了母親，都是由於我的緣故。因爲他恨我，他們曾爲了我而吵架。另外，我常夢見一些無法解釋的惡夢。有時候，我的身體有一種很奇怪的感覺，甚至覺得自己可以飛翔。」

布朗醫師在他第一次的報告中寫道：「……與過去的報告內容不同的是，他似乎知道現實的世界，並未出現精神不正常的現象。他能有相當程度的注意力，記憶能力不差。但由於前述狀況的影響，判斷能力明顯遭到嚴重的損害。由於內部意識不足，因此無法修正其行爲。診斷：伴隨轉換反應而產生的嚴重歇斯底里——APA代號三〇〇·一八。」

事後，依照《老師》的說法，布朗醫師並未眞正與比利交談過，當時是由亞倫描述大衛的思想及幻想。

五天後，在事先未預約的情況下，比利又再度回到診所。但是，布朗醫師看到他神情恍惚，因此同意爲他診療。他發現，這男孩似乎知道自己身在何處。

「你去打電話給你母親，」醫師說，「告訴她你在我診所裡。」

「是的。」大衛語畢，站了起來走出去。

幾分鐘後，回來的是等待醫師召喚的亞倫。他安安靜靜坐在那兒，醫師則在一旁打量。

「今天發生了什麼事？」醫師問。

「在學校裡，」亞倫說，「十一點半，我開始做夢。醒來時，我站在大樓屋頂往下看，好像要往下跳。接著就走下樓到警察局，要他們打電話給學校，免得他們擔心我。後來，就來這兒了。」

布朗醫師花了很長時間爲他檢查。「比利，你是否服用過任何藥物？」

亞倫搖搖頭。

「現在，你凝視前方，能看到什麼嗎？」

「我看見幾張臉，但是只有眼睛、鼻子和奇怪的顏色，我看見他們發生不幸，他們在汽車前跌倒，從懸崖落下，在水中掙扎。」

布朗醫師不發一語地觀察比利，彷彿在檢視一面心中的螢幕。「比利，說說家裡的事。」

「米查喜歡傑姆，卻很恨我。他每次都對我大吼大叫，母親和我都快被他逼瘋了。我丟了雜貨店裡的工作。爲了能在家裡和母親在一起，所以故意偷了一瓶酒，讓他們開除我。」

三月十九日，布朗發現比利身穿高領襯衫和藍色夾克，看來好像女人。「這是我的意見，」診療過後他寫道，「這位病患不可再以門診方式治療，應轉到州立哥倫布市醫院進行住院治療。關於此事，已向羅傑醫師聯絡過。」

十五歲生日之後的五個星期，比利經雙親同意，以「志願病患」的名義被送進哥倫布市醫院。

比利相信，由於他惡劣的行爲和抱怨，母親已決定將他送走而選擇了米查。

(3) 州立哥倫布市醫院記錄——機密

三月廿四日——下午四點。本病患與另一位病患丹尼爾互毆，丹尼爾的右眼下方被割破一道傷痕。打鬥地點在RV3病房外的走廊，時間是下午四點。很明顯地，當時比利與丹尼爾正在玩耍。比利先生氣，打了丹尼爾，後來丹尼爾也開始反擊，經由旁人勸阻，兩人被分開。

三月廿五日——從病患身上發現了一把餐刀，病房裡也藏有一根銼刀，這是他從木工房取來的。羅傑醫師與該病患交談，病患表示想自殺。後來被安全隔離，並告知預防自殺的方法。

三月廿六日——病患相當合作，定期針對怪異的事物發牢騷。病患並未參加聯誼活動，大部份時間都一個人獨坐一隅。

四月一日——病患大叫說牆壁正朝向他逼進，他並不想死。羅傑醫師將他隔離，並怒斥病患不得攜帶香煙與火柴。

四月十二日——過去幾個晚上，病患詢問他是否處於昏睡狀態。今晚，病患要求增加用藥量。我向病患解釋，他應當試著自己睡。病患的敵意升高，而且漸具好鬥的性格。

(4)

《傑森》的脾氣開始暴躁起來，藉由高聲尖叫可以舒緩他過度的壓力。他是個安全閥，在「解除緊張」的時刻來臨前，他都很內向。那位被隔離在『安靜室』中的人就是傑森。

傑森在八歲時為了撫平暴躁的情緒而被創造出來的。但是，他從未被允許眞正出現過。因為如果他一出現，比利便會遭受處罰。在州立哥倫布市醫院裡，當壓力和恐懼增加時，傑森就會藉由大吼大叫的方式發洩心中的情緒。

有一次，他在電視上得知四位肯特大學的學生遭到殺害，也曾如此大叫過，當亞瑟發現傑森每次爆發時就會被關時，便決定採取行動。在這兒和在家並無不同，都不准他表現出忿怒的情緒。一個人做錯事害得全體都受罰，因此亞瑟強迫傑森不可清醒過來，並且稱他是《惹人厭的傢伙》，傑森自此永遠處於陰暗之中。

其他人都忙於藝術療法。當湯姆不開鎖時，多半都埋頭於風景畫的創作；丹尼畫的是靜物，亞倫畫的是人像；雷根也試著畫畫，但僅止於黑白素描。亞瑟這才發現雷根患有色盲。他想起當時穿錯襪子的事，一定是雷根的傑作。克麗絲汀則畫一些花和蝴蝶，她是為他哥哥克里斯朵夫畫的。

看護人員向上級報告，比利近來表現得很沈默而且合作。自此，比利有了更多的特權。當天氣暖和時，他可以外出散步、繪畫。

其中有些人「出來」了，瀏覽四週的環境，由於不怎麼喜歡，因此又離開了。只有雷根對羅傑醫師的斯拉夫名字和口音有興趣，而且也很聽從他的指示。丹尼和大衛一直都是聽話的孩子，會服用醫師開出的藥物。但是，湯姆則會將藥含在嘴裡，事後再吐掉。亞瑟和其他人也都如此。

丹尼與一位黑人小男孩交朋友，他們兩人一起聊天、玩耍，甚至會坐在一起聊上好幾個小時，述說他們長大以後希望做的事，這是丹尼第一次開懷大笑。

一天，羅傑醫師將丹尼從RB—3區移到RB—4區，這一區的孩子年齡較大，丹尼都不認識，也不知該與誰說話。因此，他躲到自己的房間裡獨自哭泣。

後來，丹尼聽見一個聲音說：「你爲什麼哭？」

「走開，別煩我！」丹尼說道。

「我能去哪兒？」

丹尼看看四週，並未見到任何人，「誰在說話？」

「是我，我是大衛。」

「你在哪裡？」

「我不知道，我想我大概就和你在一起。」

丹尼看看床鋪底下，又看看衣櫃，卻沒看見說話的人。「我聽見你的聲音，但你在哪兒？」

「我就在這兒！」

「但我看不見你呀！你在哪兒？」

「請把眼睛閉上，」大衛說，「現在我看見你了。」

他們花了很長的時間談論過去曾發生過的事，彼此有了更多的瞭解。然而，兩人都不知道亞瑟也躲在一旁聽他們說話。

(5)

菲利浦遇見一位十四歲的金髮漂亮女病患，她和他一同散步、聊天，並且試著挑逗菲利浦，但都沒有回應。她曾在池塘邊看過他在野餐桌旁拿著畫板寫生，通常那時候附近並沒有人。

六月的某個溫暖日子，她坐在他身旁看他畫花。「嘿！比利，畫得不錯喲！」

「這沒什麼。」

「你是個名副其實的畫家。」

「好了，別逗了。」

「眞的，我沒開玩笑，你和這兒的其他人不同。我不喜歡那些孤陋寡聞的男孩。」

她把手放在他腿上。

菲利浦畏縮了回去，「嘿，別這樣。」

「比利，你不喜歡女孩兒？」

「當然喜歡，我不是同性戀，我只是……我……」

「你好像很緊張，比利，怎麼回事？」

他又移回來坐在她身邊。「性方面的事我不太深入。」

「爲什麼？」

「這……」他說道，「我小時候，曾被一個男人強暴過。」

她無法置信地看著他。「我以爲只有女孩子才會被強暴。」

菲利浦搖搖頭，「不只這些呢！被強暴之後還要挨他鞭打，這讓我的腦袋變得非常混亂。我常在夢裡見到當時的情景。每次只要一想到性，我就會認爲那件事很痛苦、很骯髒。」

「你說你從未與女孩有過一般的性行爲囉？」

「我從未與任何人有過一般的性行爲。」

「比利，性不是痛苦的。」

菲利浦挪動身子時，臉都漲紅了。

「去游泳吧！」她提議道。

「好啊，好主意！」他說完便跳下水，立刻潛進池子裡。

當他浮上水面時，發現她已脫去了衣裳，全身赤裸。

「天哪，」他又再次潛入水中。

當他浮出時，她靠近他，手臂繞著他，他感到她的腳在水裡纏住他，也感受到她的胸部接觸，而且她的手繼續住下探索……

「比利，不會痛的，我保證。」

女孩用一隻手划水，引他游向一塊大石頭。他跟在她身後爬上岸，她脫下他的內褲。他知道，她撫摸時，他自已的表情很木訥；同時也擔心，如果閉上雙眼，所有的一切都會消失。她很漂亮，他不想忘記曾經發生過的事，感覺太棒了。做愛時，她緊緊抱住他。一番雲雨後，他竟然興奮得大叫起來。當他從她身上滾開時，一不小心失去了平衡掉進池塘裡。

她笑了，他看起來就像個傻子一樣，但是他的確很快樂。他再也不是處男了，也不是同性戀，而是一個眞正的男子漢大丈夫了。

(6)

六月十九日，在母親的要求下，比利出院了。社工人員在出院報告中這麼寫：

出院前，比利對醫院同仁及其他病患依依不捨。他常爲了擺脫麻煩而故意說謊，即使對他人造成了傷害，也不覺得有任何歉意。由於他慣常說謊，所以和其他人的交情並不深，別人對他也不信任。

工作人員的建議——由於病患的行爲不適合住院療程，效果也不甚理想，因此我們建議該病患改採門診治療；至於病患的父母，則應接受看護輔導。

出院時的藥物——Thorazine 25毫克 一天三回。

一回到家，丹尼的情緒立刻跌到谷底，他畫了一幅九乘十二寸的靜物——以黑色、深藍色爲背景，一只破碎的酒杯中插了一朵凋謝的黃花。他將作品拿到樓上給母親看，但他僵住了，米查也在那兒。米查把畫接過去，看了之後就扔在地板上。

「你是個騙子！」他說道，「這不是你畫的！」

丹尼忍住淚水，拾起畫走回畫室，然後，他第一次在畫上簽名：《丹尼，七〇年》接著又在畫布背面寫下必要的資料：

畫家　丹尼

主題　孤獨的死亡

年份　一九七〇

從那時候起，湯姆和亞倫仍然向別人出示作品，以尋求肯定。但是，丹尼再也不主動將自己的畫拿給別人看了。

一九七〇年秋，比利進入蘭開斯特高中就讀，校址位於蘭開斯特市北邊，是非常現代的建築。比利的功課成績不太好，他討厭老師和學校。

亞瑟蹺了好幾堂課，溜到圖畫館閱讀醫學方面的書籍，他對血液學十分著迷。

湯姆利用休閒時間修理電器用品，還練習逃脫技術。目前，繩索已無法綁住他了。他買了一副手銬，只消用原子筆套，就可輕易打開手銬。他提醒自己，今後一定要隨身攜帶兩樣能打開手銬的東西——一個放在前面的口袋，另一個放在後面的口袋。如此一來，無論是前方上銬或後方上銬，解開手銬都不成問題。

一九七一年一月，比利在一家IGA（註：國際穀物協定）加盟雜貨店找到一份計時的送貨員工作。他決定用第一次賺到的薪水撥出一部份為老爹買牛排。上個月的聖誕節，全家人都相處得很愉快。他想：如果能向繼父表達關心，那麼繼父應該就不會老找他麻煩了。

返家時，他從後門進入，發現廚房門上的鉸鏈被拔掉了，爺爺、奶奶、凱西、雪兒和傑姆都在那兒。母親拿著一條沾滿血跡的毛巾裹頭，臉上青一塊紫一塊的。

「老爹把老媽抓起來撞向那扇門，門都被撞壞了。」傑姆說。

「他從她頭上抓下一把頭髮。」凱西說。

比利不發一語，只是看著母親，然後將牛排丟在桌子上，走進自己的房間，將門鎖上。他在黑暗中閉上眼睛坐了許久，心中在想，他家中為什麼會有這麼多的痛苦和傷害。如果繼父死了，所有問題都將迎刃而解。

一股空虛的感覺，悄悄進入他的意念中……

雷根張開眼睛，他再也無法忍受了。由於那個男人對丹尼、比利所做的一切，加上對母親的施暴，他必須死。

他緩緩起身走向廚房，只聽見客廳有人低語。他拉開餐櫥抽屜，拿出一把六英吋長的牛排刀藏進襯衫裡，走回自己的臥房，將刀放在枕頭下。他一直躺著，打算等全家人都睡著了之後，朝那個壞男人的心臟刺下去，或割斷他的喉嚨。他躺在那兒，腦子裡反覆練習，等待全家人都安靜下來。但是，半夜十二點時，大夥兒都還醒著談話，他卻睡著了。

晨光刺醒了亞倫，他跳下床，不知自己身在何處或發生了什麼事，只見他迅速跑進浴室。雷根告訴他相關的計劃。當他回來時，母親正在爲他整理房間。只見她手中握著一把刀子。

「比利，這是什麼？」

他毫無表情地看著刀子，「我本來打算殺他的。」

她猛然抬起頭，對兒子低沈而又毫無感情的聲音感到十分訝異。「你這句話是什麼意思？」

亞倫盯著她看，「本來，今天早上妳丈夫應該已經死了。」

她的臉立刻變得蒼白，咕嚕咕嚕說道：「我的天哪！比利，你到底在說什麼？」她抓起兒子的手臂搖晃，壓低聲音不讓人聽見，「你不可以這麼說話，也不可以這麼想！想想看，這麼做會有什麼後果？對你有什麼好處？」

亞倫望著她，冷靜地說：「看看妳自己的模樣。」然後就轉身離去。

教室裡，比利試著不理會其他孩子們的竊笑和諷刺，大家都在耳語他是精神衛生診所的病患，一陣陣的笑聲傳來，女孩們還向他伸舌頭。

下課時，一些女孩環繞在他四週，就在女生廁所附近。

「來呀！比利。我們想給你看些東西。」

他知道她們在取笑他，但是他太害羞了，不懂得如何拒絕女孩。她們將他推進女生廁所，圍起一道人牆。

這些女孩知道，他沒膽量碰她們。

「比利，你眞的是處男嗎？」

他臉紅了。

「你沒和女生做過愛嗎？」

他並不知道菲利浦曾在醫院裡和女孩之間的事，因此他搖搖頭。

「或許他曾在農場裡和動物做過愛呢！」

「比利，你是不是在農場裡和動物雜交呀？」

在他還不清楚是怎麼回事前，早已被推到牆邊了。她們脫下他的褲子，他順勢滑坐在地上，試著拉回褲子。但來不及了，女孩們一哄而散，留下他一人穿著內褲坐在廁所裡。他開始哭了。

一位女老師走進來看見他，然後出去了；不一會，她拿著他的褲子回來。

「比利，那些女孩眞該鞭打受罰。」女老師說。

「我想她們只是好玩的吧！」比利回答道。

「你個兒這麼大又強壯，而且還是男生，」她說，「怎麼會讓她們得逞呢？」

他聳聳肩，「我不可以欺負女孩子。」然後走出廁所，自忖從今以後再也不敢正眼去看班上的女孩了。他在走廊上閒逛，心想，活著已經沒什麼意義了。然後抬頭看了一下，發現校工忘了將通往屋頂的門鎖上。他慢慢走過長廊，登上階梯，通過門，爬上屋頂。天氣好冷。他坐下來，在書本寫下自己的遺言：『再見了，很抱歉，我已經無法再忍受了。』

他將書本放下，向後退了幾步，準備往前衝。他準備好了，深呼吸一口氣，開始衝……就快衝出去時，雷根讓他跌倒了。

「好險，就差那麼一點點！」亞瑟小聲說道。

「該怎麼處理他呢？」雷根問道，「放任他這樣遊蕩太危險了！」

「對我們每個人而言，他都是危險人物。只要情緒陷入低潮，他就很可能會自殺。」

「有什麼辦法可以制止？」

「讓他睡覺！」

「怎麼睡？」

「從現在開始，我們不可以讓比利清醒過來。」

「誰能控制得住？」

「你或是我呀！由我們兩人分擔責任。我會把話傳達下去，不准任何人讓他清醒過來。如果外面的世界一切都很平順，就由我負責管理。如果我們身處危險的環境，那就由你接手管理。一切都由我們兩人協議誰可以或誰不可以清醒。」

「我同意。」雷根說道，然後看了一下比利在書中寫下的遺言。他將那一頁撕下來揉成碎片，隨風而逝。「今後我就是保護者，」他說，「絕不可讓比利危害到其他孩子的性命。」

雷根思考了一會兒之後，說道：「由誰發言呢？別人一聽到我的口音就會笑我，也會笑你。」

亞瑟點點頭，「我也想過這件事。正如愛爾蘭人說的，亞倫『吻過布拉尼的石頭』。他口齒伶俐，可以代表我們說話。只要我們能控制整個局面，同時守住所有秘密，我們就可以活下去。」

亞瑟先將所有的情形解釋給亞倫聽，然後再向孩子們解釋，試著讓他們瞭解發生了什麼事。

「想一想，」亞瑟說，「這就如同我們——包括許多你們還未見過的人——都在同一間黑屋子裡，屋子中間地板上有一束光線，不論是誰走進那束光線，那個人就可以保持清醒，直接與外面的實際世界接觸。他的一切言行，就是外面那些人所看到的。這時候，我們其他人可以去做自己有興趣的工作。例如：學習、睡覺、聊天或是玩耍。但是，保持清醒的人必須很小心，絕不可向外界透露我們存在的秘密。這是我們這個大家庭的機密。」

孩子們都瞭解了。

「好了，」亞瑟繼續說，「亞倫，你回教室去。」

亞倫出來了，拾起書本走下樓梯。

「但是，比利在哪裡？」克麗斯汀問道。其他人也等著亞瑟的回答。

亞瑟神情嚴肅地搖搖頭，食指豎在嘴前，小聲說道：「不可叫醒比利，他正在睡覺。」

第十章

(1)

亞倫在蘭開斯特市一家花店找到了一份工作，起初一切都很順利。《提摩西》很愛花，大部份的工作都是他在做，雖然阿達娜偶爾會出來幫他整理花束。亞倫說服花店老闆在窗旁掛一些畫作，如果賣出去，老闆還可分得一些佣金。這個賺錢點子湯姆也知道了。賣掉幾幅畫之後，湯姆比以前更加倍努力，他從賺得的錢裡拿出一些買顏料和畫具。他畫了許多風景畫，風景畫還比亞倫的肖像畫或丹尼的靜物畫賣得多。

六月的一個星期五晚上，花店打烊後，老闆——他是個中年人——叫提摩西到他辦公室。沒想到那老闆竟然對他猥褻示愛。提摩西由於突如其來的驚嚇，立刻退回自己的世界。這會兒是丹尼出來了，他發現那傢伙想做的事也曾在農場裡發生過，於是大聲尖叫逃走了。

接下來的星期一，湯姆很想知道賣出了幾幅畫，於是前往花店上工，結果他發現花店已人去樓空，不但沒留下任何地址，所有的畫也全被那老闆帶走了。

「狗養的！」湯姆在櫥窗外大聲咆哮。「我一定會找到你的，混蛋傢伙！」他拾起一塊石頭打破玻璃，以消心頭之恨。

「我看不出這有什麼邏輯。」亞瑟說，「那傢伙一定是擔心被人說他是同性戀。但是，一個人的不誠實與經濟制度之間有什麼關係呢？」

「這是因爲追求利益的結果，就以湯姆來說，年輕人的思想都被污染了！」

「嘿！我還不知道你是共產黨徒呢！」

「總有一天，」雷根說，「資本主義社會將面臨全盤毀滅的命運。我知道你是資本主義者，但我要警告你，亞瑟，所有權力都屬於人民！」

「不管怎麼說，」亞瑟用不耐煩的口氣說道，「花店關門了，我們得再找其他工作。」

亞倫在蘭開斯特東區的老人之家找到一份夜班工作，那是一棟矮磚牆建築，正面入口是一座寬敞的玻璃壁面大廳，大廳裡有許多上了年紀的老人坐在輪椅中，都繫了圍兜。大部份的工作都很吃力，《馬克》卻毫無怨言，包括擦洗地板、換尿布、倒馬桶。

亞瑟對醫學方面的工作最感興趣，當他發現護理人員在偷懶、玩牌、看小說或打瞌睡時，他就會跑去巡房，照顧病患或那些臨終者；他傾聽他們的抱怨、清潔他們的環境，還做一些他認爲醫護人員應當去做的事。

某天晚上，亞瑟看見馬克跪在地板上擦洗地板時，便不禁搖搖頭，「這就是你這一生要做的工作嗎？——出賣勞力而已。這是連僵屍也可以勝任的奴隸工作！」馬克看看身上的破衣服，再看看亞瑟，聳聳肩說道：「支配自已的命運需要大智慧，計劃的執行只需要笨人就行了。」

亞瑟揚起眉頭，這才知道馬克也是滿肚子的學問。然而，這情況更糟，好好的人才竟把氣力浪費在毫無意義的工作上。亞瑟搖頭，逕自巡視他的病患了。他知道托瓦先生就快死了，這時，他進入托瓦先生的房間裡，坐在床沿——這是他過去一星期來每天晚上的例行工作。托瓦先生談起年輕時故國的情形，然後移民美國，在俄亥俄州定居。他說：「我年紀大了，總喜歡嘮嘮叨叨的。」

「托瓦先生，您太客氣了。」亞瑟說道，「我一直相信我們應當從長者身上學習智慧及知識，您那些知識在書本上是找不到的，所以應該親口傳述給年輕人。」

托瓦先生笑了笑，「你是個好孩子。」

「你覺得痛嗎？」

「我不會抱怨這些的。我曾擁有美好的一生，現在，我已準備好面對死亡了。」

亞瑟把手放在老人枯瘦的手上。「你會帶著光榮與威嚴死去，你若是我父親，我會很榮幸。」

托瓦先生咳了幾聲，指了指空水瓶。

亞瑟出去爲水瓶裝滿熱水，當他返回時，托瓦先生已經斷氣了。亞瑟靜靜地站了一會兒，望著安祥的臉孔，爲他掩上張開的眼睛。

「亞倫，」亞瑟低聲說，「去叫護士過來，說托瓦先生已經過世了。」

亞倫出現了，他按下床頭上方的按鈕。

「沒錯，」亞瑟小聲說，「這是標準作業程序。」

在那一瞬間，亞倫感覺亞瑟乾啞的聲音裡有股感傷的情緒。在他開口前，亞瑟早已離去了。

老人之家的工作持續了三個星期。當行政人員發現比利只有十六歲時，便告知他由於年紀太小不適合上夜班，因此被解雇了。

秋季開學後的幾個星期，米查說比利必須在星期六到農場幫忙割草。湯姆看見米查正沿著兩塊長板將新的割草機駛上卡車貨台。

「你要我做什麼？」湯姆問。

「別問這些笨問題，你去就是了。想要有飯吃，就得工作。我割草之前，要有人幫忙耙樹葉，這就是你的工作。」

湯姆看見米查已把割草機固定在卡車上了。固定的方法是將離合器推入倒檔，再插入一根U形插鞘，防止排檔桿滑動。

「現在快把長板子收拾好，準備上車。」

去你的！湯姆心中暗自咒罵，你自己去收拾吧！然後湯姆就離開了。

丹尼站在那兒，不知米查為何瞪著他看。

「還不快把長板推上車，混球！」

丹尼吃力地想搬動兩塊木板。但是，對十四歲的男孩而言，那些長板眞的是太重了。「沒看過這麼笨的傢伙！」米查把他推到一旁，自己將長板推上卡車，「在我沒揍你之前，快給我爬上車坐好！」

丹尼趕緊坐上車，兩眼直視前方。當他聽見米查開啓啤酒罐的聲音時，一陣寒冷的恐懼立刻竄上背脊。到達農場之後，丹尼立刻就將草地上的樹葉耙乾淨，整個人彷彿如釋重負。

米查駕駛割草機時靠丹尼靠得很近，丹尼擔心太靠近了。以前他曾有過被這輛黃色的新割草機驚嚇的經驗，令他非常恐懼。他不斷的變換，先是大衛，再來是蕭恩，來來去去換了好幾個人，直到工作結束爲止。最後，米查大吼道：「把卡車上的長板拖下來！」

丹尼蹣跚走去，仍然害怕那輛割草機。他用盡力氣從卡車上拖下那兩片厚重的長板，接著，米查將割草機倒回卡車上停穩。過了一會兒，丹尼聽見米查又開了一罐啤酒，沒幾口就喝光了。

看見這所有過程的湯姆再次出現，他知道丹尼早被這機器給嚇得半死。必須摧毀這怪機器！當米查轉頭時，湯姆迅速爬上卡車。他先將固定的U形插鞘拔掉，接著將離合器拉到空檔的位置。當米查繞了一圈走到駕駛座時，湯姆立刻跳下車，順勢將U形插鞘丟進草叢，然後也坐上前座，眼睛望向前方，靜待好戲上場。他知道，只要米查像平日一樣突然開動，那輛割草機就要報銷了。

這會兒，米查行駛的速度很慢，一路上通行無阻，長驅直入不萊梅市，什麼事也沒發生。湯姆暗自盤算，待會兒通過『通用碾粉廠』之後應該就會有狀況發生。但是，米查卻無比順利地直達蘭開斯特市。湯姆心想，在第一個紅綠燈路口等著瞧吧！

沒錯，意外就在蘭開斯特市發生。當紅綠燈變換成綠燈時，米查開動卡車，刺耳的輪胎摩擦聲大作。湯姆知道割草機就要完了。他試著讓自己的表情保持正常，但做不到。他將臉轉向車窗，如此一來，那傢伙就看不到湯姆臉上得意的表情了。當他再次望向後方時，只見割草機已摔在馬路中央。米查張大了嘴，呆視後視鏡，把車剎住，立刻跳下車，直奔後方，一路撿起散落的零件。

湯姆終於放聲大笑了，「去你媽的！那機器再也不會傷到丹尼和大衛了！」一石二鳥，他不但摧毀了機器，也懲罰了米查。

比利的成績單大多是C、D、F，求學過程中只得過一次A，那是十年級生物學第三學期的期中考。當時因亞瑟對這門科目有興趣，所以上課很用心聽講，再加上功課也寫得很勤才得到A。

他知道同學會笑他的口音，因此要亞倫代他回答，他突然改變的態度和伶俐的反應令老師大吃一驚。雖然亞瑟對生物學從未失去興趣，但爲了應付家裡愈來愈糟的情況，必須不斷的換人。他對生物老師感到非常抱歉，因此，接下來兩次的考試，他都沒能及格，亞瑟必須自己找時間進修；一個學期下來，他的總成績是D。

亞瑟安排誰該不該出現的工作愈來愈頻繁，他將這種精神極不安定的時期稱爲《混亂時期》。有一次，學校遭逢炸彈的威脅而必須撤離全體師生時，每個人都懷疑是比利的傑作。當然，沒人能拿出具體證據。湯姆否認他製造過炸彈，因爲那並非眞的炸彈，他並未說謊。但是，如果瓶裡裝的液體是硝酸而不是水的話，那就眞的是炸彈了。

湯姆很高興見到校長臉上激動、鬱悶的表情，看起來似乎有一大堆艱難的問題等著他去解決。

結果，這位校長解決了其中的一個問題——他把比利開除了。

因此，在比利十七歲生日後的第五週，也就是哥哥傑姆進入空軍服役的前一個星期——湯姆和亞倫加入海軍。

第十一章

(1)

一九七二年三月二十三日，亞倫與桃樂絲一起前往新兵報到處，他和湯姆在入伍服役文件上簽名。桃樂絲對於自己的兒子加入海軍一事，內心極為複雜。但是，她知道讓他離家，離開米查是件重要的事。被校方開除之後，情形變得比以前更糟。

兵役官很快看過了文件，問了一些問題，大部份是桃樂絲回答。

「你是否曾在心理機構接受精神疾病的治療？」

「沒有，」湯姆說，「不是我。」

「等一下，」桃樂絲說，「你曾在哥倫布市州立醫院待了三個月，布朗醫師說你有歇斯底里錯亂的現象。」

兵役官抬起頭，手中的筆有些猶豫，「這方面可以不列入記錄，」他說，「每個人都有一些類似的現象。」湯姆投給桃樂絲一個勝利的眼神。

在接受一般教育與發展檢查時，湯姆和亞倫相互討論問題。當湯姆的能力與知識無法應付試卷時，就由亞倫來答題。但是，後來丹尼也來了，他看看試卷，不知該如何下筆。

看到他迷惑的表情，監考官輕聲說道：「沒問題，只要把框框塗黑就行了。」

丹尼聳聳肩，他根本沒看考題，就直接塗黑框框。丹尼通過測驗了。

一週後，亞倫前往伊利諾州的大湖海軍訓練中心。在那兒，他被分發在廿一大隊一〇九中隊接受新兵訓練。由於比利高中時曾在空軍民防團服過役，因此被指派爲ＲＰＯＣ（下士訓練官）。他的訓練要求非常嚴格。亞倫得知，只要在規定的十六個項目中獲得優異成績，那麼該中隊即可獲封爲「榮譽中隊」，於是他便與湯姆研究如何刪減不必要的時間。

「把洗澡時間刪掉，怎麼樣？」湯姆提出建議。

「不行，這是規定。」亞倫說，「即使沒有肥皀也得洗澡。」

湯姆坐下來，以工廠生產線的角度去思考洗澡的方法。

隔天晚上，亞倫指示部下：「把毛巾捲起放在左手，右手拿肥皀。左側直排十六人，對面橫排十二人，右側直排十六人。水溫都已調好了，不必擔心是否會被燙傷或凍壞。你們只要一直走過去清洗身體左側，走到轉角處時，肥皀換手，向後轉繼續走，清洗右側兼洗髮，經過蓮蓬頭時用清水洗淨，最後只要擦乾就行了。」

這時，所有新兵無不瞪大眼睛，因爲亞倫說完便穿著制服淋水示範，計算所需時間。「採用這種方法，每個人淋浴只需四十五秒，全員一百六十人洗澡、穿衣服，不到十分鐘就可完成，希望每天早晨我們是第一個到達集合場的隊伍。」

翌晨，比利帶領的中隊果然率先到達集合地點。亞倫對此非常滿意，湯姆告訴他，他還在研究其他幾種節省時間的方法。為此，他獲得了服務勳章。

兩週後，狀況惡化了。亞倫打電話回家，發現米查又開始毆打母親。雷根非常生氣，亞瑟則不在乎。但對湯姆、丹尼和亞倫而言，卻造成很大的困擾。他們情緒低落，《混亂時期》再度來臨。

蕭恩常把鞋穿錯腳，鞋帶也未繫；大衛的穿著變得很邋遢；菲利浦雖然明知身在何處，卻完全不在乎。一〇九中隊的新兵不久發現，他們的訓練官似乎不太正常。某一天，他可能是個傑出的領導者；第二天，他可能來個一百八十度大轉變，到處閒逛、聊天，讓公文堆積如山。

曾有人目睹他在睡覺時到處遊蕩。當其他人告訴他這件事之後，湯姆就在睡覺時把自己綁在床上。不久被上級解除訓練官一職之後，湯姆變得非常沮喪；只要一有機會，丹尼就往醫院跑。

亞瑟開始對血液實驗室產生興趣。有一天，海軍派了一位督察官前來觀察他。督察官發現菲利浦穿著制服躺在床上，海軍的白色軍帽就擱在腳上。

「你在這兒幹什麼？」席蒙斯上校質問。

「站起來！」上校的副官命令道。

「他媽的！」菲利浦大聲吼回去。

「我是上校，你居然……」

「就算耶穌基督我也不怕！還不快滾出去！你們干擾到我了！」後來，一名上士進來時，他也同樣大聲吼回去。

一九七二年四月十二日，湯姆加入海軍服役後的兩週又四天，菲利浦被調往新兵評估單位。原單位中隊長的報告如下：「該員初時在本單位擔任訓練官一職，後來卻什麼也不做，整日四出干擾別人。自從被解除訓練官職務之後，立刻成了職業病號，情況愈來愈糟，每次都找理由不上課，根本無法跟上其他士兵的進度。該員必須接受嚴密的看管。」

一位精神科醫生與大衛進行面談，大衛並不知道曾經發生什麼事。在查閱過調自俄亥俄州的記錄後，海軍發現他曾在精神病院接受治療。兵役檢查時，並未告知兵役人員。精神科醫師的報告如下：「該員無法正常穩定地在海軍服役，因此建議以該員不適合接受軍事訓練爲由予以解召。」

五月一日，報到入伍後一個月又一天，比利自美國海軍「光榮退伍」。

他領了軍餉和一張飛往哥倫布市的機票。但是，當他從大湖海軍訓練中心前往芝加哥機場途中時，菲利浦得知有兩位休假返鄉的新兵要到紐約去，於是不顧手上有一張免費的聯合航空機票，而跟著他們搭上巴士。菲利浦很想到紐約看看，那是他非常熟悉卻從未去過的大城市。

(2)

在紐約市巴士總站，菲利浦與其他的同行者道別之後，便將軍用行李上肩出發了。他在服務台要了一份地圖和紐約市簡介，朝時代廣場的方向走去。這感覺就好像回到家一樣，街道、人群、聲音……聽起來都十分熟悉，更令他深信這就是他以前的故鄉。

菲利浦花了兩天時間參觀這座城市。他先搭上史塔登島渡輪，一覽自由女神像的面貌，然後到巴特利公園繞一圈，接著又在華爾街附近的大街小巷中穿梭，甚還拜訪了格林威治村。他在一家希臘餐廳用餐，在便宜的旅館住宿。第二天，他到第五街仰望帝國大廈的雄偉，乘著電梯到達頂層俯瞰整座大城。

「布魯克林區在哪兒？」他問女嚮導。

她往前一指，「就在那兒！可以看到三座橋——威廉斯伯格橋、曼哈頓橋和布魯克林橋。」

「下一個行程我就要去那兒。」他乘電梯下樓，攬了計程車，「布魯克林橋。」

「布魯克林橋？」

菲利浦將行李丟進車內，「我說的很清楚。」

「你要跳河游過去，還是買下這輛車？」司機問道。

「去你的！開去就是了，少耍嘴皮子！」

菲利浦在橋上下車，然後開始行走。天氣很冷，因爲有一道冷鋒過境，菲利浦卻覺得很舒服。多美的河流啊！突然間，他感到沮喪，連自己也不知是爲什麼。但是，站在這座橋中央，讓他感覺到自己是如此的渺小。他無法繼續往前走了，於是將行李扛在肩上，回頭朝曼哈頓的方向走去。

沮喪的感覺愈來愈深沈。是的，他來到紐約了；但是，並未覺得快樂。還有一些事物是他想去看的，還有一些地方是他想去拜訪的；無奈他並不知道該看什麼、去什麼地方。他搭上巴士，坐到最遠的車站，然後再換一部、再換一部。他看著車窗外的房舍和人群，心中茫然，毫無目的。

他在一座大型的購物中心下車，逛到中心位置發現一座許願池，他投了兩枚銅板。在投第三枚時，有人拉扯他的袖子，一個黑人小孩正用乞憐的眼光望著他。

「眞倒楣！」菲利浦把銅板給了那黑人小孩，小孩笑著跑開。

菲利浦拾起行李，沮喪再度蒙上心頭。他在那兒站了一會兒，身子有些顫抖，他退去了……

大衛吃力地扛起行李，實在是太重了，於是又放在地上。對一個八歲小孩而言，這樣的重量的確太重了。他拖著行李往前走，瀏覽商店櫥窗。心中猜想自己是在什麼地方呀？他是如何來到這兒的呢？他找張長椅坐了下來，四處張望，看著那些玩耍的孩子。他希望自己也能與那群孩子一同玩耍。然後，他再度站起來拖著行李往前走。眞的是太重了，因此他丟掉行李，輕鬆的到處逛。他走進一家陸海軍用品店，隨手拿起一個塑膠半球體，按下開關，警報器忽然響了起來，半球體裡的紅燈也開始閃個不停，他嚇壞了，丟下半球體立刻衝出去。結果撞倒停在店外賣冰淇淋的腳踏車，手肘不巧被刮傷了，但大衛仍一味地往前狂奔。

發現沒人追上來時便不再跑了，只是在街上漫步，心想要如何才能回家。母親或許正在家裡擔心。現在肚子也開始餓了，眞希望有冰淇淋吃。如果遇到警察，一定要問他如何才能回家。

亞瑟常說，如果迷路了，可以要求警方的協助——亞倫眨眨眼睛。

買了一球冰淇淋正要吃時，一個滿臉髒兮兮的女孩站在前面望著他。

「天哪！」亞倫語畢便把冰淇淋給女孩。他對小孩有一份特別的愛，尤其是飢餓的眼神。

他回到剛才的冰淇淋店，「再給我一球冰淇淋。」

「孩子，你一定餓了。」

「閉上你的嘴！冰淇淋給我！」

他邊走邊吃，當下決定要做些事情讓小朋友可以和他在一起，但這會兒卻見不到任何小孩。

他四處晃行，觀望他以爲是芝加哥的高大建築。隨後，他搭上前往市中心的巴士，他知道今晚要趕到機場已經太晚了，必須在芝加哥過夜，明早再搭飛機回哥倫布市。

突然，他看到一棟建築物上的霓虹招牌閃著：『五月五日，氣溫六十八度。』五月五日？他掏出皮夾看了一下，還有五百元軍餉，解召日期是五月一日，從芝加哥飛往哥倫布市的飛機也是五月一日。這到底是怎麼回事？他竟然在不知情的情況下在芝加哥閒逛了四天。行李到哪兒去？這時的他已是飢腸轆轆。看看自己身上的藍色制服，已經髒了，手肘和左手臂上都有擦傷。

好了，他需要吃些東西、睡個覺，然後明天早上搭飛機回哥倫布市。他買了兩個漢堡，找到一家廉價旅館，過夜費是九塊錢。

第二天早上，他叫了計程車，要司機載他去機場。

「拉加底亞機場嗎？」司機問。

亞倫搖搖頭，他不知道芝加哥怎還有座拉加底亞機場。

「不，另外一座較大的機場。」車子開往機場的路上，他試著回想曾經發生過什麼事。他閉上眼睛試著找尋亞瑟，找不到。雷根？也找不到。這會兒，又陷入一段《混亂時期》。

到達機場時，他走到聯合航空櫃台，將機票交給服務人員。

「飛機什麼時候起飛？」他問道。

她看看機票再看看他。「這是芝加哥飛往哥倫布市的機票，無法在這裡登機。」

「妳說什麼？」

「芝加哥。」她說道。

「對呀！怎麼樣嗎？」

這時，一位主管走了過來，瞄一眼機票。亞倫不知發生了什麼問題。

「你好，海軍先生。」那位男士說道，「你不可以用這張機票從紐約飛到哥倫布市。」

亞倫摸了一下長滿鬍鬚的臉，「紐約？」

「沒錯，這兒是甘迺迪機場。」

「我的天哪！」

亞倫深吸一口氣，用很快的速度說道：「呃……這個嘛……一定是有人搞錯了。你看！我已經退伍了。」他掏出退伍證，「我搭錯飛機，應當搭飛往哥倫布市的。一定有人在我咖啡裡下藥，當時我意識不清，結果人就到了紐約。行李還留在飛機上，全都沒帶下來，你一定要幫我個忙，這是航空公司的作業錯誤。」

「更改機票需付手續費。」那位女服務員說道。

「你們何不打電話到大湖海軍訓練單位求證？他們有責任送我回哥倫布市的，只要向他們結帳就行了。我是軍人，有權要求返鄉的交通安排，妳只要拿起電話，打通電話給海軍，一切問題就都解決了。」

那位主管看著亞倫，然後說：「好的，請稍等一下，讓我們看看該如何爲阿兵哥服務。」

「男廁所在哪兒？」亞倫問。

她指了一指，亞倫立刻跑過去。進入廁所後，裡面一個人也沒有。只見他抽出一大堆衛生紙往牆上亂扔。「他媽的！他媽的！」他大聲吼叫，「王八蛋！我受不了！」

待情緒穩定後，他洗了把臉，整理頭髮；爲了給櫃台人員好印象，又將白色海軍帽戴正。

「好了，」服務員說，「解決了，我重開機票給你，下一班有座位，兩小時後起飛。」

在飛往哥倫布市的途中，亞倫暗自思忖，待在紐約的五天，除了計程車和甘迺迪機場，竟然什麼也沒看到。他不清楚自己是怎麼到紐約的，又是誰偷了時間，曾經發生過什麼事；不知道往後是否能把這一切弄清楚。在返回蘭開斯特的巴士裡，他靠在椅背上小憩、自言自語——希望亞瑟或雷根也能聽見——「一定是有人把事情搞砸了！」

(3)

亞倫在州際機械公司找到推銷吸塵器和垃圾壓縮機的工作。口才不錯的亞倫，在第一個月裡的銷售成績很好。看到同事山姆經常與女侍、秘書和客戶約會，令亞倫羨慕他的艷遇。

一九七二年七月四日，在一起聊天時，山姆問道：「你怎麼不和那些可愛的小妞約會？」

「我沒時間，」亞倫回答。每當話題一轉到性，他就感到不安。「而且也沒興趣。」

「你該不是同性戀吧？」

「當然不是。」

都已經十七歲了，竟然對女孩沒興趣。

「是這樣的，」亞倫說，「我內心盤算的是其他事情。」

「天哪！」山姆又說，「你從沒做過愛嗎？」

「我不想談這件事。」亞倫並不知菲利浦在復健中心發生的事。只見他滿臉通紅，將頭轉開。

「你不會告訴我你是處男吧？」

亞倫沒答腔。

「好了，兄弟，」山姆說，「我來為你安排，一切都交給我，今晚七點我到你家接你。」

當晚，比利淋了浴，穿上衣服，抹上了傑姆的古龍水。傑姆目前在空軍服役，用不著香水。

山姆準時到達，然後開車到城裡去。他們停在一家店門口，山姆說道：「待在車裡，我帶些玩意兒立刻回來。」

幾分鐘後，山姆出來了，還帶著兩個難看的年輕女孩。

「嗨！親愛的，」其中一個金髮女郎靠近車窗，「我是翠娜，這位是多莉，你很英俊嘛！」

這時，多莉將她烏黑長髮向後一甩，與山姆坐在前座；亞倫與翠娜坐在後座。

他們朝郊區駛去，一路上說說笑笑的。翠娜一直把手放在亞倫的大腿上，玩弄他褲子的拉鍊。當他們到達一片荒無人跡的地帶，山姆將車駛離馬路。「來吧！比利，」他說道，「行李廂裡有毯子，幫我拿出來。」

兩人走向行李廂時，山姆給了他兩小包東西，「你知道怎麼用嗎？」

「知道，」亞倫說，「但我不需要同時戴兩個吧？」

山姆輕推他的手臂，「你一直都很幽默。一個是為翠娜，另一個是為多莉，我告訴她們我們會交換同伴的。兩個都要玩一玩。」

亞倫低頭看著行李廂，發現有一支來福槍，他很快瞄了一眼。這時，山姆將床單遞給他，自己也取了一條，關上行李箱，然後就和多莉走到一棵樹後去了。

「來呀！我們也開始吧！」翠娜為亞倫抽下腰間的皮帶。

「嘿！我們可以不必做那件事。」亞倫說道。

「如果你沒興趣，親愛的……」

沒多久，山姆叫翠娜過去，多莉則走向亞倫。「怎麼樣？」多莉問道。

「你可以再來一次嗎？」

「聽著，」亞倫說，「正如我告訴妳朋友一樣，你不需為我做任何事，我們仍然是朋友。」

「親愛的，你可以做任何想做的事，我不想惹山姆生氣，你是個好男孩。他正與翠娜忙著呢！我想他不會注意我們的。」

山姆完事之後，走向行李廂從冰箱裡取出兩罐啤酒，一瓶拿給亞倫。

「如何？」他問道，「那些女孩怎麼樣？」

「山姆，我什麼也沒做。」

「你說你什麼也沒做？還是她們什麼也沒做？」

「我告訴她們不必做的，如果有需要，我自然會去結婚。」

「去你的！」

「沒關係，別生氣。」亞倫說道，「別在意。」

「在意？呸！」這時，山姆轉向女孩們發脾氣了，「我告訴過妳們，他是個處男，我要你們好好服侍他！」

多莉走到車後，也就是山姆站的地方，發現行李廂中的來福槍。「你會惹上麻煩的。」

「閉嘴，給我上車！」山姆說道，「我載妳們回去。」

「我不上車。」

「那我就操妳！」

山姆把行李廂門關上，「走吧，比利，讓這些娘兒們自己走回去。」

「爲什麼不上車呢？」亞倫問她們，「妳們不想單獨留在這兒吧？」

「我們自己會回去。」翠娜說道，「但必須付我們錢。」

山姆發動車子，亞倫坐進去。

「我們不該留下她們。」

「去他的！只是兩個婊子！」

「這不是她們的錯，是我自己不要她們做的。」

「至少我們沒花一毛錢。」

四天後，也就是一九七二年七月八日，山姆和亞倫坐在警長辦公室回答一些問題。隨後兩人立即被警方以挾持、強暴、攜帶武器之名而遭拘捕。

法官在聽取審判前的證詞之後，刪除了挾持的罪名，告知課以兩千元保釋金。桃樂絲籌了兩百元給保釋人，帶回自己的兒子。

米查執意要把比利送進監獄，桃樂絲則安排比利到她邁阿密的姊姊家裡住，直到少年法庭十月開庭為止。

比利和傑姆不在時，凱西和雪兒開始要求桃樂絲採取行動。她們給她最後的通牒：如果桃樂絲再不與米查離婚，她們兩人都要離家出走。最後，桃樂絲終於決定和米查離婚。

在佛羅里達州，亞倫上學唸書，成績不錯，同時也在一家油漆行找到工作，老闆對他的組織能力非常讚賞。深具信心的猶太人《賽謬爾》知道比利的父親也是猶太人。和其他邁阿密的猶太居民一樣，他對於在德國慕尼黑奧運選手村十一位以色列選手遭殺害的事感到相當憤怒。星期五晚上，塞謬爾在工作時，爲那些死去的靈魂禱告，同時也祈求天父讓亞倫的審判能獲判無罪。

十月二十日，當他返回匹克威郡時，被送到俄亥俄州少年感化院觀察。從十一月到一九七三年的二月十六日，他都被關在匹克威郡立監獄裡，那是他十八歲生日之後的兩天。雖然他已十八歲，但法官同意以少年罪犯的資格起訴。桃樂絲聘請的律師葛喬治告訴法官，不論庭上的判決如何，最好不要將這位年輕人送回他破碎的家庭。

最後，法官判定被告有罪，必須送進俄亥俄州少年監獄服不定期徒刑。三月十二日，亞倫被移送少年監獄。就在同一天，法院也裁定米查與桃樂絲的離婚生效。雷根嘲弄賽謬爾說，這個世界上根本就沒有神的存在。

第十二章

(1)

亞瑟決定在少年監獄裡讓其他人也站到聚光燈下。這麼做，可以給他們有機會學些經驗——健行、游泳、騎馬、露營、運動。

胡丁恩是個身材高大的黑人，在此擔任團康組主任，小平頭，八字鬍，富仁慈心，頗得亞瑟的喜歡。無論怎麼說，這兒看來似乎沒有危險。雷根同意亞瑟的看法。

但是，湯姆對這兒的規定有意見，他不喜歡剪掉頭髮，穿上政府所分發的制服，也不喜歡與其他三十多位少年犯住在一起。瓊斯是社工人員，正在對新進的少年犯解釋獄方的規定——根據不同的進步程度，監獄分成四區，每個月移往不同的區。在T型建築中，一區與二區位於左翼宿舍，三區與四區則在右翼。

瓊斯承認，第一區是『魔鬼營』。在那兒，每個人都必須聽從指揮，頭髮都要剃掉；到了第二區，頭髮可以留長一些；進入第三區，只要完成每天指定的工作，就可以脫下制服，換穿便服；被移往第四區者，就可以不必住在大通鋪了，每個人均有私人小房間，而且也不必參加每天的既定活動，這兒多半是模範犯人，不去『賽奧特女兒村』跳舞也沒關係。

聽了這些規定，男孩們都覺得好笑。他們必須按照賞罰評分，從第一區依序移往第四區。瓊斯還說，每月初每個人都有一百廿分；若想移往另一區，就必須達到一百三十分。行爲良好、有特殊表現者才可以得到加分。相反的，如果表現不佳或有反社會行爲者，則會遭減分的懲罰。獄方的工作人員或第四區的學長，均有權從事評分工作。

如果被人喊了一聲「嘿！」就會被扣一分；被人勸說「嘿！冷靜一點。」就會被扣兩分；如果被告誡「嘿！冷靜一點，回床去！」除了扣兩分之外，違反者還得待在床上兩個小時；如果擅自離床，被人說「嘿！冷靜一點，回床去，冷靜！」這就要扣三分；若是再加上「送牢房！」就表示違反者要被移送郡立監獄了。

瓊斯說，這兒有一大堆活兒要幹，希望每個人都有很好的表現。「任何人如果認爲待在這兒太糟蹋想逃跑，俄亥俄州還有其他更好的地方可以待，那就是俄亥俄州中央管訓隊。一旦被送進去，你們就會想回到少年感化院的。好了，現在去倉庫領取寢具用品，然後到大廳用餐。」

當晚，湯姆坐在床上暗思，到底是誰讓自已落到這般田地？爲何會在這裡？他對於評分、規定和分區之事不屑一顧，只要有機會，他一定會逃出去。被帶到此地時，他並非完全清醒，因此不知道出去的路線。但他發現四週並沒有鐵絲網或圍牆，只是一片樹林，想脫逃應不是難事。

一通過餐廳，他就聞到一般濃郁的香味，於是暗自盤算，在逃出去之前，不妨先看看這兒到底有什麼好東西。

在第一區新進的少年之中，有個戴眼鏡的小男孩，年紀可能不到十四或十五歲，排隊時，湯姆注意到他，心想可能一陣風就把他吹跑了。小男孩吃力地扛著床墊、寢具，行進中被一個蓄長髮的強壯少年絆倒。只見小男孩立刻爬起，朝大個兒的肚子揮出一拳，大個兒應聲倒地。

大個兒不可思議的看著小男孩，拳頭還握得緊緊的。

「好了，小傢伙。」他說道，「嘿！」

「去你媽的！」小男孩回應道。

「嘿，冷靜一點！」大個兒站起來，拍拍身上的灰塵。小男孩眼裡擒著淚水，「來呀，想打架就過來！大個兒。」

「嘿，冷靜一點，回床去！」

這時，另一個瘦瘦高高的男孩把小男孩給拉走了。「住手，東尼！」他說道，「你已經被扣兩分了，另外加罰回床上躺兩個小時。」

東尼冷靜下來，拾起自己的床墊。「好啊！戈迪，反正我也不餓。」

在餐廳裡，湯姆靜靜吃飯，伙食還不錯，但他開始擔心這個地方了。如果被那些大個兒欺負、扣分，他知道自己必須謹慎的控制脾氣。回到宿舍時，他發現那位高高瘦瘦的戈迪就在鄰床，爲小男孩帶來食物，他們正在聊天。湯姆坐在自己的床上注視他們，他知道規定中有一條是不可在宿舍吃東西。這時，他看見外面有人來了。

「小心！」他低聲說，「那混蛋傢伙又來了！」

名叫東尼的小男孩立刻把餐盤收進床底下，躺回床上。檢查之後，大個兒很滿意東尼遵守命令躺在床上，然後就走開了。

「謝謝！」小男孩說：「我是東尼，你叫什麼名字？」

湯姆看著他，「他們叫我比利。」

「這位是戈迪，他因爲賣大麻被抓進來，你是什麼罪名？」

「強暴。」湯姆說，「但我沒做。」

從笑聲中，他知道他們不相信。但是，不相信又奈他何。「那惡霸是誰？」湯姆問道。

「喬登，第四區的人。」

「我會討回公道的！」湯姆說。

多數時間都是湯姆出現，比利的母親來訪時，也是由他和她說話。湯姆喜歡她，卻對她覺得抱歉。因此，當她告知已與米查離婚時，湯姆很高興。

「他常欺負我。」湯姆說道。

「我知道，比利，他一直找你麻煩，但我一點辦法也沒有，畢竟我們當時都是一家人。我自己有三個小孩，雪兒我也視同己出。現在米查走了。要聽從輔導員，這樣很快就可以回家了。」

湯姆看著她離去。在他心目中，她是世上最漂亮的母親，眞希望她是自己的母親。他不知道自己的母親是誰，也不知道她的長相。

(2)

年輕的團康主任胡丁恩發現，比利多半時間都恍恍惚惚的，要不就是看書、凝望天空發呆。有一天下午，他直接找比利談話。「哈！你在這裡呀！」胡丁恩搭訕道，「你要盡量表現自己，要快樂，找些工作做。你喜歡做什麼？」

「我喜歡繪畫。」亞倫說道。

隔週，胡丁恩自掏腰包買了一套畫具給他。

「希望我爲你畫一幅畫嗎？」亞倫問道，同時將畫布放在桌上準備。

「你喜歡什麼畫？」

「古老的穀倉怎麼樣？」胡丁恩說道，「破舊的窗子，古樹上掛著一只輪胎，還有一條古老的鄉間小路，就像剛下完一場雨。」

亞倫花了一晝夜，終於完成了畫作。早上，他把畫交給胡主任。

「哇！太棒了！」胡主任說道，「你只要畫畫，就可以賺到很多錢的！」

「我很希望這樣，」亞倫回答，「我就是喜歡繪畫。」

胡丁恩知道，要讓比利擺脫心神不定的狀態，他必須主動出擊。某個星期天早晨，他帶著比利前往藍岩州立公園。當比利在繪畫時，胡丁恩就在一旁看。有一些人靠過來圍觀，胡丁恩順便賣出了幾幅畫。第二天，胡丁恩又載他出去了，當晚一共賣出了四百元的畫。

週一早上，院長找胡丁恩到辦公室。由於比利是州政府的犯人，讓他出售畫作是違反規定的。因此，院長要求胡丁恩退錢給那些買畫的人，把畫收回來。

胡丁恩事前並不知道有此規定，他同意把錢還給那些人。離開辦公室，他問道：「你怎麼知道賣畫的事？」

「有很多人打電話給我，」院長說道，「他們想買更多比利的畫。」

四月很快就過去了。當天氣變得暖和起來時，克麗絲汀在花園裡玩耍，大衛到處追逐蝴蝶，雷根在健身房練身。由於丹尼仍然懼怕戶外的環境，擔心遭到活埋，因此多半時間都在室內畫靜物。十三歲的克里斯朵夫在外面騎馬，亞瑟花了大部份時間在圖書館研讀法律。大夥兒都很高興，因爲他們已經升級到第二區了。

比利和戈迪被派到洗衣房工作。在那兒，湯姆樂於修理老舊的洗衣機和烘乾機。他期盼能搬到第三區。在那個地方，到了晚上可以穿上自己的便服。某天下午，惡霸喬登帶了一大堆換洗衣物走進來。「這些衣服馬上洗乾淨，明天有訪客來。」

「沒問題，」湯姆說完，繼續處理手上的工作。

「我是說現在立刻就清洗這些衣服！」喬登說道。

湯姆不理他。

「我是第四區的模範囚犯，小子，我可以扣你分數。你無法升到第四區了！」

「聽著！」湯姆回應他，「我才不管你在什麼鬼怪區呢！我沒有義務清洗你私人的衣物！」

「嘿！」

湯姆一臉怒氣，瞪視喬登。這傢伙沒有權利扣他分。「快滾！」

「嘿！冷靜一點！」

湯姆握緊拳頭，但喬登已走出去向負責人報告，說他要扣湯姆分數。當湯姆回到宿舍時，得知喬登果眞扣了東尼、戈迪和自己的分數，因爲他知道這三個人是一夥的。

「我們一定要採取行動！」戈迪說。

「一定要採取行動！」湯姆附和道。

「什麼行動？」東尼追問。

「目前還不知道，」湯姆說，「但我會想出辦法的！」

湯姆躺在自己床上，心中盤算要如何做；想的愈多，就愈生氣。最後，他站了起來，在宿舍後找到一截四乘四寸粗的木棍，朝第四區的方向走去。

亞瑟將一切狀況向亞倫說明，要他在湯姆惹出麻煩之前先行制止。

「別這麼做，湯姆。」亞倫說。

「他媽的！我絕不讓那惡霸扣我分數，害我們無法移到第三區。」

「這反而會弄巧成拙。」

「我要打爛那狗養的腦袋！」

「嘿，湯姆，冷靜一點。」

「別對我說那些字眼！」湯姆大吼。

「抱歉，但你這麼做會壞事的，讓我來處理吧！」

「狗屎！」湯姆摔下木棍，「你根本就沒本事料理！」

「你一向都出言不遜，」亞倫說，「消失！」

湯姆離開了。亞倫返回第二區宿舍，找了戈迪和東尼坐下來討論。

「現在，我來告訴各位該怎麼做。」亞倫表示。

「我知道該怎麼做，」戈迪說，「把可恨的辦公室炸翻天！」

「不行，」亞倫反對，「我們先搜集事實。明天去瓊斯先生的辦公室，告訴他我們的同僚是如何的不公平——同樣都是少年罪犯，比我們好不到哪兒去——卻要評判我們的言行。」

東尼和戈迪張大了嘴看著亞倫。他們從未聽過他說話如此流利過。

「給我紙和筆，」亞倫說，「我們必須謹慎處理這件事。」

第二天早上，他們三個人由亞倫當發言人，去見社會工作人員瓊斯。

「瓊斯先生，」亞倫說，「初來這兒時，你曾告訴我們可以述說自己的感覺不會有麻煩。」

「沒錯。」

「我們對於由囚犯負責扣分一事有意見。如果你看過我畫的統計圖，你就知道這項制度是多麼不公平。」亞倫將喬登扣他們分數的記錄遞給瓊斯。

「比利，這套制度我們已經使用很久了。」瓊斯說道。

「但這並不代表它是正確的制度。少年感化院的目的，乃是要協助我們將來返回社會生活，但是，如果這兒的制度告訴我們的是——社會是不公平的！這對嗎？」

瓊斯聽完了之後陷入沈思。亞倫不停敘述這套制度的缺失，東尼和戈迪在一旁保持沈默。他們對於亞倫的快語如珠覺得太棒了。

「這樣好了，」瓊斯說道，「這件事我再想一想，下週一你們再過來，到時我會告訴你們我的決定。」星期天傍晚，東尼與戈迪在戈迪的床鋪上玩撲克牌，湯姆則躺在一旁，試著組合剛才東尼與戈迪提及有關瓊斯辦公室所發生的事情。

戈迪抬頭說道：「那個惡霸又來了！」

喬登走到東尼面前，丟下一雙泥濘的鞋子在撲克牌上。「我今天晚上要一雙乾淨的鞋子。」

「你可以自己洗呀！」東尼說道，「我才不清理這雙鬼鞋子。」

喬登打了一下東尼的頭，東尼應聲跌到床下，哭了起來。當喬登離開時，湯姆迅速跑上前去，拍了喬登的肩膀一下。喬登轉身時，湯姆給了他狠狠的一拳，正好打中鼻樑，讓他撞向牆壁。

「我扣你四分！雜種！」喬登大吼。

戈迪也一路跟了上來，腿一伸，把喬登絆倒；接下來，兩人輪番揍了他一頓，始罷干休。

雷根一直注意湯姆的打架情形，他要確定湯姆並未遭到危險。如果有任何威脅，他就會出來干涉。他才不會像湯姆一樣猛追窮打，他只會攻擊某一部位，直到打斷骨頭爲止。但是，湯姆今天沒出事，所以雷根也無須強出頭了。

第二天早上，他們決定向瓊斯先生報告前一天發生的事，免得讓喬登惡人先告狀。

「看看東尼的頭，他在毫不知情的情況下被打了一拳，還腫著呢！」亞倫告訴瓊斯，「他一直利用這兒的制度欺負弱小。就像我們上星期說的，這是一套錯誤而且有潛在危險的制度，因爲那些人也同樣是罪犯。」

星期三，瓊斯向所有人宣佈，扣分制度從今天起將完全由院方人員執行。當初喬登以不當手法扣減其他人的分數，要全部計在他自己的名下，喬登被降到第一區。東尼、戈迪和比利的分數，目前已足夠可以移往第三區了。

(3)

第四區的犯人有一項特權——有外出假可以回家——湯姆期盼外出假的到來。休假日來臨的時候，他打包行李等待桃樂絲來接他。但是當他一想到要離開時，心中就更加迷惑。他原本很喜歡這個地方，但是，當他知道米查已走了，他就非常高興能返回春日街上的家。目前，家中只剩雪兒、凱西和自己。對他而言，家中發生一些改變也是滿好的。

桃樂絲開車來接他回蘭開斯特市。一路上，他們並未有太多的交談。令他驚訝的是，當他們回到家沒幾分鐘，有位男士就到他們家拜訪。他曾見過那個男子，身材高大、吸煙。

桃樂絲開口了：「比利，這位是戴摩，他擁有一家保齡球館和我以前唱歌的那家夜總會，今天他要與我們共進晚餐。」湯姆從他們兩人的眼神中，知道他們一定有什麼關係。去他的！米查離開還不到兩個月，現在又來了另外一個男人。

晚餐時，湯姆說：「我不回感化院了！」

「你說什麼？」桃樂絲問道。

「那兒的一切我無法忍受。」

「比利，這麼做是不好的。」戴摩說，「你母親告訴我，你在那兒只剩下一個月的時間。」

「這是我個人的事，與你無關！」

「比利！」桃樂絲出言制止。

「現在我是這個家庭的朋友了，」戴摩說，「你不該讓母親擔憂。只要在裡面再待一陣子就好了，你最好乖乖服完刑期。」

湯姆低下頭看看餐盤，靜靜將晚餐吃完。

後來，他問凱西，「那個男的是誰？」

「老媽的新男朋友。」

「他還以爲他可以告訴我該做什麼呢！他常來我們家嗎？」

「他在城裡有棟房子，」凱西說，「雖然沒人說他們同居，但我有眼睛。」

隔週週末休假返家時，湯姆遇見戴摩的兒子史都華，一眼看見就很喜歡他，年齡與比利相仿。史都華是足球員、運動選手。但是，湯姆最喜歡他的原因則是他駕馭摩托車的技巧。

亞倫也喜歡史都華，雷根則因他的運動能力、技巧和膽識而尊敬他。那個週末過得非常愉快，他們都希望能有更多的時間與這位新朋友在一起。史都華一點兒也不在意比利的怪異行爲，也從未說他心在不焉或喊他瘋子。湯姆心想，將來有一天自己會與史都華一樣。

湯姆告訴史都華，當他離開少年感化院之後，他將無法再待在家裡了。他對戴摩待在自己家裡那麼久頗不以爲然。史都華告訴他，到那時候，他願與比利分租一間公寓。

「你說話當眞？」湯姆問道。

「我曾把這個意見告訴老爹，」史都華說，「他也認爲這是個不錯的意見，他說我們可以互相監督。」但是，在出獄前幾週，湯姆得知桃樂絲將不再定期過來探望了。

一九七三年八月五日，史都華騎摩托車時，一個急轉彎，撞到一輛拖車上的遊艇尾部，摩托車和遊艇立刻起火燃燒，史都華不幸當場喪命。

聽到這則不幸的消息，湯姆嚇了一跳。這麼一位勇敢、有自信、面帶笑容的朋友，他有一顆征服世界的雄心，竟然被一把火奪去了性命？湯姆無法承受這樣的事實，他不願再待下去了。不久，大衛出來承受史都華死去所帶來的悲痛，湯姆放聲大哭……

第十三章

(1)

史都華過世後一個月，比利從少年感化院獲得假釋。返家後幾天，亞倫在房裡讀書，戴摩進來問他要不要去釣魚。亞倫知道，他這麼做的目的是要討好桃樂絲。凱西說他們可能快結婚了。

「當然，」亞倫說，「我很喜歡釣魚。」

戴摩做好了一切準備，第二天還向公司請假，來家裡接比利。

湯姆以惡劣的態度望著他，「釣魚？狗屎！我才不去釣魚！」

當湯姆走出房間時，遇到了桃樂絲，桃樂絲說他怎麼可以出爾反爾呢？湯姆很驚訝地望著他們兩人。「天哪！他每次釣魚都不問問我的意見！」

戴摩氣呼呼的衝到屋外，他發誓說，比利是他這輩子見過最卑鄙的騙子。

「我再也無法忍受了！」當亞倫一個人在房間時，告訴了亞瑟這件事，「我們必須離開這裡，每次戴摩在這兒，我就好像成了外人！」

「我也有同感，」湯姆說，「桃樂絲一直就像我母親。但如果要和戴摩結婚，我就搬出去。」

「好吧！」亞瑟說，「我們先找份工作，存些錢，這樣才可能租房子住。」

其他人都鼓掌贊成這個意見。

一九七三年九月十一日，亞倫在電鍍廠找到一份工作，收入並不高，工作環境很髒，並不是亞瑟心目中想要的。

單調無聊的工作——錫容器操作員——由湯姆執行，他必須推下吊在空中的台車，倒進電鍍槽裡，一台接著一台地推。台車排列的長度與保齡球道的長度差不多——將台車降低、等待、上升、推動、降低、等待。

由於不屑如此卑微的工作，因此亞瑟將注意力移到其他事情上，他必須幫助其他人自力更生。

待在工廠這段時間，他一直在研究那些他允許出現的人，最後瞭解到，若想在社會中生存，他們就必須學會自我控制。如果不訂定一些規則，所有人就會一團混亂，這對大家來說都十分危險。在少年感化院學習到的管理規則，他正好能派上用場——表現不佳者，會被退回到第一區或第二區。

由於這項規則帶來的畏懼，令一些頑劣份子紛紛收斂起乖張的行爲。因此，當他們進入社會時，這將是他們需要的管理規則。

他向雷根解釋這個理念，「由於我們之中有人被牽連涉及那壞女人的事件，」亞瑟說，「在匹克威被兩名婦女控告強暴——我們並未犯下的罪行——結果被送進監獄，我絕不容許再發生這樣的事！」

亞瑟若有所思的模樣，「通常我可以阻止一些人出現。我也留意到，危急情況發生時，你也有能力立即更換出現的人，我們兩人應該要好好支配意識。我已決定永遠驅逐一些惹人厭的傢伙，他們不准再出現。其他人則必須按照一套行爲規範生活，我們就像是一個大家庭，必須要有嚴密的家規。如果有人犯了家規，就必須將他歸爲《惹人厭的傢伙》那一群。」

得到雷根的同意後，亞瑟像其他人說明這些規定。

第一條：不可說謊。在他們生命中，一直遭到世人的誤解，因爲他們的確不知道其他人曾經做過的事。

第二條：善待婦女及小孩。包括不可說髒話，言行舉止必須有禮。例如：開門時動作要輕、用餐時身體必須坐直，並將餐巾放在大腿上；不論任何時候，都必須保護婦女及小孩。如果有人看見男人欺負婦女或小孩，任何人都必須立刻退下，讓雷根處理（任何人遇到危險情況時，雷根會立刻自動出來處理）。

第三條：禁慾主義。絕對不可再有類似被他人指控強暴的情況出現。

第四條：盡力自我改善。每個人均不可浪費時間看漫畫書或電視，而應在專業上精益求精。

第五條：尊重家庭每一成員的資產。這一條乃是針對賣畫而訂。任何人都有權出售未經簽名或署名「比利」、「威廉」的畫。但是私人畫作上若簽了湯姆、丹尼或亞倫，則屬私人財產，任何人都不得出售非屬自己的資產。

任何違犯規定者，將被判永遠不得出現，必須躲到陰影裡與那些惹人厭的傢伙在一起。

雷根想了一會兒，問道：「那些惹人厭的傢伙是誰！」

「菲利浦、凱文——他們兩人均有反社會及犯罪傾向——已經被放逐了。」

「湯姆呢？他有時也有反社會傾向。」

「是的，」亞瑟同意其說法，「但我們需要湯姆的好鬥性格。一些年幼者很守規矩，如果任意聽從一些陌生人的指示做事，反而會受到傷害。只要湯姆不違犯其他規定，或是不利用脫逃技巧及開鎖天份去犯罪，那麼湯姆也可出現。但我會經常出聲警告他，我們在注視他的行爲。」

「那我呢！」雷根問道，「我也有犯罪傾向呀！」

「你絕不可違反規定、不可犯罪！」亞瑟說，「即使你的行爲並非損及他人的罪行，無論是什麼原因。」

「你必須瞭解，」雷根說，「有時候爲了生存或防衛，我一定會犯罪。在情急之下，法律是不存在的。」

亞倫十指互碰，思考雷根所提的理由，然後點點頭，「你是唯一的例外，因爲你的力量太強大了，你一個人的力量就足以傷到對方。但是，只准你自我防衛或保護婦女小孩。身爲一個家庭的守護者，爲了生存目的，你是唯一可以採取無受害者或必要罪行的行動者。」

「我接受這樣的規定，」雷根柔和地說，「但是制度不一定永遠有效；在混亂時期裡，有人會出來偷竊時間，我們卻完全不知情——包括你、我和亞倫在內——我們完全不知道發生了什麼事。」

「沒錯，」亞瑟同意道，「我們必須在我們所能控制的範圍內做該做的事。我們必須維持家庭的穩定，並且防止混亂時期出現。」

「這恐怕很難吧！你必須與其他人溝通好，我還不完全認識家庭中的所有成員，有些人來了又走：有時候，我甚至不知道出現的人是不是我們家庭中的一份子。」

「這很自然，就像在醫院或少年感化院一樣，我們會熟悉我們四週的人。但在外面的社會，人們通常並不在意他們周圍的人。我會和每一個人溝通，告知他們應當注意的事項。」

雷根打趣說道：「我雖然力大無窮，但你學習到的事，讓你擁有比我更強壯的力量。」

亞瑟點點頭，「這就是爲什麼我下棋總是贏你的原因。」

亞瑟逐一和每個人溝通，告知他的要求。除了行爲規範之外，那些站在聚光燈中出現的人，還必須遵守其他事項。

克麗絲汀只有三歲大，她的行爲常令其他人難堪。但是，在雷根的堅持下，顧及她是第一位家庭成員，同時也是唯一的嬰孩，因此特准她不會被放逐，或被歸爲惹人厭的傢伙，當出現者無法溝通或不知發生什麼事時，克麗絲汀的出現或許會有所幫助。同樣的，她也必須朝自己的目標努力。在亞瑟的協助下，她將學習閱讀及寫字。

湯姆繼續電子方面的興趣，增強機械方面的能力。雖然他會開鎖、開保險櫃，但這些技術只准用在脫逃時。他絕不可協助任何人偷東西，不可成爲小偷。閒暇之餘，他學習吹奏薩克斯風，增進繪畫技巧。他還必須學會控制牛脾氣。但是，有必要時，他可以用來對付凶惡的傢伙。

雷根學習的是空手道和柔道，藉以保持最佳體能狀態，藉著亞瑟的協助和指示，雷根學會了如何控制自己的腎上腺素，這讓他即便處於危急狀況時也能全力出擊。他還必須繼續學習炸藥方面的知識。下次領薪時，第一件要買的便是一把鎗，好讓他練習打靶。

亞倫磨練自己的口才和畫肖像的技巧。壓力大時，他會藉敲打小鼓放鬆緊張的情緒。必要時，通常都是由他面對世人；爲了培養社交能力，他必須經常出現與其他人交往。

阿達娜繼續寫她的詩，並改善烹飪技巧，尤其是搬到外面住時，她還得負責整理房間。

丹尼仍將持續學習繪畫靜物，和使用噴槍的技巧；由於他已是十幾歲的青少年了，因此必須負責照料小孩。

亞瑟繼續他的科學研究，尤其是在醫學方面，他已申請參加函授教育臨床血液學的基礎講座；同時，他也運用他的邏輯和清楚的分析能力研究法律。

所有人都已被清楚告知必須繼續改善他們自有的能力與知識，亞瑟警告他們，不可浪費時間，不可胡思亂想：家庭中的每一位成員，都必須努力達成自己設定的目標，同時還必須不斷進修。不出現時，他們仍然必須不斷思考，一旦出現了，就要儘量利用機會去練習。

年輕小孩絕不可開車，如果任何人發現自己坐在駕駛盤前，就必須立即移到乘客座，讓其他較年長的人駕駛。

每個人均同意亞瑟的思緒非常周密，提出來的方法也都符合邏輯。

《賽謬爾》在閱讀舊約聖經，他只食用猶太人認可的食物，他喜歡木雕和石雕。九月廿七日，他出現了，當天是猶太人的新年，他爲比利的猶太父親禱告。

賽謬爾知道亞瑟針對賣畫所訂定的規定。但有一天，他需要錢，家庭中沒有任何一位成員給他建議或告訴他將會發生什麼事，於是他將一幅亞倫簽名的裸體畫給賣了。裸體畫對他而言是違反宗教信仰的，所以他不想見到這種畫。他告訴買畫的人：「我不是畫家，但我認識這位畫家。」

然後，他又售出一幅畫有穀倉的作品，畫中充滿恐懼的氣氛。

當亞瑟知道賽謬爾所做的事情之後，他非常震怒。賽謬爾應當知道出售其他人心愛的畫作結果，於是亞瑟命令湯姆找出賽謬爾最心愛的作品──用塑膠材質製作，丘比特環繞在側的維納斯像。

「毀了它！」亞瑟命令道。

湯姆拿到屋後，用鐵搥敲碎。

「由於賽謬爾犯下私售他人財物的錯，被判定爲《惹人厭的傢伙》，永遠不可再出現。」

賽謬爾為自己的行為提出辯解，他向亞瑟說明他不能被放逐的理由，因為他是家庭成員中唯一信奉神的人。

「神是由那些畏懼未知事物者所創造的，」亞瑟說，「人們崇拜耶穌只因為他們畏懼死後可能發生的事。」

「完全正確！」賽謬爾立刻答道，「但是，有這一層保障未嘗不是件好事。如果當我們死後發現有神，至少我們之中還有一個人相信神。如此一來，我們就可以升天堂了。」

「如果有靈魂的話。」亞瑟說。

「那又何必急著打賭！反正再給我一次機會也沒什麼損失！」

「規定是我制訂的，」亞瑟說，「我已做出決定，十月六日是你的聖日，那天你可以出現完成你的禁食日，然後就被放逐。」

後來，亞瑟向湯姆承認，這是他在忿怒之下做成的裁決，他犯了錯誤，因為他自己無法確定神是否存在——他不該匆促放逐他們之中唯一信神的人。

「你可以有些改變，」湯姆說，「讓賽謬爾偶而出現。」

「在我清醒時不可以，」亞瑟說，「我承認我太意氣用事，那是我的錯誤。但是，一旦做出了決定，就絕不可更改。」

想到天堂和地獄，湯姆就感到十分困擾，他發現自己不斷想到這個問題。心想，如果死後下地獄的話，不知有無方法可以逃出來。

(2)

過了幾天，亞倫在城裡遇見一位同學哈伯瑞，他依悉記得哈伯瑞曾是他某個舊識的朋友。現在他留了一頭像嬉皮一樣的長髮。哈伯瑞邀他去他的住處喝啤酒、聊天。

那是一間寬敞、老舊的公寓。亞倫坐在廚房與哈伯瑞說話時，房裡有其他人進進出出。亞倫感覺他們在進行毒品交易。起身離去之際，哈伯瑞告訴他，週末晚上有個派對，希望他能參加。

亞倫接受了邀請。這是一次少有的社交機會，亞瑟鼓勵亞倫參加。

但是，當亞倫依約到達時，他並不喜歡眼前的景象。那兒有許多人在吸毒，他想那些人都在虛擲生命。因此，只打算停留一會兒喝杯啤酒。但是，幾分鐘後，他覺得很不舒服，他退了下去。

亞瑟向四週張望，對於眼前發生的事非常不屑。不過，他決定站在一旁觀察這種下流階層的生活——觀察這些人在不同藥物下會出現什麼樣的醜態是相當有趣的事：吸食大麻後無來由的傻笑、安非他命之後的昏睡……他認爲這裡是毒品的實驗所。

亞瑟發現有兩個人也同他一樣遠離人群。身材高挑的女孩擁有烏黑的長髮、豐厚的雙唇及霧般的眼眸，不斷朝自己瞅過來。他有個感覺，她很快就會過來與自己談話。這念頭令他不舒服。

和她坐在一起的男子這時朝亞瑟開口說話了：「你常參加哈伯瑞的派對嗎？」

亞瑟讓亞倫出來處理這樣的應對。亞倫向四週望了一下，「你剛才說什麼？」

「我朋友說，她曾在派對裡見過你。」年輕人說道，「我也覺得你很眼熟。你叫什麼名字？」

「他們都叫我威廉・密里根。」

「雪兒的哥哥？嘿！我是史坦利，我見過你妹妹！」

那女孩這時走過來了，史坦利說道：「瑪琳，這位是比利。」

史坦利說完便走開了。瑪琳和亞倫交談了大約一小時，談論房間內的其他人。亞倫發現她很可愛、很溫柔、有誘惑力，那對黑色的眼眸會說話，亞倫已爲她傾倒了。但是，他知道亞瑟的規定，他和眼前的女孩是不會有什麼結果的。

「嘿！瑪琳！」原先的男子在房間另一個角落叫她，「過來一下！」

她不理會他。

「妳男朋友在叫妳。」亞倫說道。

「哦！」她帶著微笑，「他不是我男朋友。」

她令他手足無措。他才從少年感化院因強暴案件脫身，現在又有女孩來惹他了。

「對不起，瑪琳，」亞倫說，「我該走了。」

她一臉驚訝的神情，「或許我們日後還會見面。」

亞倫頭也不回就走了。

第二天，星期日，亞倫認爲這是打高爾夫球的理想日子。他將球具放進車裡，駕車來到蘭開斯特俱樂部。在那兒租了一輛電動車，打了幾個洞，但成績不理想。當他第三次將球擊至沙坑時，對自己的表現非常不滿，於是退了下去。

《馬丁》張開眼睛，驚訝地發現自己手中居然握著一根高爾夫球桿。他必須將沙堆中的球打出去，他依計畫打了出去，打完那個洞。他並不知道前四洞到底揮了幾桿，因此他記——低於四桿標準桿一桿——伯蒂。

當他看見下一洞有很多人擠在那兒時，他大聲抱怨那群慢郎中破壞了他這種高手的打球興緻。

「我是紐約來的。」他對前一組四個人裡的中年人說話，「我通常在私人俱樂部裡打球，那兒會限制打球人數。」

當那個人面露緊張的神色時，馬丁插隊進去，「你不介意我先打吧？」在未等對方回答之前，他早將球打上果嶺了。

他用同樣的手法超到前面的兩人組。但是，卻把球打到水塘裡去。他將電動車停在水塘旁，看看能否找到球，但怎麼找都找不到。於是，他用另一個球開球，球越過池塘。他回到車上；當他跳上車時，膝蓋不巧扭了一下。

大衛出來承受痛苦，心想，自己為何會在這輛小車裡，不知這兒是何處。當疼痛減輕時，大衛坐在那兒玩弄方向盤，嘴裡假裝模擬引擎的聲音，腳踢著踏板，剎車柄鬆開了，車子開始下滑，直到前輪陷在池塘裡才停住。由於受到驚嚇，大衛退回去，由馬丁出現。馬丁心想，剛才發生了什麼事。他花了大半小時，前前後後推動車子，好不容易才將前輪推出泥濘。在他推車時，看到那一批批往前打球的人，這令他非常憤恨。

當車子終於回到乾燥路面時，亞瑟出現了，他告訴雷根，他判定馬丁是個惹人厭的傢伙。

「只不過是車子掉進池塘，給予這樣的懲罰是否太重了？」

「理由不在此，」亞瑟說道：「馬丁是個沒有價值的自大傢伙，只想穿上閃亮華服、駕駛豪華的大轎車，整天只會做白日夢。從未認眞想改善自己或發揮創造力，他只是個騙子，最嚴重的是，他是個勢利鬼！」

雷根笑著說道：「我還不知道勢利鬼也是被判定爲《惹人厭的傢伙》的理由。」

「我親愛的伙伴，」亞瑟的口氣冰冷，他知道雷根話中的含意，「除非一個人很聰明，否則任何人都沒有權利成爲勢利鬼，我有這種權利，馬丁沒有。」

亞瑟以平於標準桿的桿數，打完了最後四個洞。

一九七三年十月廿七日，差不多是桃樂絲與米查結婚後的十年，她與第四任丈夫戴摩結婚了。

戴摩試著做一位好父親，但孩子們並不領情。當戴摩訂定規矩時，亞瑟瞧不起他。

在桃樂絲列出的禁止事項中，有一項是禁止比利騎摩托車。湯姆知道這是因爲史都華的緣故，但他不認爲由於他人的行爲就可剝奪另外一個人的權利。

一天，他向朋友借來一輛山葉三五〇的機車，正好經過自己家門前時，發現排氣管尾端快掉下來了，如果碰撞到地面的話……

就在這危急的情況下，雷根跳下車。

他穩身站起，牛仔褲磨破了，然後緩緩將車推回門前的庭院，走進屋裡，清洗額上的血跡。走出浴室時，桃樂絲對著他尖叫：「我警告你不可騎摩托車的，你這麼做是要折磨我嗎？」

這時，戴摩也正好從花園走進屋內，並且大聲吼叫：「你是故意這麼做的！你知道我對機車的感覺，居然……」

雷根搖搖頭退了回去，他讓湯姆來解釋有關排氣管的事。

湯姆抬起頭，看見兩個人正在怒目瞪著自己。

「你是故意的，」戴摩說道，「對嗎？」

「你們瘋了，」湯姆同時檢查一下身上的瘀傷，「只不過是排氣管掉下來，而我……」

「又開始撒謊了！」戴摩說，「我檢查過機車，排氣管並未斷成兩截，連傷痕都沒有！」

「你憑什麼說我是騙子！」湯姆大吼回去。

「你是天殺的騙子！」戴摩吼過來。

湯姆氣沖沖跑出屋子，再怎麼解釋也是白費口舌，要不是雷根及時出現，機車早就毀了。不管他怎麼說，他們仍會叫他騙子。

由於怒氣不斷累積，湯姆已經無法承受了，於是退了下去……看見兒子滿臉怒氣衝出屋外，桃樂絲也跟了過去，只見他走進車庫。她站在車庫外探視，後來又從窗外看見一臉凶惡的比利走向柴堆，撿起木柴一劈爲二；他一次又一次打斷了好幾根，算是出了氣。

亞瑟決定，他們必須搬出這個家。

幾天後，亞倫找到一間廉價的公寓，房間有兩個半，距離桃樂絲的住處開車一會兒就到了。並不舒適，但是有電冰箱和壁爐。他自己添購一張床，一張桌子和幾張椅子；另外，桃樂絲用自己的名字爲他買了一輛龐帝克汽車，車款則由比利自行負擔。

雷根買了一把三〇口徑的卡賓槍、二五口徑的半自動手槍和九發裝的彈匣。

擁有一間屬於自己的公寓眞是令人興奮，只要高興，就可以去繪畫，不會有人與他爭吵。

亞瑟確認自己買的阿斯匹靈和其他藥物是瓶裝，而且小孩無法開啓這些瓶子。這樣的話，那些小孩就無法取得藥劑。他甚至堅持雷根買的伏特加酒也要有類似的功能。他還提醒雷根，槍枝必須放在上鎖的櫃子裡。

阿達娜和艾浦芳在廚房裡發生爭執，雖然亞瑟察覺到會有爭吵發生，但他決定暫時不予理會。由於全心專注於學習、研究以及未來的策劃，他自己的時間已經非常有限了，因此試著不去管那些娘兒們之間婆婆媽媽的事。當她們的爭吵太過份時，他會建議阿達娜去燒飯，艾浦芳去縫衣服、洗碗盤，順利解決彼此間的爭吵。

亞瑟曾對瘦小、黑髮、棕眼睛的艾浦芳有非常深刻的印象，她比起平淡無奇的阿達娜要漂亮多了，而且也比較聰明；她甚至可與湯姆或亞倫相比，有時候甚至比自己還有智慧。起初，他對她的波士頓口音頗有好感，但是當他知道她的計畫時，他立刻對她失去了興趣——艾浦芳一直在設法如何拷打、殺死米查。在她心裡已經有了腹案，如果她能引誘米查前來公寓的話，她會先將他綁在椅子上，用焊槍一寸一寸燒他，她會讓他吸食安非他命保持清醒，焊槍的火足可切除他每一根手指和腳指；慢慢的燒，不會流出血來。她希望在他進入地獄之前，先受到足夠的痛苦。

艾浦芳開始與雷根討論這個計劃。

她在他耳邊輕聲說道：「你必須殺死米查，只要一把槍，你就可以幹掉他！」

「我不是殺手。」

「這並不是殺人，只是他的行爲讓他罪有應得！」

「我不是法律，判決是法院的事，我只有在保護婦女和小孩時才使用暴力。」

「我是個女人。」

「你是個瘋女人。」

「你只要帶著你的槍，躲藏在他和他妻子居住的房子對面的山丘上，這樣就可以射殺他了。不會有人知道是誰幹的。」

「距離太遠了，卡賓槍上沒有狙擊鏡，我們沒有錢買狙擊鏡。」

「雷根，你並不笨，」她輕聲說，「我們有望遠鏡，你可以將望遠鏡放在槍上，再用兩根頭髮交叉成十字當準星用。」

雷根想把她甩了。

但艾浦芳仍不死心，她提醒雷根，米查曾經對孩子們所做的事，尤其她知道雷根很關心克麗絲汀，因此特別提醒他關於米查對克麗絲汀的虐待。

「我去幹掉他！」雷根說道。

他從頭上拔下兩根頭髮，用水小心地將兩根頭髮黏在接目鏡上，然後爬上屋頂，通過自己克難製造的望遠鏡向前瞄準。當他用ＢＢ彈試射過後，覺得有把握時，便用膠水將頭髮黏好，將接目鏡裝在卡賓槍上，走到樹林裡測試。他應當可以從米查的新房子對面的山丘上擊中米查。

第二天早上，在米查準備上班前一個小時，雷根開車到米查家附近。他停妥車子後，立刻溜到屋子對面的樹林裡。他躲在樹後等待米查的出現。他已瞄準過米查將會走出來的大門位置。

「不可以這麼做！」亞瑟大聲說道。

「他一定得死！」雷根回答。

「這並不在生存規定的條件中！」

「這屬於保護婦女及小孩的規定。他曾對小孩造成傷害，必須爲自己的行爲付出死亡代價。」

亞瑟知道任何爭論都無法改變雷根的決定，於是將克麗絲汀叫到「聚光燈」旁，讓克麗絲汀瞭解雷根打算做的事。她放聲大哭，兩腳重重踩踏，要求雷根不可做傻事。

雷根緊咬牙根，米查就快通過那扇門。雷根伸手退下裝有九發子彈的彈匣，將槍舉起，從望遠鏡中向前瞄準，扣下無子彈上膛的槍機，然後將卡賓槍扛在肩上，走回停車處，開車打道回府。

那天，亞瑟說：「艾浦芳精神錯亂，對每個人都是威脅。」他裁定她是惹人厭的傢伙。

(3)

門鈴響起時，《凱文》獨自一人在公寓裡。開門，看見一位漂亮的小姐正在對自己微笑。

「我打電話給哈伯瑞，」瑪琳說，「他告訴我你自己租了房子。那天晚上我們談得很愉快，所以我想來探望一下。」

凱文對她說的話一點兒概念也沒有，卻仍邀她進入屋內。「剛才我的情緒很差，」他說，「直到打開這扇門為止。」

瑪琳當晚就待在那兒觀賞畫作，還談論一些他們認識的人。她很高興自己主動過來看他，這讓她覺得彼此的距離拉近了。

當她起身離去時，他問她什麼時候還會再來，她說只要他願意，她還會來的。

一九七三年十一月十六日，是比利正式脫離少年感化院的日子。凱文坐在附近一家酒吧裡，想起戈迪在感化院中說過的話：「如果想與毒品沾上邊的話，」戈迪說，「可以來找我。」

對！就這麼做！

當天下午稍晚，他開車前往哥倫布市東方的雷諾斯堡郊區。戈迪給他的地址是偏遠處一棟看起來造價昂貴的農場房舍。

戈迪和他母親茱莉亞很高興見到他。茱莉亞還用性感的嗓音告訴他，任何時候都歡迎他光臨。

當茱莉亞忙著爲自己倒茶時，凱文問戈迪是否可以借他一筆錢買藥做生意。現在雖然沒錢，但日後一定會還他。

戈迪帶他到附近一棟房子，在那兒向一個朋友買了價値三百五十元的大麻。

「這些大麻賣出去超過一千元。」戈迪說，「賣掉之後再還我錢。」

凱文雙手發抖，神情茫然。

「你自己經手的是什麼？」凱文問。

「如果弄到手的話，是嗎啡。」

不到一星期，凱文將大麻賣給瑪琳的朋友，淨賺七百元。凱文回到公寓後，打電話給瑪琳。

不久，她來到凱文的住處。她說她很擔心——因爲他在賣大麻。

「我知道自己在做什麼，」凱文邊說邊吻她。熄了燈，將她帶到床上。但是，當他們肌膚相觸時，阿達娜希望凱文退下去，因爲這是阿達娜所渴望的擁抱與溫柔。

阿達娜知道亞瑟的禁慾規定，她曾聽見亞瑟告訴其他男孩，如果違反任何規定，就會被裁定爲惹人厭的傢伙。但是，身爲英國紳士的亞瑟，從未和阿達娜談及性方面的事，她不贊成這項荒謬的規定，亞瑟也從未對她起過疑心。

第二天早晨當亞倫醒來時，曾經發生了什麼事他一無所知。見到抽屜中的錢，只覺非常擔心。但是，又無法找到湯姆、亞瑟或雷根問個清楚。

下午，哈伯瑞的一些朋友過來要大麻品，但亞倫聽不懂他們在說什麼。其中有些人的態度比較惡劣，手握鈔票在亞倫兩眼前揮動。因此，亞倫懷疑家庭中有人販毒。

後來，他到哈伯瑞住處時，有個男子拿了一把三八口徑的史密斯手槍給他看，亞倫並不清楚自己爲何需要槍；但是，他出價五十元，對方也接受了，甚至還奉送幾顆子彈。

亞倫將槍放在汽車座椅下。

雷根出來了，不斷把玩手槍——是他要亞倫買的——雖然那並不是他最鍾愛的型式，他希望的是九厘米的槍；但是，對於自己的武器蒐集而言，這未嘗不是件好事。

亞倫決定搬出這棟環境惡劣的公寓，他四處尋找招租廣告，見到其中一張廣告單中的電話。他從髒污的電話簿上找到該電話的地址和姓名：葛喬治，就是上次協助他打官司的那位律師。他央求桃樂絲替他打電話承租。葛喬治同意以每月八十元的租金出租。

那棟公寓是位於羅斯福大道後的白色建築，亞倫租的是二樓的一間臥房。一個星期後，亞倫搬進去整理得十分舒適。他決定絕不可再有毒品交易，也不准再與那些毒蟲往來。

他十分驚訝見到瑪琳來此公寓時，竟是如此的自在。自從上次在哈伯瑞住處見面後，亞倫就未再與她見過面了。他一點兒也不清楚他們之中有誰與她約會，但他認爲她並非自己心目中的對象，也不想與她發展任何關係。

她下班後就會過來，爲他準備晚餐，相處一會兒後，就回她父母家；但實際上她又住在亞倫的公寓裡，這讓整個事情變得很複雜，並非亞倫喜歡的。

每當她想親熱時，亞倫便退去了，他並不知道由誰出現，也不屑於知道。

瑪琳對這間新搬進來的公寓很滿意。比利有時會說髒話，有時會大發脾氣；起初她很吃驚，後來也就習慣了他易變的性格——前一分鐘還很溫柔，不到一分鐘立刻就大發脾氣，不一會兒又變得非常幽默、聰明。有時候，在無任何預警的情況下，他又會變得非常笨拙，笨到比小孩還不如。她知道他確實需要有人照料。如果能說服他，讓他明白哈伯瑞那夥人只是在利用他的話，那麼他就會瞭解他並不需要那些人。

有時他的言行眞會嚇壞她。他說他很擔心如果有人見到她在那兒，那些人就會來找麻煩。他口氣中暗示，他指的是一個「家族」，令她深信他和黑手黨有什麼深層關係。只要她在公寓裡，他就會在窗前擺一幅畫。他說這是「暗號」，主要是告訴其他人不可接近，因爲她在房裡。

他的做愛方式令她有些困擾，雖然他很強壯而且男性化，她卻感覺他似乎刻意將激情隱藏，並未達到眞正的高潮。儘管如此，她知道自己愛他，只要經過一段時間與諒解，一切都會好轉。

某晚，阿達娜溜走了，大衛發現自己站在《聚光燈》下出現，只覺非常害怕、不停的哭。

「我還是第一次見到大男人在哭，」瑪琳輕聲說道，「怎麼了嗎？」

大衛蜷曲著身子，哭得像個淚人兒。她緊緊環抱他。

「比利，你必須告訴我，如果不告訴我出了什麼事，我就無法幫你忙。」

大衛不知該如何回答。他退去了。後來，湯姆發現自己被一位美麗小姐抱著，他也溜走了。

「如果你繼續這樣，我可要回家去了。」她對他的愚弄手法很生氣。

湯姆注視她走進浴室。

「搞什麼鬼！」他低聲咒罵，神情緊張的四處張望，「亞瑟會把我給殺了！」

他從床上跳起，穿上褲子，在房裡踱來踱去，心想到底是怎麼回事。「她到底是誰？」

他看見客廳椅子上的女用皮包，迅速查看了一遍，發現她駕駛執照上寫的名字是瑪琳，於是趕緊又放回皮包裡。

「亞瑟？」他低聲叫喚，「如果你聽見的話，我必須告訴你，我和這件事沒有任何關係，我沒碰她，相信我，我不是那種會違犯規定的人。」

他走向畫架，拿出畫筆開始畫風景畫。亞瑟一定會知道我正在做自己喜歡做的事。

「畫畫，除了畫畫之外，還是畫畫，比利，快和我說話呀！」他記得亞瑟規定對待女人必須有禮貌。湯姆將畫筆放下，坐在她對面的椅子上。她非常漂亮，雖然她現在穿著衣服，但他仍然能夠看透她那豐滿的身材、每一條曲線和每一處凹凸。以前他從未畫過裸體女人，但是他會很願意為她這麼做的。無奈這並非自己的專長，畫人像是亞倫的工作。

他與她交談了一會兒，為她深色的眼眸、噘起的唇，細長的頸子所著迷。他知道無論她是誰、是什麼原因讓她來到此地，他都為她瘋狂。

沒人能瞭解比利為何開始缺席，或是為何會變得如此愚笨。有一次，他爬到桶子上修理鏈條，結果掉到酸槽裡去了，他們必須送他回家。一九七三年十二月廿一日，他被公司開除，他在家裡一個人獨自繪畫。後來，有一天，雷根拿起手槍，開車到樹林裡練習射擊。

此時，雷根已買了好幾枝槍，除了三八口徑史密斯、二五口徑自動手槍、三〇口徑卡賓槍外，還有三七五口徑的連發手槍、M－14步槍，四四口徑大型連發手槍及M－16步槍，他特別鍾愛的是以色列手槍，因為體積小又安靜。另外，他也買了一些武器收藏家都有的四五口徑湯普森圓型彈匣。

當混亂時期到達頂峰時，凱文要求戈迪介紹銷售網，凱文已打算全力投入毒品交易。一個小時後，戈迪打電話進來，告訴他在哥倫布市東方雷諾斯堡附近通往黑森林的路線。

「我向他提起你，他希望能單獨和你見面，如果他喜歡你，你就可以開張，他叫傅布萊。」

凱文依戈迪的指示小心地開車出去。他從未去過那個地方，但是比預定時間提早了十分鐘到達。他停好車之後，便坐在車裡等待。經過了幾近半個小時，一輛朋馳汽車駛來，有兩個人走下車，一個滿臉痲子的高個兒身穿棕色皮衣，另外一個中等身材蓄八字鬍、身穿細條紋西裝，另外還有個人坐在車後座監視。凱文不喜歡這樣的情景——一點兒也不喜歡。他坐在方向盤後，全身淌汗，心想自己怎會落到這個地步，是不是該開車離開？

大個兒走過來，屈身靠在窗旁盯著凱文看。在緊身衣外，可以看見他腋下有突出物。「你是威廉·密里根嗎？」

凱文點點頭。

「傅先生想與你談談。」

凱文走下車，才一轉身，就看見傅先生也已從朋馳車後座走出來了，斜靠在車門上，不比凱文大，約莫十八歲模樣，及肩的棕色頭髮，喉結很明顯。

凱文開始走過去，突然間感到一陣暈眩，於是強打起精神。大個兒的槍指著他的腦袋，中等身材的漢子同時走過來搜他身。然後，凱文退去了……

雷根抓住中等身材漢子的手，急拉之下，那漢子被甩到持槍的大個兒跟前。雷根敏捷一跳，奪下大個兒手上的槍，同時躲在大個兒身後瞄準傅布萊，傅布萊一直站在車旁目睹一切的發生。

「別動！否則我就不客氣了！」他的語氣很冷靜，「只要你敢妄動，兩顆子彈立刻擊中你的眉間！」

傅布萊舉起雙手。

「你！」雷根朝留八字鬍的漢子說，「用兩根手指把西裝裡的槍取出來放在地上！」

「照他的話做！」傅布萊命令道。

當那男子慢吞吞時，雷根又說：「現在就做，否則讓你腦袋開花！」

那男子翻開夾克，取出手槍放在地上。

「現在慢慢把槍踢過來！」

那男子將槍踢過來，雷根放掉人質，取起地上的槍，分別瞄準三個人。「這可不是你們應有的待客之道。」

他將所有子彈退膛，轉了一轉槍，再將兩枝槍歸還原主，然後走向傅布萊。

「我想你該找一些更好的貼身保鑣了。」

「把槍收起來，」傅布萊說道，「到他的車旁去，我要和密里根先生談談。」

他示意雷根進入朋馳車後座，稍後兩人都坐進車裡了。他按下開關，小酒吧緩緩出現。

「喝點什麼？」

「伏特加。」

「從你的口音我知道了，你的名字雖然有愛爾蘭味，但一定不是愛爾蘭人。」

「我是南斯拉夫人，名字並不代表什麼。」

「你用槍是否和用手一樣俐落？」

「有沒有槍可以借用一下？」

傅布萊從座椅下取出一把四五口徑的手槍。

「好傢伙！」雷根說道，然後試了一下重量和平衡性。「我比較喜歡九厘米的槍，但這把也不賴。你選個目標吧！」

傅布萊按下車窗電動開關，「馬路對面的啤酒罐，靠近……」

話還沒說完，雷根瞬間開了幾槍，啤酒罐在地上應聲翻滾，滾動時又被擊中幾槍。

傅布萊笑道：「有了你，我一切都可放心，威廉．密里根先生？或任何其他名字？」

雷根說道：「我需要錢，只要有工作我就幹。」

「違法的事幹不幹？」

雷根搖搖頭，「有個條件，除非生命受到威脅。否則我不傷人；另外，我也不攻擊女人。」

「很好，現在你先回車上，跟著我們走，到我那邊坐坐，談談生意。」

兩名保鑣怒目瞪視，看著他走回自己的車。

「如果下次再這麼做，」大個兒說道，「我會殺了你！」

雷根立刻扭住他的手臂，頂向車門，只需稍稍使力便可扭斷。「你的動作太慢了，最好小心一點兒，我是個危險人物。」

傅布萊在車裡大吼：「墨瑞！他媽的，快給我滾回來！別惹比利，他現在為我工作了！」

雷根開車尾隨他們，心想這到底是怎麼回事？為什麼自己會在這兒出現。

過了許久，遠離雷諾斯堡之後，車子駛進一片廣大的私人宅邸。眼前的景象令雷根十分驚訝，四週有高聳的圍牆，圍牆裡有三條大狼犬跑來跑去。

那是一棟維多利亞式的巨型建築，地板上鋪有長毛地毯，內部擺飾十分豪華。傅布萊帶領雷根參觀房子。顯然他對自己的財富頗自滿。然後又帶雷根進入私室酒吧，爲他倒了一杯伏特加。

「現在，密里根先生……」

「人們都叫我比利，」雷根說道，「我不喜歡威廉·密里根這個名字。」

「我瞭解，我想那並不是你的眞名。好，比利，我可以雇用你——敏捷、聰明、強壯、神槍手，我很需要像你這樣善用短槍的人。」

「什麼是短槍？」

「我從事的是運輸業，運輸人員必須受到絕對的保護。」

雷根點點頭，伏特加已在體內產生變化。「我是守護神。」他說。

「很好，我要你的電話號碼，每次出貨前一天或兩天，你必須住在這裡，這兒有很多房間，你無須知道運貨內容和地點，如此可以把走漏風聲的可能性降到最低。」

「聽起來還不賴！」雷根邊說邊打哈欠。在返回蘭開斯特的路上，雷根睡著了，由亞倫開車，他很納悶剛才去過什麼地方？做過了什麼事？

接下來幾個星期，雷根依約定負責護送麻藥，多半都在哥倫布市內各掮客與客戶之間穿梭。他對他護送大麻和古柯鹼頗感興趣，因爲可以親眼目睹報紙上經常刊出的黑道名人。

有一次，他們運送M—1來福槍前往西維吉尼亞黑人區。雷根猜想，他們要這些槍做什麼？

好幾次雷根想找亞瑟，然而當時若非陷入混亂時期，要不就是亞瑟拒絕與他會談，反正都無法如願見到面。他知道菲利浦和凱文曾竊取時間，這是因爲他在公寓裡曾發現鎮靜劑和安非他命之類的瓶子被打開了。有一次，他還發現有一把槍放在衣櫃裡。他非常生氣，因爲如此粗心大意可能會造成其他小孩的傷害。

他決定下次如果那些《惹人厭的傢伙》出來的話，他會試著保持清醒，把他們推到牆邊好好教訓一頓。毒品對身體的危害甚巨，伏特加因爲含有自然的成份，所以還好些。但是，他不希望家庭中任何一位成員沾上毒品。他開始懷疑有前科的凱文和菲利浦。

一個星期後，從印地安那送大麻到某家汽車商的任務完成時，雷根打算在哥倫布市用晚餐。一走出車門，便見到一對上了年紀的男女在分發共產黨的宣傳小冊子，他們身旁圍繞了幾個刁難的傢伙。雷根上前詢問這對男女是否需要幫忙。

「你是否認同我們的主義？」婦人問道。

「是的，」雷根回答，「我是共產黨員，我曾在工廠裡見過被奴役的工人。」

那位老人給了他一疊有關共產黨哲理，以及一些攻擊美國政府、支持獨裁政權的言論手冊。

雷根朝布羅得街走去，強將這些小冊子塞到過往行人的手裡。

當他手上剩下最後一冊時，決定自己保留下來。他想尋找那對老人，但已經離開了。他走過好幾條街繼續尋找。如果能找到聚會地點，他一定會參加共產黨組織。他曾觀察湯姆和亞倫在蘭開斯特電鍍廠工作的情形。他認爲唯一改善這些低下階層勞工的生活，只能經由人民革命方可達成。

後來，他看到汽車保險桿上貼的標籤：『全世界工人大團結！』一定是那對老人貼的，那些口號讓他警覺一驚，立刻跪了下來——標籤右下方印有哥倫布市絹網製版公司的字樣，那兒一定有人可以告訴他共產黨員的聚會地點。

他查了電話簿，發現那家公司的地址並不遠，於是開車前往，坐在車裡觀察這家公司。接著，他又開車到下一個街角的公共電話亭，用鉗子將電話線剪斷，隨後又以同樣的手法將另外一個街角的電話線也剪斷，這才走進那家公司。

公司負責人大約六十歲，滿頭花髮、戴了一付很厚的眼鏡，他否認所謂的共產黨貼紙是他們公司的。「那是一家位在北哥倫布的印刷廠訂做的。」他說道。

雷根握拳敲擊櫃台，「給我地址！」

那老人很緊張，突然頓住了。「你有沒有身份證？」

「沒有！」雷根回道。

「那我怎麼知道你不是FBI派來的？」

雷根抓起他的衣領，近身說道：「老伯，我要知道那些貼紙被送到哪兒去了！」

「爲什麼？」

雷根拔出槍來，「我在尋找我的同志，但我找不到他們。快告訴我他們在哪兒，否則槍子兒是不長眼睛的！」

那老人慌慌張張地從鏡片後盯著他。「好吧！」他取出筆在紙上寫下地址。

「我要看你的帳冊好確定一下。」雷根說。

老人指著桌上的簿子，「在那本簿子裡，但是……但是……」

「我知道，」雷根說，「共產黨客戶的地址不在裡面。」然後再次用槍指著他，「打開保險櫃。」

「你打算搶劫？」

「我只要正確的資料。」

老人打開保險櫃，取出一張紙放在櫃台上。雷根看了一會兒，很滿意上面的正確地址。他手一伸，立刻將電話線給扯斷。

「如果你打算在我到達之前打電話通知他們，可以利用兩條街外的公用電話。」

雷根走回車裡，估算印刷廠距離此地大約只有四哩遠，在那老頭找到可以打通的公用電話前，他早已先到達了。

那地址是一棟住宅，一樓的玻璃窗上貼了一塊小招牌：『印刷』。印刷工作就在客廳裡進行，裡面分別有一張長桌、小型印刷機、油印機。雷根很驚訝，因爲他並未發現任何畫有鐮刀與鐵槌的海報，看來反倒像一家小規模的家庭印刷廠。但是，從他腳下感受到的震動判斷，他知道地下室也有印刷機在作業。

出來應門的是一位大約四十五歲的中年男子。「我是波卡爾，有什麼事能爲您效勞嗎？」

「我要爲革命事業勞動。」

信人類生而平等。」

「因爲我認爲美國只是黑手黨的化名，他們壓榨勞工，利用大筆金錢支持那些獨裁者，我相

「爲什麼？」

「請進，年輕人，我們進屋談。」

雷根隨他進入廚房，在桌旁坐下。

「你是哪兒來的？」波卡爾問道。

「南斯拉夫。」

「我剛才就認爲你是斯拉夫人。當然，必須先做一些調查，但我看不出不讓你加入的理由。」

「我希望有一天能到古巴去，」雷根說，「我對卡斯楚懷有極大的敬意，他帶領蔗糖工人走上山頂，進行革命。現在，全古巴人都是平等的。」

他們交談了一會兒。波卡爾邀請雷根參加當天下午舉行的共產黨會議。

「在這兒？」雷根問。

「不，在威斯特維爾附近，你可以開車跟我去。」

雷根開車尾隨到一個看起來頗爲富有的社區，心中不禁有些失望，他以爲會在貧民區裡聚會。

雷根是以南斯拉夫人的身份被介紹入會，那些人並無任何特殊之處，他坐在後排觀察會議的

進行。但是，當演說者不著邊際地大談特談時，他的心思也開始漫遊。他試著保持清醒，但最後放棄了。只要小睡一會兒就行，馬上會醒過來的，這些人是他找到的，是他一直想加入的團體，這個團體是爲了抵抗壓迫勞工的資本主義。他開始打盹了……

亞瑟坐直身子，保持警戒狀態，他曾觀察雷根最後一段的旅程，他看見雷根開車尾隨另外一輛車。但令他驚訝的是，這麼一個聰明人，竟然會參加這樣的場合，這眞的是共產主義聚會。他有個念頭想站起來告訴在座的每一個人，蘇聯才是眞正最大的獨裁政體，多年來從未將政權交給人民；資本主義才是眞正給予人們良心和機會的集團，這是共產制度絕對無法做到的！

亞瑟站起來，環視在座的聽衆，然後逕自走開了，留下的只是一些驚訝。那個南斯拉夫傢伙完全自我矛盾，靠搶銀行、賣毒品維生，竟然誓言要解放人民！

亞瑟找到車子，在車內坐了一會兒。他痛恨開車行駛右邊的規定，雖然經過多次的努力，仍無法找到其他人開車。「該死的混亂時期！」然後整個心緒逐漸冷靜下來。坐在駕駛座上，伸長了脖子，注視馬路中央的分隔線，試著將車子遠離人行道護緣，以每小時二十哩的速度行駛。

亞瑟專心留意路旁的指標，突然發現目前行駛的日榮路或許就位在胡佛水壩附近，他將車停到一旁，取出公路地圖。沒錯，他眞的就在他早已夢想要參觀的水壩附近了。

他是從那些曾參與水壩興建的士兵那兒聽來的，他聽說水壩旁有一些堆積的泥濘。他曾反覆思考，這些泥堆是否會成爲蚊蟲滋生的溫床？果眞如此的話，他會請求環保局來消滅這些蚊蟲。

重要的是，他必須採下一些樣本回去，放在顯微鏡下觀察。雖然這並非一項大計劃，但他知道一定得有人去執行。

他陷入沈思，因此車速很慢，也很小心。突然，一輛卡車從後面駛來，超越他的車子之後又回到原來的車道上。就在同時，前方有輛小車爲了閃躲，不巧倒栽蔥衝入溝裡，亞瑟見狀立刻停車，冷靜的走出車外。一位女士被卡在車內，正試著爬出來。

「嘿！不要動！我來幫妳！」

她的傷口流血不止，因此亞瑟以直接壓迫法爲她止血。她開始嘔吐，牙齒撞斷了，不停咳嗽，顯然喉嚨裡有異物阻塞。他決定幫她呼吸，於是翻尋自己的口袋，結果找到一根原子筆。他抽出筆管，用打火機將筆管燒軟，插入她喉嚨協助她呼吸。他將她的頭移向另一邊，讓血從口中流出。

從簡單的檢查中，亞瑟發現她的下巴已碎裂，手腕也一樣。他懷疑她的肋骨也被壓斷了幾根，一定是撞到方向盤。

當救護車到達時，他立刻說明事發經過，以及他曾採取的急救，然後便走進圍觀的人群中。

他放棄前往水壩的念頭。天色已暗，必須趕在天黑前回家，因爲他不喜歡夜間靠右行駛。

第十四章

(1)

亞瑟發現自己對最近發生的事愈來愈難以忍受。亞倫被革職——他在JC潘尼流通中心負責塡寫送貨單、爲卡車裝貨——當時大衛突然地出現，結果讓亞倫駕駛的堆高機撞上了鐵柱。不幸的是，後來湯姆在蘭開斯特和哥倫布市兩地找了許久也無法找到工作。雷根則定期爲傅布萊工作——護送軍火與毒品——他喝了不少伏特加，也吸食不少大麻。雷根在印地安納波利市花了四天追蹤一批軍火的運輸之後，最後到達德頓市。也不知道是誰吸食過量的鎮定劑，當湯姆出現時，發現自己在州際高速公路上行駛，只覺頭暈、胃部很不舒服，他退了下去。大衛出現，駛往一家汽車旅館休息，旅館老闆查覺有異，因此將他留置。在醫院裡，院方爲大衛洗腸，醫生認爲他服藥過量。後來，汽車旅館的老闆又不打算舉發他，於是將他釋放。當亞倫返回蘭開斯特市的公寓時，瑪琳與他在一起。稍後，其中一個《惹人厭的傢伙》——從布魯克林口音中推知那是菲利浦——服用太多紅色膠囊，於是瑪琳打電話叫來救護車，隨車前往醫院，經過洗腸之後，她留下來安慰他。

她告訴他，她知道他和一些不良份子混在一起，擔心他會有更大的麻煩，但無論任何情況，她會永遠和他站在一起。亞瑟對這樣的想法非常不滿，他也知道這是因爲他們當中有人很差勁，才會引來瑪琳的母性本能，這令他無法容忍。

瑪琳待在公寓裡的時間愈來愈久，爲整個生活更增添困難。亞瑟必須非常小心，以免她發現他們的秘密。不斷地，有愈來愈多時間被竊取，但他無法控制。他可以確定的是，他們中間有人在吸毒——他已經發現口袋裡的保釋金——他也知道有人因爲塡寫不合法的藥方而遭警方拘捕；同時，他也知道他們當中有人與瑪琳有性行爲。

亞瑟決定離開俄亥俄州，此刻正是最佳時機。他曾要求雷根經由地下管道購買護照。他檢視雷根從傳布萊那兒買來的兩本護照，其中一本使用的名字是華雷根，另一本的名字是施亞瑟，這兩本護照或許是偷來的，要不就是高明的僞造品。即使經過詳細檢查，亦難辨其眞僞。

他打電話到泛美航空訂了一張前往倫敦的單程機票，並帶走衣櫃裡所有的錢，行李打包完成。亞瑟要返回故鄉了。

前往甘迺迪機場和飛越大西洋的旅途上一切都非常順利。當他將行李放在倫敦機場櫃台時，海關人員揮揮手讓他入關。

亞瑟在倫敦霍普威區找到一間位於酒館樓上的小旅館投宿，一個人在一家小巧精緻的餐廳裡吃午餐，然後叫了一部計程車前往白金漢宮。他錯過了衛兵的交接儀式，因此準備明天再來。漫步街頭令他覺得十分暢快。他用英國俚語與行人打招呼。他決定隔天去買把傘。

在他的記憶中，這是他第一次發現周遭的人說話的口音與自己一模一樣。交通行進方向是正確的，那些英國警察給了他安全感。

他參觀倫敦鐵橋和大英博物館。晚餐有魚、馬鈴薯片和英國啤酒。當晚返回旅館時，想起著名的福爾摩斯偵探片。他告訴自己，明天必須拜訪貝克街二二一b的宅邸，仔細檢查那個地方，確定那兒仍有人替偉大的偵探保管得完好如初。他覺得自己好像回到了家一樣。

翌晨，壁鐘的鐘擺吵醒了亞倫。他張開眼睛跳下床環顧，發現這是一家古老的旅館，房裡擺的是鐵床架、花格壁紙，地板上舖了地毯，可以確定的是，這絕不會是假日飯店。他試著尋找浴室，都找不著。亞倫穿上褲子，向門外的走廊瞧了一眼。

到了什麼鬼地方呀？他走回自己房間，趕著打理服裝。然後走下樓，看看是否能找到自己熟悉的事物。在樓梯上，他遇到了一位端茶盤的男子正要上樓。

「要吃早餐嗎？先生？」那男子問道，「今天天氣很好。」

亞倫奔下樓，衝出大門，來到街上四處張望，只見掛有大塊車牌的黑色計程車和酒館招牌，馬路上的汽車都是逆向行駛——靠左側。

「去他媽的！到底發生了什麼事？這到底是怎麼搞的？」他來回奔跑，嘴裡不斷咆哮，一臉怒氣。路上的行人無不轉過頭來打量他，他卻不在乎。他痛恨自己每次醒來時都在不同的地方，他再也無法忍受了，他想去死！只見他跪了下來，用拳頭敲打石路，眼淚不停流下。

後來，亞倫瞭解到，如果此時有警察過來，他一定會被送到精神病院。於是亞倫站起來，衝回自己的房間，在行李箱內發現一本寫有《施亞瑟》名字的護照，同時還有一張飛往倫敦的單程機票票根。亞倫一股腦兒倒在床上。亞瑟的腦子裡到底在想什麼？瘋子一個！

他摸遍了口袋，一共找到七十五元。他如何能回家？回美國一張機票就要三、四百元。「他媽的！神經病！」

他開始將亞瑟的衣物打包準備下樓結帳，但後來停住了。「去死吧！我才沒必要帶他的衣物回去！」他將衣物及行李全留了下來。

他拿著護照，走出旅館，招來一部計程車。「國際機場。」

前往機場的路上，他心裡盤算著接下來該如何處理，七十五元能去的地方太近了。但是，如果運用智慧的話，應當有方法可以搭上回家的飛機。到達機場付完車資後，他衝進機場。

「天哪！」他高聲大吼，「我不知道發生了什麼事！我下飛機下錯時間了！沒人告訴我不該下飛機。我的飲料裡一定被人下了藥。都是航空公司的錯，我所有的行李都還在飛機上，現在口袋裡的錢所剩不多，該如何回美國？我的天哪！沒人告訴我不該下飛機，現在我身無分文了！」

航警人員為了安撫亞倫，於是帶他進入航警辦公室。

「我下飛機的時間不對！」亞倫大聲叫道，「我原本打算到巴黎的，結果提早下飛機。當時我只覺得昏沈沈，一定是飲料裡下了藥，這都是航空公司的錯。所有行李都留在飛機上，身上只有幾十塊錢，根本就沒法子回美國！我買不起機票！我才不想待在倫敦，一天也無法忍受！你們有誰可以幫我回美國？」

一位仁慈的年輕女子聽了他的乞求後，告訴他說她一定會盡力協助他。他在交誼廳裡等候，來來回回踱步，不停吸煙。她則在一旁打了好幾通電話。

「只有一種可行辦法。」她說道，「我可以為你安排回美國的候補機位。你一回到美國，就必須立刻付機票錢。」

「當然！機票錢我是不會賴的，我家裡有錢，我只想回家，我會立刻付款的！」

他不斷向那些願意聽他說話的人嘮叨，直到最後，他們認為最好的方法就是擺脫他，而這也正是他期盼的結果。最後，他們為他在一架七四七飛機上找到了座位。

「感謝主！」當他在座椅上繫上安全帶時，低聲說道。他不敢睡著，為了讓自己保持清醒，他讀遍了飛機上所有的雜誌。當他抵達哥倫布市，一位航警人員載他回蘭開斯特，亞倫在他收藏賣畫收入的角落找到錢，支付回程的機票費用。

「感謝你的協助，」他告訴那位航警人員，「泛美航空真的是體貼入微，將來有機會的話，我一定會寫信給貴公司的總經理，告訴他你達成了一件完美的任務。」

亞倫獨自在公寓裡，情緒非常低迷。他試著與亞瑟溝通，花了他許多時間，最後亞瑟出現了，當他發現自己已經不在倫敦時，他拒絕與任何人談話。

「你們全都是他媽的草包！」他出聲抱怨，然後怒氣沖沖離去了。

(2)

九月底，亞倫被一家大型玻璃公司錄用，凱西以前曾在這家公司待過。他負責的工作是包裝生產線上的產品，但有時他又得擔任品管員，檢查產品是否有缺陷。這份工作很單調，得一直站在那兒，機器的聲音令人震耳欲聾。撿起滾燙的玻璃器皿，檢查是否有瑕疵，然後裝箱。工作時，是由湯姆、亞倫、菲利浦和凱文輪流出現。

在亞瑟的同意之下，亞倫找到另外一間位於二樓有三個房間的公寓。每個人都很喜歡這個新家，亞倫是因爲公寓外有一道灰色圍牆，可將停車場與公路隔開。他喜歡如此有隱私的環境；湯姆很高興有個房間可以放他的電子設備，另外一個房間是音響室；雷根則擁有可以上鎖的私人壁櫥，可以將所有的槍枝鎖在裡面——除了九厘米自動手槍，他將那支槍放在冰箱上，不但人們看不見，孩子們也無法接觸。

瑪琳每天晚上自百貨公司下班後，就會過來這兒。如果他正好輪值小夜班，她會等他等到凌晨十二點，而且多半都會在此過夜，天亮前，一定趕回父母家。

瑪琳發現比利的脾氣愈來愈糟，而且比以前更難捉摸。有時候，他會大發雷霆、摔碎東西；有時候，會神情恍惚地望著牆壁，要不就是進到畫室作畫。但是，無論如何，在談情說愛時他永遠是個輕聲細語、體貼入微的好情人。

湯姆並未將自己逐漸不穩定的狀況告訴她——他會忘了上班、遺失時間。所有事情似乎都湊在一塊兒了。他們正陷入另一次的混亂時期。此刻，理應由亞瑟負責掌握全局，但不知爲什麼，他似乎喪失了主導權。無人專心於工作。

亞瑟抱怨這一切混亂都是瑪琳帶來的，他堅持一定要斷絕與瑪琳之間的關係。湯姆感受到自己悸動的心跳，想爲她辯護，但又害怕亞瑟說他已陷入情網。他知道自己曾經數次幾乎被裁定爲《惹人厭的傢伙》。過了一會兒，他聽到阿達娜的聲音。

「那不公平」她說。

「我一向秉公處理。」亞瑟說道。

「規矩是你訂的，你要求我們和外界的人之間不得有任何感情那是不對的！」

湯姆默默認同她的看法。

「瑪琳壓抑了我們每個人的天份和技能。」亞瑟說：「她只會斥責我們、和我們吵架，白白浪費太多時間，這對我們提升精神層次而言，是一種障礙！」

「我不認爲趕走她是件好事，」阿達娜的口氣頗爲堅持，「她是很有愛心的人。」

「看在老天的份上！」亞瑟說：「湯姆和亞倫目前還在工廠工作，我只希望他們在那兒工作幾個月就好了，把賺到的錢存起來，然後就可以再找一份較有技術性的工作，發揮我們的技能。現在已經沒有人願意努力發展自己的才能了！」

「哪一項比較重要？——提升我們的精神層次還是表達我們的情感？或許這個問題不恰當，

因為你是冷血動物；或許藉著壓抑自己的感情，對一切講求邏輯的你，可以成為一位擁有高生產力的傑出人士。但是，當你對任何人都不再有任何價值時，你就會變得很孤獨！」

「瑪琳必須走！」亞瑟說道。他認為與阿達娜爭辯已經夠沒面子了。「我不管由誰出面處理，但這種關係必須終止！」

瑪琳事後回想起當晚離去時的情景：兩人曾發生爭執，他的行為非常怪異，她還以為他吸了毒。他躺在地板上，對她大發雷霆──她不知道自己做錯了什麼事──他握有一把槍，在手指間玩弄，槍口指著她的腦袋。

他從未用槍指過她，因此她並不害怕，反而為他擔心。只見他兩眼瞪著前幾個晚上才買回家的貝殼燈，然後跳起來，朝那盞燈開槍射擊，貝殼燈應聲粉碎，在牆上留下一個洞。

他把槍放在吧台上。當他一轉頭，瑪琳立刻抓起那把槍跑出公寓，奔向樓梯坐進自己車內。倒車時，他及時跳上引擎蓋，透過擋風玻璃怒目瞪視，手上拿著一根像是螺絲起子的尖物，不停敲打玻璃。她停車，把槍還給他。他拿到槍之後，沒說一句話就回屋裡去了。

她開車回家時，心想兩人的關係大概就到此為止了吧！

當天夜裡稍晚，亞倫前往『格里利』餐廳。點了一份『史特龍波里英雄』三明治──義大利香腸、起司、多汁蕃茄醬，他看見服務員為他用鋁箔紙打包熱騰騰的食物，然後放進一只白色紙袋裡。

返回公寓後，他將紙袋放在餐檯上，進入寢室換衣服。他感覺今晚想繪畫。他脫去鞋子，走向衣櫃找拖鞋。站起來時，頭撞到衣櫃，令他非常生氣，於是將衣櫃門用力關上。後來，他想打開卻已經打不開了。「他媽的！」他大爲光火，抬起頭來，結果又撞了一下。

雷根張開眼睛，發現自己手抱頭，坐在地板上，四週全是鞋子，他站起來，用腳踢開門。他很生氣，《混亂時期》令他愈來愈難受。所幸的是，已經擺脫那個女人了。

他在房裡四處走動，試著理出一些頭緒。如果能找到亞瑟，或許可以知道發生了什麼事。現在他只需喝些酒。他走進廚房，發現餐檯上的白色紙袋，他不記得以前曾見過它在那兒。他用懷疑的眼光打量那只袋子，從吧台裡取出一瓶伏特加注入盛了冰塊的酒杯時，袋子裡傳出奇怪的聲音。他倒退幾步，直瞪那只袋子。

當紙袋再度移動時，他屏氣凝神。他記得以前爲了恫嚇地主，曾將眼鏡蛇放在紙袋裡，或許這次紙袋裡裝的並非眼鏡蛇。他伸手摸到冰箱上的槍，以極快的動作瞄準射擊。

紙袋應聲飛到牆角下，他躲在吧台後謹愼打量，槍口仍瞄準紙袋。他緩緩走過去，用槍管撥開袋口，看見裡面有血團，他倒退一步又開一槍，口裡大喊：「我又打中你了！媽的！」

他又踢了紙袋好幾腳。當紙袋毫無動靜時，他撥開紙袋看個清楚，他不敢相信自己的眼睛，袋裡裝的是蕃茄醬和起司三明治，中央有個大洞。

他放聲大笑。原來是高溫的錫箔紙讓紙袋移動的，對於自己大驚小怪的舉動他頗不以爲然。隨後，他將紙袋放回餐檯，槍也擺到冰箱上，獨自喝起伏特加。他再倒了一杯酒，拎著酒杯到客廳打開電視，現在是新聞時間，或許可以知道今天是幾月幾號。新聞報導結束前，他已睡著了……

亞倫醒來，不知自己是如何離開衣櫃的，只覺頭還隱隱做痛，手一摸，原來睡了個小包……到底是怎麼回事？他應按計劃爲比利的妹妹凱西作畫的。走進畫室，發現自己還沒吃晚飯。回到吧台，倒了一杯可樂，然後開始找三明治。他記得很清楚，自己是把三明治放在吧台上的呀！現在卻發現在廚房的餐檯上。那紙袋看起來一團糟，到底是怎麼回事？三明治一塌糊塗了。

他拿起電話，打電話到餐廳。當餐廳經理來聽電話時，他開口罵人：「我在貴店買了一份三明治，打開一看，根本就像被果汁機攪拌過一樣爛成一團！」

「先生，很抱歉，如果帶回來的話，我們願意爲您換一個。」

「不必了，我只是要告訴你，你們失去了一位顧客。」

他掛掉電話，腳步沈重地走進廚房爲自己煎幾個蛋，很確定的是，他再也不會去那家餐廳了。

兩個星期後，湯姆利用《混亂時期》打電話給瑪琳，說她在公寓裡遺下兩樣東西，要她過來將東西取回去。下班之後她來了，坐在那兒聊了一個晚上。自此，她又常到公寓來。

生活又回到了從前。雷根把一切責任都推到亞瑟身上。

第十五章

(1)

十二月八日下午稍晚，《華特》在公寓裡醒來了。他喜歡打獵，喜歡追逐的感覺，喜歡一個人帶著槍在森林裡晃盪。

華特極少有出現的機會，他知道只有當他那敏捷的方向感——這是在他故鄉澳洲的叢林中習得的技能——必須派上用場時他才出來。上回他出來已是好幾年前了。當時比利與傑姆參加空軍民防團的夏季演習，由於華特的追蹤能力，他還榮獲一枚勳章。

但是，他已有很長一段時間沒去打獵了。因此，今天下午他從冰箱上取下雷根的手槍，雖然無法比擬來福槍，但有總比沒有好。他聆聽氣象報告，知道天氣很冷。他帶了手套，準備好自己的午餐後，開車往南駛上六六四號公路。他本能地知道該朝什麼方向走——朝南可以到達茂密的森林。他下了公路，沿著赫金州立公園的指標前進，心中盤算他將獲得什麼獵物。

他把車開進森林，停妥車後開始步行。愈往森林內部走，腳下的松葉就愈來愈滑。他做了幾次深呼吸，能到這片充滿野生動物的寧靜世界裡漫步眞是太好了！

大約走了一個小時。偶而，他直覺的反應是，有松鼠在附近，但那不是他想獵取的。他漸漸失去耐性了。這時，他發現樹枝上停了一隻烏鴉，立刻以閃電般的動作瞄準射擊，烏鴉應聲墜落。突然間，他覺得頭暈而退去了……

「野蠻人！」亞瑟冷冷說道：「殺害動物是違反規定的！」

「他爲何使用我的槍？」雷根問。

「槍必須上鎖哪！」亞瑟說：「你也違犯規定。」

「不，我們同意有個武器可以隨時取用，但必須不讓孩子們碰觸到，我的處置沒錯。是華特無權拿槍的。」

亞瑟嘆了一口氣，「我眞的很喜歡那小子，他充滿活力又可靠，擁有優異的方向感，他一直在閱讀有關澳大利亞的書籍。畢竟，那是大英帝國的一部份。有一次，他還建議我研究袋鼠的進化過程。很遺憾，他現在已被判定爲《惹人厭的傢伙》了。」

「只不過是一隻烏鴉，這懲罰未免太嚴重了吧！」雷根表示意見。

亞瑟向他使了莫可奈何的眼色，「爲了自衛，你不得不開槍打死人的時刻或許會來臨。但是，殺死任何動物之事，我是不會妥協的。」

亞瑟埋了烏鴉之後走回汽車。亞倫聽見他們最後的談話，他出來了，把車子開回家。

「殺死一隻笨烏鴉就以爲自己是偉大的獵人——多愚蠢的傢伙啊！」

(2)

夜晚，開車返回蘭開斯特的路上，亞倫覺得精神不太好，放下手中喝過的百事可樂。當車燈照到一處路旁的廁所時，他決定最好先休息一會兒，於是停在男廁所附近，搖搖頭，閉上眼睛……

丹尼抬起頭，心想自己怎會坐在駕駛座上。稍後，他想起亞瑟的指示，於是移向旁邊的乘客座等待其他人來開車。後來他發現車就停在男廁所附近，另外還有兩輛車裡有人；其中一輛車裡有位頭戴軟帽的女士，另一輛車裡坐的是個男子。他們都只坐在車裡，或許他們也是剛剛「出來」的，正等候有人來開車載他們回家。

他眞希望有人出現。他覺得很疲倦，想上廁所。

當他下車朝男廁所走去時，發現那位女士也下車了。

丹尼站在較低的兒童便斗前拉下拉鏈，在十二月寒冷的空氣中發抖。這時，他聽見腳步聲和門鉸聲。那位女士走了進來，這讓他十分驚訝。他立刻漲紅了臉轉向一邊，以免她看見自己在撒尿。

「嗨，甜心！」女士說：「你是同性戀嗎？」

那不是女人的聲音，是男扮女裝，頭戴軟帽，塗口紅，抹胭脂。

「嗨，大男孩，」那人妖說道：「讓我吸吸你的大公雞吧！」

丹尼搖搖頭，開始往後退。但是，另外一個男子也進來了。

「嗨！」他說：「長得很好看，來個同樂會吧！」

那男子抓住丹尼的衣領，把丹尼推到牆上，而人妖則抓住丹尼的上衣，開始拉下丹尼的拉鏈。丹尼被眼前的景象嚇壞了，他閉上眼睛……

雷根狠狠抓住男子手臂，將他頂向牆。那男子痛得跪下，雷根立刻又用膝蓋猛踹他胸口，再用空手道擊中喉嚨。一轉身，看見一位女士，遲疑了一會兒，告訴自己絕不可欺負她。

但是，當他聽見她說：「我的天啊！你這殺千刀的！」他就知道她是男扮女裝，於是扭住他的手臂，頂在牆上，用手肘頂住他的背，同時注視另外一個男人是否會站起來。

「和你同伙一樣躺在地上！」雷根命令人妖，並朝他肚子重重一踢，人妖立刻倒地不起。

雷根取走他們的皮夾。正要離開時，那人妖突然飛撲過來，抓住雷根的腰帶。「把東西還我！天殺的！」

雷根刹時迅速轉身，先用腳踢他胯下，接著再猛力飛踢臉部，只見他鼻孔血流如注，嘴裡還吐出幾根斷牙。

「你不會有事，」雷根冷冷說道，「我知道哪幾根骨頭踢斷了也不打緊，我很小心，別怕。」

他看著躺在地上的另一個男子，雖然臉上並未挨打，鮮血卻也從嘴裡流出。雷根心想，可能是剛才出手時打到太陽穴，由於血管破裂而出血，他也可以活下去。雷根取下那男子腕上的精工錶。走出廁所，見到兩輛車，於是拾起石塊打碎車頭燈。在公路上沒車燈，他們是無法尾隨追來的。

雷根開車回到公寓時，朝四週探望了一會兒，確認一切平安之後便退去了……

亞倫張開眼睛，發現已經到家了，他搖搖頭，不必上廁所了。膝蓋有些瘀傷，右鞋不知沾了什麼東西，他彎身摸了摸。

「天啊！」他大叫道，「這是誰的血？是誰打架了？我要知道，我有權知道發生了什麼事！」

「雷根必須保護丹尼。」亞瑟說道。

「發生了什麼事？」

亞瑟向他說明了全部的經過，「我們必須讓那些孩子們瞭解，晚上的路旁休息站是危險區域，這十分重要。天黑之後，同性戀者常到那種地方去。雷根必須從那種危險的情境中救出丹尼。」

「這不是我的錯呀！我並沒有要求退去呀！而且也不是我要丹尼出現的。有誰知道在《混亂時期》裡誰該出來、誰該離開？」

「應該是我出來的，」菲利浦說：「應該是我來懲罰那些傢伙的。」

「如果是你，你早被殺死了！」亞倫說。

「要不就是做出什麼傻事，」亞瑟說：「可能是殺了人，然後由我們接受謀殺的罪名。」

「另外，你以後不准再出來。」亞瑟堅定地說。

「呃……」

「我知道，但我還是喜歡出現。」

「我開始懷疑是你竊取時間，你藉著《混亂時期》混水摸魚進行反社會活動。」

「誰？我？才不呢！」

「我知道你曾經出來過，你是服毒者，曾經損傷肉體和精神。」

「你說我是騙子？」

「那是你的特性之一。只要我有權阻止，我是絕不會讓你再出現的。」

菲利浦返回黑暗中，心裡嘀咕著，他並不要求亞瑟提出說明，只要有機會，他還是會偷溜出來的，他知道現在亞瑟的主宰力量已經削弱不少。

接下來的一個星期，當菲利浦出現時，他告訴一位毒品顧客盧偉恩有關休息站發生的事。

「去他的！」盧偉恩說：「難道你不知道那件事把那些同性戀給搞得六神無主了嗎？」

「我也嚇了一跳，」菲利浦說：「我最痛恨那些不要臉的傢伙！專搞陷阱害人！」

「我也痛恨。」

「我們何不也幹一票？」菲利浦說。

「怎麼說？」

「一到晚上，他們就會在路旁休息站附近停車。我們故意引他們上鉤，然後一網打盡！」

「也可以搶劫，」盧偉恩說：「讓聖誕節過得更豐盛，還可以鏟除壞蛋，還給人們的安全。」

「好啊！」菲利浦笑道：「爲了像我們這種正派人士而戰！」

盧偉恩攤開公路地圖，在地圖上標出路邊休息站的位置。

「開我的車，」菲利浦說：「我的車比較快。」

菲利浦從公寓裡取來一柄裝飾劍。

在赫金郡洛克橋的路旁休息站附近，他們發現一輛福斯金龜車。車內坐著兩個人，停在男廁所前方。菲利浦將車逆向停在公路對面、盧偉恩斜靠座椅，服下兩片興奮劑。兩人在那兒乾坐了半小時，守著那輛金龜車，沒人過來也沒人離去。

盧偉恩說道：「一定是對狗男女，還會有誰發瘋在凌晨兩點鐘停在男廁所停那麼久？」

「我去釣他們！」菲利浦說：「我帶劍過去。如果他們跟著我進去的話，你就跟在他們後面，來個前後夾攻！」

菲利浦穿過公路時，心中覺得很刺激，劍就藏在衣服裡。他走進男廁所，如他所預期，有兩個男人跟進來了。

他們一靠近，菲利浦全身就起了雞皮疙瘩。他不確定是否因他們而起。突然，他轉身抽劍，一把抓住男扮女裝的人妖。和她在一起的男人是個胖子。當盧偉恩出現用槍頂住胖子背後，那兩人站在那兒呆若木雞。

「好了，他媽的！」盧偉恩大叫道，「全都趴在地上！」

菲利浦從胖子身上掏出皮夾，戒指和手錶，盧偉恩則在人妖身上也搜出一些東西。

然後，菲利浦命令他們回到車上。

「載我們去哪兒？」胖子哭喪著臉。

「載你們到森林裡散散步！」

他們駛離公路，進入荒野，丟下那兩個傢伙。

「輕而易舉嘛！」盧偉恩說道。

「而且啊……」菲利浦說：「還是天衣無縫呢！」

「撈了多少？」

「不少，還有信用卡！」

「去他的，」盧偉恩說：「我看乾脆辭掉工作算了，一輩子就靠這行過日子。」

「維護公共安全！」菲利浦在一旁打趣。

回到公寓後，菲利浦告訴凱文關於這次的完美罪行。他知道自己快撐不住了，於是服下兩片鎮定劑，好疏緩不快感……

(3)

湯姆組裝一棵聖誕樹，裝上聖誕燈，四週擺了許多送給家人和瑪琳的禮物。也很期盼待會兒就可以到春日街去探望母親、凱西和凱西的男朋友鮑伯。

一開始，湯姆在春日街的拜訪很順利。但是，當凱西和鮑伯來到客廳，換由凱文出現時，一切都變了。「嗨！你那件皮夾克很不賴嘛！」鮑伯說：「而且還戴了一只新型的精工錶呢！」

凱文把手錶舉起來，「這可是最高級的唷！」

「比利，」凱西說：「你賺的薪水應該不多，錢是哪兒來的，我一直很好奇。」

凱文微笑道：「我幹了一票『完全犯罪』！」

凱西抬起頭，看著他冷嘲熱諷的態度，總感覺有什麼不尋常。「到底這是怎麼回事？」

「我在路旁休息站打劫那些同性戀，他們絕對無法察覺是誰幹的，我沒留下任何指紋或線索，而且那些傢伙也不敢向警方報案，我在他們身上搞了一些錢和幾張信用卡。」

他又把手錶舉起來展示。

她不敢相信自己聽見的，這不像是比利。「你在開玩笑，對不對？」

他露出微笑搖搖頭，「或許是，或許不是。」

戴摩和桃樂絲進來時，凱西離開客廳走向大廳衣櫃。她在比利的皮夾克裡沒發現任何東西，然後又到門外的車子那兒。沒錯，置物箱裡有個皮夾子、幾張信用卡、一張駕照和一位男護士的身份證，可見他並非開玩笑。她呆坐在車裡一會兒，心想該怎麼辦。她將皮夾放進自己的皮包，決定必須找個人談一談。

比利離去後，凱西告訴母親和戴摩她發現的事。

了。」

戴摩看了一下皮夾，「爲什麼不？我相信，現在總算知道他怎麼有能力買得起這些東西

「快打電話給傑姆，」凱西說：「他必須回來討論如何協助比利脫身。銀行裡我有一些存款，傑姆的機票錢我付。」

桃樂絲打了一通長途電話給傑姆，要他請假回家。「你弟弟出了麻煩。如果無法解決，就必須向警方報案。」

傑姆向部隊請了特別事故假，在聖誕節前兩天趕回來。戴摩和桃樂絲出示皮夾給他看，同時還爲他讀了一段《蘭開斯特鷹報》上有關休息站搶案的報導。

「你快想個辦法幫他忙，」戴摩告訴傑姆，「我知道，我一直希望能當個好父親。史都華死了之後，我就在想這個問題——但是，比利從不接受。我又能怎麼辦？」

傑姆看了皮夾一眼，走向電話，拿起話筒撥了電話給身份證上的人，他必須親自查證。

「你不認識我，」當對方一個男子接起電話回應時，傑姆說道：「但我手中有一件對你而言非常重要的東西。我先問你一個假設性的問題。如果有人從你身份證上知道你是個男護士，你會怎麼說？」

過了一會兒，那聲音答道：「那個人知道我皮夾的下落。」

「好的，」傑姆說：「可否描述一下皮夾的模樣，以及皮夾中還有什麼其他東西？」

男人說明了皮夾的外觀和內容。

「你是怎麼遺失皮夾的？」

「當時我和一個朋友在雅典市和蘭開斯特市之間的一個路邊休息站，兩個男子走進廁所，其中一個有槍，另一個握劍，他們搶走皮夾、手錶和戒指，然後載到森林丟下我們就離開了。」

「是什麼車？」

「拿劍的男子開的是藍色龐帝克。」他又將車牌號碼告訴傑姆。

「你如何確定車子和車牌號碼？」

「事發後的某一天，我在城裡的商店又看見那輛車了，距離那個握劍的男子不到五十呎遠，我還跟著他到停車場，他就是做案的那個人。」

「為什麼不報警？」

「因為我目前正應徵一份重要工作，而我又是同性戀。如果去報案，不但暴露自己，還會連累到其他朋友。」

「好了，」傑姆說：「基於你不想報警、不想暴露自己和朋友，我會把皮夾寄回給你，只當沒發生過這件事。」

說完電話之後，靠向椅背深呼吸，看著母親、戴摩和凱西，「比利的確有麻煩。」然後又再次抓起話筒。

「你打電話給誰？」凱西問。

「我要告訴比利，明天我會去他那兒，參觀他的新房子。」

凱西說道：「我同你一道去。」

第二天晚上是聖誕夜，湯姆光著腳丫歡迎傑姆和凱西的來訪。他身後有一株漂亮的聖誕樹，四週擺了許多禮物，牆上掛著一隻劍和其他裝飾品。

當傑姆與湯姆聊天時，凱西走到樓上去，她想找出比利犯罪的其他證據。

「嗨，我有個問題，」凱西不在場時，傑姆問道，「你哪兒來的錢買這些東西？手錶、衣服、禮物和這些裝飾品？」

「我女朋友在上班。」湯姆說道。

「是瑪琳一個人付的錢？」

「當然，有不少是用信用卡買的。」

「用信用卡買東西會拖垮你，我希望你不要隨便花錢。」

傑姆才在空軍接受過審訊課程的訓練，他決定利用這些技巧協助自己的兄弟。如果能讓比利開口說眞話，承認自己犯罪，或許還有辦法避免他被關進牢裡。

「帶著信用卡到處走是很危險的，」傑姆說，「別人會偷你的信用卡肆意揮霍……」

「信用卡的額度是五十元，超過的部分由公司支付，他們有能力負擔的。」

「報上報導，有人在休息站被偷走信用卡，我是說，這隨時可能發生在任何人身上。」傑姆看見比利的眼眸裡有異樣的神情。「嘿！你還好嗎？」

凱文抬起頭看著傑姆，心想傑姆在這裡做什麼？來公寓多久了？他瞄了一下手上新錶，九點四十五分。「什麼？」凱文問道。

「我說，你還好嗎？」

「當然好啊！爲什麼不好？」

「我是說，你要小心使用信用卡，你應該也知道了，休息站的搶案。」

「是啊！我看過這些報導。」

「我聽說被搶的人是同性戀。」

「是啊！他們活該！」

「什麼意思？」

「那些同性戀怎會有那麼多錢？」

「不論是誰幹的都得小心，犯了搶劫罪是要判重刑的。」

凱文搖搖頭，「那得要逮到搶犯，搜出具體的證據才行。」

「呃……比方說，我在你牆上發現一把劍，正好與那些被害者描述的一樣。」

「他們無法證明。」

「或許沒錯，但在搶劫現場還出現過一把槍。」

「嘿！我可沒做案喲！他們無法扣押我的。」

「是啊，但他們可以逮捕另一個人，這個人會供出共犯。」

「我才不會被牽連進去，」凱文堅持說道，「事情並非那些同性戀說的，現場並未留下任何指紋或線索。」

凱西下樓來了，與他們坐了幾分鐘。當比利上樓到浴室時，她交給傑姆她在樓上發現的東西。

「天哪！」傑姆驚呼，「竟然有這麼多張不同名字的信用卡！這要如何才能讓比利脫罪？」

「傑姆，我們一定要幫助他，這不像是比利做的。」

「我知道，或許唯一的辦法就是直接要他面對問題。」

當凱文下樓回來時，傑姆出示那些信用卡給他看。「比利，這就是我的意思。那些搶案是你幹的，所有證物都在你公寓裡。」

凱文氣得大吼大叫：「你無權到我房裡搜查我的東西！」

凱西在一旁說：「比利，我們是想幫你忙呀！」

「這是我家，你們沒有搜索票，竟然進到我房間，翻動我的東西。」

「我是你大哥，凱西是你妹妹，我們是想幫你……」

「沒有搜索票搜到的證物在法庭上無效！」

傑姆要凱西先到車上等他，因為待會兒可能會有一場打鬥。當傑姆再度面對他時，凱文開始往廚房走去。「比利，這些東西全是用信用卡買來的，他們會控告你！」

「他們永遠都不會知道，」凱文堅持說：「我只買一、兩件東西，然後就把卡丟了。」

「比利，你這是犯法呀！」

「那是我個人的事。」

「但你會惹禍上身的！」

「聽著，你無權跑到這裡責問我所做的事，我已經是成年人了，這是我的房子，我做的事與你無關，而且你離家也已經很久了。」

「沒錯，但是我們關心你呀！」

「我並沒有要你來這兒，你立刻滾出去！」

「比利，在事情未解決之前我是不會走的。」

凱文取下一件皮夾克，「好吧！媽的！不然我走算了。」

傑姆的體格一直比弟弟健壯，加上最近接受的軍事訓練，他擋在凱文面前，立刻來個過肩摔。傑姆並不想太用力，但凱文此刻早已滾向聖誕樹了。樹被推到牆上，禮物散成一地、燈泡碎裂、電線拉斷，燈全熄了。

凱文站起來，再次朝大門走去，他不太會打架，也不想和傑姆打架。但是，他必須離開。傑姆抓住他的衣服，朝吧台摔過去。

凱文退去了……

當雷根撞到吧檯時，馬上就看見是誰在攻擊他。雖然還不清楚原因，但他從來就不曾喜歡過傑姆，也從未原諒過他。因爲他離家遠去，讓比利和那些女孩單獨面對米查。這時，他看見傑姆擋住大門，於是後退一步，從吧台裡取出一把刀，使力朝傑姆擲去，正好飛射在傑姆腦袋旁的牆上。

傑姆嚇住了，他從未見過比利如此冷酷的面孔，也從未見過比利如此的暴力，他看著那把刀，就在距離腦袋數英寸的牆上抖動。他知道弟弟非常恨他，甚至想致他於死地。這時，他讓雷根光著腳丫子從身旁走向大門外的雪地裡……

丹尼發現自己在屋外行走，心想爲什麼會穿著如此單薄的衣服在凍人的街道上行走呢？沒穿鞋也沒戴手套，他立刻走回屋內。進入大門，他看見傑姆滿臉驚訝的神情看著自己。

丹尼也打量他，發現地板上被推倒的聖誕樹和散亂的禮物，他突然感到一陣恐懼。

「你毀了我的聖誕樹！」丹尼啜泣道。

「抱歉。」

「祝你有個愉快的聖誕節，」他抱怨道，「因爲你破壞了我的聖誕節。」

在車裡久候多時的凱西，這時慘白著臉衝進屋來。「警察來了！」

幾分鐘後，有人在敲門，凱西望向傑姆，再看看哭得像孩子似的比利。

「該怎麼辦？」她說：「如果他們……」

「最好讓他們進來。」傑姆打開門讓兩位警員進來。

「我們接到擾亂安寧的報告。」其中一位警員說道，同時打量客廳。

「你們鄰居打電話到警局抱怨。」另一位警員說。

「很抱歉，警官先生。」

「今晚是聖誕夜，」第一位警員表示，「其他人都是和樂團圓的，你們這兒是怎麼回事？」

「我們剛才有一些爭吵，」傑姆回答，「已經結束了。我們並不知道聲音很大。」

警官在記事本上寫了幾個字，「好吧！安靜點，別再鬧事了。」

警察離開之後，傑姆拾起外套，「比利，好了，我想我們該道別了，我在蘭開斯特只剩兩天，我必須回基地去。」

傑姆和凱西離開，丹尼仍在哭泣。

大門已被關上。湯姆睜開眼睛張望。手掌不斷滴下鮮血，他從傷口上取下一些玻璃碎片，用水清洗傷口，他不知道凱西與傑姆去了哪兒，也不知道屋裡爲什麼會變成一團糟。他曾花了很多功夫裝飾聖誕樹，但現在都已亂七八糟，那些禮物全都是他和其他人格親手做的，全都不是買來的，樓上有幅畫，也是他爲傑姆畫的——是傑姆最喜歡的海景——他一直希望能親自送給傑姆。

他把那些斷落一地的樹枝再裝回去，希望恢復原貌，但多半的飾物均已碎裂，它曾是一棵非常漂亮的聖誕樹。在瑪琳到達之前，他趕緊包好送她的禮物。是他打電話邀請她過來度聖誕夜的。

瑪琳看見公寓中慘不忍睹的情景嚇了一大跳，「發生了什麼事呀？」

「我也不很清楚，」湯姆回答，「坦白說，反正我也不在乎，我只知道我愛妳。」

她親吻他，帶他進入臥室。她知道每次出現類似的場面時，他就變得非常脆弱而且需要她。湯姆漲紅了臉，閉上眼睛。當他跟著她進入房間時，他問自己爲何無法清醒久一些，直到那件事做完呢？

聖誕節當天，亞倫並不知道前一天晚上發生的事。他放棄了追查客廳如此混亂的原因。他問了好幾次，卻沒人回答他的問題。天哪，他多麼痛恨如此混亂的時刻呀！他儘量整理那些未完全毀損的禮物、重新包裝——包括湯姆爲傑姆畫的畫，他將禮物全搬進車裡。

當他到達春日街的母親家時，開始用很快的速度拚湊出昨晚發生的事。傑姆對於比利向他擲飛刀企圖殺他的事感到傷心，凱西、戴摩和桃樂絲則對比利犯下搶案之事非常生氣。

「那些休息站搶案全是你幹的！」戴摩怒聲大吼，「而且還用你母親的車去犯案。」

「我不知道你們說什麼！」亞倫反駁道，無奈地舉起雙手，重踩地板上樓去了。

他走開後，戴摩搜查他外套口袋找到車鑰匙，和傑姆、凱西、桃樂絲魚貫走出大門檢查汽車行李廂，結果發現信用卡、駕照和公路地圖。三十三號公路上的休息站，全被畫上×記號。

他們轉頭時，發現比利就站在門口望著他們。

「是你幹的！」戴摩邊說邊亮出證據。

「沒什麼好擔心的，」凱文回答，「我才不會被逮捕，那是一件完全犯罪，我沒留下任何指紋或證物，而且那些同性戀也不敢去報案。」

「你這個笨蛋！」戴摩大吼，「傑姆打電話給那個被你偷去皮夾的傢伙，他在城裡見過你，你把全家人都扯進這個完全犯罪中了！」

只見他臉色大變，驚恐取代了冷靜。

他們決定幫助比利毀去那些證物。傑姆打算把車開回空軍基地，由他負責繳納汽車貸款；比利必須搬出公寓，另外再到梅伍大道上找房子住。

衆人說話時，丹尼靜靜坐在一旁聆聽，仍不知道是怎麼回事，而且也不知道大夥兒什麼時候才要拆開他送給他們的聖誕禮物。

第十六章

(1)

一月八日星期三，湯姆與瑪琳約在紀念廣場購物中心的餐廳共進午餐。他看到一輛廂型貨車停在『葛雷西藥房』門前，只見搬運工人將一只大箱推進藥房。這時，湯姆喃喃說道：「他們在運送毒品。今晚這家藥房會工作得很晚。」

瑪琳好奇地打量他，不知他爲何會這麼說。

凱文計劃打劫這家藥房，還邀集盧偉恩和另外一個朋友白諾宇。他向他們說明計劃，要他們兩人去執行，得手之後大家平分贓款和毒品。由於凱文負責計劃，因此可分得百分之二十。

當晚，他們兩人依凱文的指示，一到凌晨一點半便立刻展開行動。他們用槍逼迫藥劑師，將他鎖進店後，搜刮保險櫃裡的錢和藥櫃裡的毒品。

他們仍按原定計劃把車駛進樹林，將白色旅行車塗成黑色，然後開車去接凱文。返回白諾宇的住處後，凱文開始清點毒品，分別有：令他靈、補累柳丁、得墨落、奎魯德、得落迪和其他藥劑。

他估計這批貨的市價達三萬至三萬五千元。這時，他看到他們臉上的表情從好奇轉變成貪婪。黑夜漸退時，他們情緒高昂，兩人前後分別偷偷靠近凱文，都向凱文建議兩人分贓就好了，大可幹掉第三者。結果，在天際初露曙光前，趁他們兩人睡意正濃、意識未明，凱文把所有的錢和毒品放進兩只皮箱，一個人開車前往哥倫布市。他知道那兩人都沒膽量與他對抗，他們都怕他。

盧偉恩和白諾宇買通警察，這是凱文預料中的事。只要處理掉那些毒品，一切證據便煙消雲散。遭搶的藥劑師見過那兩人，卻未見過凱文，整件搶案都無法牽扯於他。

隔日，瑪琳讀到《蘭開斯特鷹報》上『葛雷西藥房』搶案的報導，心中立刻升起不祥預感。幾天後，湯姆約她見面共進晚餐，她很驚訝那輛老道奇車已被漆成黑色了。

「是你幹的，對不對？」她壓低嗓門。

「什麼？汽車改顏色？」湯姆無辜地問道。

「葛雷西藥房搶案是你幹的！」

「天哪，現在妳的意思是說我是搶犯？瑪琳，這件事我根本都不知道，我發誓。」

這讓她迷糊了，某些跡象卻不得不令她相信比利犯了案。但是，對於剛才的指控，比利真的很生氣。除非他是全世界最偉大的演員，否則他一概否認的態度實在是太逼真了。

「我只是希望這件事與你無關。」她說道。

分開後，對於瑪琳的指控，亞倫愈來愈緊張，他總覺得不太對勁。開車返回工作的路上，他認為自己必須得到一些幫助。

「快出來呀，兄弟們！」他大聲喊道，「我們現在有麻煩了。」

「亞倫，你說的一點兒也沒錯。」亞瑟說：「繼續往前開。」

「不換人駕駛嗎？」

「我不想開車，我一直不習慣美國的道路，你繼續開就好了。」

「你知道發生了什麼事嗎？」亞倫問。

「在《混亂時期》裡，我太專注於我的研究工作，因此發生什麼事我一無所知。但是，我懷疑有一些《惹人厭的傢伙》曾經竊取時間，而且還犯了法。」

「我也曾試著想告訴你。」

「我總覺得我們需要雷根出來。」亞瑟說：「你能找到他嗎？」

「我試過，說真的，每次有需要時都找不到！」

「讓我試試看，你只要專心開車就行了。」

亞瑟努力往黑暗的內層仔細搜尋，他看見其他人的影像，有人在床上睡覺，有人坐在陰影之中，那些《惹人厭的傢伙》拒絕看他——他們已被裁定不准出現，他對他們一點兒力量也使不上了。最後，他終於找到雷根，雷根正與克麗絲汀玩耍。

「雷根，我們需要你，我相信有人犯了法，讓我們處於險境之中。」

「那不是我的問題，」雷根說：「我並沒有幹下那些犯行！」

「我知道，但我必須提醒你，如果我們之中有人被關進監獄，大夥兒都必須進去。想想看，克麗絲汀在那樣的環境裡——一個漂亮的女孩必須與那些性犯罪和精神異常的罪犯關在一起。」

「好吧！」雷根回道，「你知道我的弱點。」

「我們必須查出到底發生了什麼事！」

亞瑟開始進行一般的調查，詢問每一個內在人格——雖然他知道某些惹人厭的傢伙說謊——他將搜來的零碎情報拚湊起來。湯姆告訴他，瑪琳指控湯姆參與『葛雷西藥房』的搶案，而且也談到前幾天運送毒品之事。

華特否認自從射擊烏鴉遭裁定爲《惹人厭的傢伙》之後，曾摸過雷根的槍。但是，他曾聽到有個操布魯克林口音的人，談起路旁休息站完全犯罪之事。最後，菲利浦承認路旁休息站的騷擾事件是他幹的，但堅決否認參與『葛雷西藥房』搶案。

接下來，凱文談到他曾計劃搶劫。

「但我並未參予，我只是策劃整個搶案，然後把他們兩人丟下。或許他們曾行賄警察，但我是清白的。警方絕對無法把我和這件搶案牽扯在一起。」

亞瑟將這些情形向亞倫及雷根提出報告：「現在，二位請想一想，有沒有任何會令警方聯想到我們的可能？或是任何可以逮捕我們的理由？」

依他們所知，目前似乎很安全。

幾天後，哥倫布市一位警方的線民指認比利。由於該線民欠了某位警探一份情，因此向警探密報，在比利賣給他的毒品中，有一部份與『葛雷西藥房』遺失的毒品很類似。這份報告傳回了蘭開斯特市警局，不久，法院即開出拘票，通令逮捕比利。

(2)

星期一下班後，瑪琳來到公寓，湯姆給了她一只訂婚戒指。

「瑪琳，這是給妳的。」湯姆以充滿愛意的語氣告訴瑪琳，「如果我發生了任何意外，我要告訴妳，我永遠愛妳。」

為她戴上戒指時，她幾乎不敢相信他說的話，雖然這是她期盼許久的時刻，但現在內心卻十分痛苦。難道他正在期待什麼不幸的事發生嗎？她眼中充滿淚水，卻又不願表現出來。不論他曾做過什麼事，不論那些人會對他如何，她都永遠和他站在同一條線上。

在她一九七五年一月二十日的記事本上，她寫道：「我訂婚了，眞是太令人難以相信。」

第二天，警方逮捕了丹尼。

他們將他推入警車，關進菲爾德郡立監獄。他們唸過他的權利，開始審訊他。丹尼對於他們所說的事，一點兒概念也沒有。

經過了好幾個小時的審訊，丹尼從那些警探們所說的話，組合出一幅景象——盧偉恩因酒醉駕車被警方逮捕，接受警方審問時，他說比利和白諾宇搶藥房。

丹尼抬頭看著他們，一臉茫然的神情。警方希望他寫下自首聲明。警方提出問題時，丹尼聽見腦海裡亞倫的聲音，指示他該如何回答。審訊結束後，警方要丹尼在聲明上簽字，他很吃力地用鉛筆在紙上簽下『威廉·密里根』的名字。

「現在可以回家了嗎？」丹尼問道。

「如果能繳付現金一萬元的保釋金，你就可以出去。」

丹尼搖搖頭，仍對發生的事感到困惑。這時，警方早已領著他進牢房了。

當天稍晚，瑪琳付了保釋金保他出獄。湯姆回去與桃樂絲、戴摩住在一起。他們已與葛喬治律師聯絡上了。葛律師兩年前曾因比利在匹克威郡的強暴案爲他辯護過。

等候審判時，亞瑟獲知還有其他幾項針對比利的指控。兩名受害者指認，比利是休息站搶案的搶匪之一。一九七五年一月廿七日，公路巡邏隊正式向法院提出控訴，理由是威廉·密里根在公路休息站搶劫。

比利後來被送進監牢，當天也正是兩年前他被送往少年感化院的日子。

(3)

亞倫想親自站在證人席上爲自己辯護，亞瑟則想挺身證明搶案發生時自己並不在場。

「公路休息站的搶案是怎麼回事？」亞倫問。

「似乎有其他被害者，他們的財物遭搶劫。」

「是雷根幹的，爲了自衛。」

「這並不正確，」雷根堅持說道，「在休息站我並未搶劫被害人的財物。」

「那麼，是有其他人幹的囉？」亞倫說道。

「他們能證明嗎？」雷根問。

「我怎麼知道？」亞倫說，「我又沒看見。」

「我們該怎麼辦？」雷根問。

「眞是一團亂，」亞瑟說：「可以相信這位律師嗎？兩年前他未設法不讓我們進感化院！」

「這次他說我們可以答辯，」亞倫說：「據我瞭解，如果我招認『葛雷西藥房』的搶案，就會被判『保護緩刑』，這樣或許我們就可以不必被關進監牢。」

「什麼是『保護緩刑』？」

「意思是把我們關起來，但不讓我們知道要關多久，然後出奇不意地突然釋放我們，讓我們因爲感激而不再犯罪。」

「果眞如此的話，」亞瑟說：「那我們就應聽從律師的建議，這也是我們付錢給他的原因。」

「好，」亞倫說：「就這麼辦，我們用認罪來交換。」

一九七五年三月二十七日，威廉．密里根在法庭上承認自己犯罪。兩個月後，亞倫知道法庭只針對休息站搶案給予『保護緩刑』的判決；因此，他還必須爲『葛雷西藥房』的搶案坐二年至五年的牢。得知這個消息後，他們全都楞住了。

六月九日，在孟斯菲感化院停留四十五天之後，亞倫與其他五十九位犯人被一部藍色巴士載往利巴嫩監獄，每兩位犯人就用一副手銬給銬在一起。

他試著躲避坐在巴士前方負責護送的武裝警察眼光。兩年的牢獄生活他怎可能活下去？當巴士到達監獄時，他的恐懼情緒愈來愈高漲；眼前見到的是加設鐵絲網的圍牆和牆上的警衛。犯人魚貫步下巴士，列隊進入監獄大門。

兩扇遙控大門倏地開啓，然後又在身後閉上，這聲音提醒亞倫，這兒的確是監獄。他整個胃緊張得快爆炸了，他無法走到第二道門……

當第二道門開啓時，雷根出現了，他邊點頭邊跟隨其他犯人緩緩前進。現在起，亞瑟不再有權控制了。到了這地方，雷根知道一切必須由他來負責安排。在未來的兩年至五年裡，只有他有權決定誰該出來。當身後的鐵門關上時，傳來一陣沈重的轟隆聲。

第十七章

(1)

雷根發現利巴嫩監獄比孟斯菲感化院的環境還要好，這兒比較新、比較乾淨，而且光線也很明亮。在第一天的環境介紹時，他聆聽有關監獄作息規定、監獄學校以及各項勞務說明。

一位有巨大下巴和足球員頸子的高個兒站了起來，雙手交叉，左右搖晃。

「好了，」他說：「我是李奇隊長，你們都自認爲是角頭大哥？現在起，你們由我管轄，無論在外面混得如何，如果在這兒不規矩，可別怪我打爛你們的頭，去他的什麼公民權、人權，還是嘮什子權利。在這兒，你們什麼都不是，只是一團爛肉。罩子放亮點兒，否則別怪我不客氣……」

他教訓了十五分鐘之久。雷根認爲他只是唬人，給新進囚犯下馬威，沒什麼大不了。

雷根注意到那位瘦弱戴眼鏡的心理醫師，他的話也是如出一轍，「現在各位已經不是什麼人物了，只是囚犯；沒身份、沒人在意你們，也沒人注意你們的存在，你們只是名不見經傳的犯人。」

當這矮男子不斷羞辱他們時，有些新報到的囚犯已經按耐不住，開始反言相譏。

「你他媽的什麼東西，憑什麼告訴我們這些！」

「你哈拉什麼狗屎？」

「我不是犯人。」

「你是瘋子。」

「媽的，去死吧！」

雷根看見大夥在言語上不停反脣相譏，他覺得那心理醫師是故意這麼做的。

「看吧。」心理醫師說，並且指著大家，「看看發生了什麼事，難怪你們無法在社會裡生存；只要一有壓力，你們就不知如何控制自己，只會用尖酸粗魯的字眼互罵，你們必須在牢房裡學習如何調適自己，將來才可能重返社會。」

當大夥兒知道這位心理醫師只是在上課時，彼此便相望會心一笑。

走在主通道上，牢房裡的老犯人嘲笑每一位通過的菜鳥犯人。

「嗨！看這兒，菜鳥！」

「嗨，下流胚，待會兒見！」

「那小子長得不賴，是我的！」

「嘿！是我先看見的，是我的女人！」

雷根知道他們指的正是自己，他用冷酷的眼神望回去。當晚，在牢房裡，他與亞瑟討論。

「這兒由你負責，」亞瑟說：「但我必須告訴你，這兒許多笑話和戲謔只是他們排解壓力的放鬆舉動，讓衆人發笑罷了。你必須清楚認出誰是監獄的小丑，誰是眞正的危險人物。」

雷根點點頭，「我也正這麼想。」

「我有另外一項建議。」

雷根半帶微笑聆聽——聽亞瑟提建議而非下命令，實在是很有趣的事。

「我注意到除了警衛之外，那些身穿綠色制服的囚犯是唯一被允許在走道上行走的人。申請工作時，或許我們可以要亞倫申請監獄醫院裡的工作。」

「理由是什麼？」

「如果能擔任醫生的助手，多少都比較有安全上的保障——尤其是對那些孩子們而言。你知道嗎？在監獄裡和醫生有關係的人比較受尊敬。因爲每個人都知道，某一天他們可能需要接受醫療。醫院的工作我駕輕就熟，讓亞倫負責和外面的人溝通。」

雷根同意這是個好點子。

隔天，當獄方與新進囚犯談到過去的工作經驗與專長時，亞倫說他希望能在監獄醫院裡工作。

「你受過訓練嗎？」李奇隊長問。

亞倫依亞瑟指示的回答：「我服役時曾在大湖海軍基地的藥劑學校附屬醫院工作。」這也並非一派胡言，亞瑟是自己進修學習的，他並未說自己是以醫學生的身份接受過訓練。

隔週，監獄醫院的施海利醫生要求見比利。當亞倫走在寬闊的走道上時，他發現利巴嫩監獄的建築結構就像一隻巨大的九腳蟹：中央的走道上有許多辦公室，各條走道朝不同的方向延伸。

到達醫院時，亞倫站在由一面強化玻璃隔出的等待室中等候，兩眼注視施海利醫生。他是一位花髮的年長者，慈祥、紅潤的臉龐和溫暖的微笑。亞倫注意掛在牆上的畫。

最後，施海利醫生揮手要他進入辦公室，「我聽說你曾在檢驗室工作。」

「我一生的理想就是成爲醫生，」亞倫說：「我想，在偌大的監獄裡，或許您需要一位能從事血液與尿液檢驗的助手。」

「以前做過嗎？」

亞倫點點頭，「那是很久以前的事了，可能我已忘了大部份，但我可以學習，我學得很快。正如我說的，將來我離開之後，希望能從事這個行業。我家裡有許多醫學書籍，我曾自修過，我對血液學有特別濃厚的興趣。如果您願意給我這個機會，我會非常感激您的。」

他可以感覺施海利醫生對他連珠砲的話語並無多大興趣。他試著找出其他方式來引起施醫生的興趣。「那些壓克力畫眞的很不錯喲！」亞倫說道，並迅速望了牆壁一下，「我比較喜歡油畫，但畫那幅畫的人一定是個行家。」

施醫生的臉色變得比較有興趣了，他說：「你作畫嗎？」

「我一直都在畫，雖然我選醫學當職業，但自小時候起，人們就說我有繪畫天份，或許有一天我可以爲您畫一幅肖像，您的臉型十分突出。」

「我收集美術品，」施醫生說道，「我自己偶爾也會動動筆。」

「我始終覺得藝術與醫學是相輔相成的。」

「你賣過畫沒有?」

「嗯,還賣得不少,風景畫、肖像畫、靜物畫都有。我希望有一天能在監獄裡繪畫。」

施醫生玩弄手上的筆,「好了,比利,我給你一個機會到檢驗室工作,先從擦地板開始,地板擦完之後就整理這個地方。你會與史托米一塊兒工作,他是值班看護,會告訴你一切。」

(2)

亞瑟非常興奮,對於必須比其他犯人早起床進行血液試驗他並不在意。只要發現病歷表寫得不夠充分時,他就會開始爲那十四名糖尿病患另外記錄屬於他自己的病歷表。多半時間他都待在檢驗室裡觀察顯微鏡、準備幻燈片。三點半回到牢房時,雖然已疲憊不堪,但內心卻非常愉快。

他未注意到新來的室友,這位室友是個沈默寡言的人。

阿達娜用各種不同花色的毛巾舖在地板上,掛在牆上裝飾牢房;亞倫則開始與其他囚犯進行交易——用一條有花紋的毛巾交換一包香煙,而且借人兩根香煙來賺取一根香煙的利息。一個星期結束時,他一共賺到了兩包煙。他不斷增加交換項目,包括他母親和瑪琳探監時帶來的東西。他可以到福利社購買食物,因此晚上不必到餐廳用餐。他利用檢驗室取來的塞栓塞住洗臉盆,在洗臉盆中裝滿熱水,將雞肉罐、水果糊罐、湯罐或牛肉罐燙熱,這樣就可享用鮮美的食物了。

他非常驕傲地穿上綠色制服,對於自己可以四處走動的特權很滿意。他可以大大方方在通道中跑來跑去，不必像蟑螂一樣沿著牆角走。他樂於享受別人稱他爲「醫生」，也要求瑪琳爲他買一些醫學書籍，在學習醫學方面，亞瑟眞的很認眞。

湯姆知道許多其他囚犯將女友的名字登記爲妻子，如此一來，她們就可獲准探監。他要求雷根把瑪琳登記爲妻子，起初亞瑟反對，但雷根否決了他的異議。如果成了威廉・密里根的妻子，她就可以帶東西來探監了。

「寫信給她，」雷根說：「要她帶橘子來，但必須用針筒注入伏特加酒，這樣很好吃。」

《李》在利巴嫩監獄中首度出現，他是個喜劇演員，機智、喜歡開玩笑。正如亞瑟的理論，李認爲笑聲是一種廣被大多數犯人接受的安全閥。起初，那些犯人的戲謔曾嚇壞了丹尼，並令雷根發火，如今卻都成了李的拿手絕活。雷根曾經聽過比利的父親在脫口秀方面的舞台表演；雷根認爲，李在監獄裡也有他必要的活動空間。

但是，李的言行踰越了笑話範圍。他在亞倫的香煙裡塞進硫磺碎片，然後將這些特製煙放在亞倫的香煙盒內，當其他犯人向亞倫要煙時，李就把特製煙給對方，當他走開或離開餐廳之後，就可以聽見受害人的一陣咆哮。因爲香煙會毫無緣由的燃燒起來，甚至好幾次就在亞倫的眼前爆炸。

某天早晨，檢驗血液的工作完成後，亞瑟沈思那些黑人罹患的貧血症，他退下去了。李無事可做，便想出惡作劇的點子。他打開一只洋蔥油罐，用刷子沾了一下，塗在顯微鏡接目鏡邊緣。

「嘿！史托米，」他交給史托米幻燈片，「醫生要這份檢驗報告，你趕緊檢查一下。」

史托米將幻燈片放在顯微鏡下，對好焦距。突然，他迅速抬起頭，眼裡全是淚水。

「發生了什麼事？」李無辜地問道，「有這麼悲傷嗎？」

這令史托米哭笑不得，脫口怒道：「操你媽的！大混蛋！」邊吼邊衝向洗臉盆沖洗眼睛。

過了一會兒，李看見一位犯人走進來，交給史托米五塊錢。史托米從排滿藥罐的藥櫃上取下標有11－C的玻璃罐，拔掉木塞遞給那個人，那個人一飲而下。

「那是什麼？」當犯人離去時，李問道。

「仙丹，是我自己調配的，每劑五元，如果客戶上門而我不在，你就為我招呼生意，我會給你一塊錢分紅。」

李說他會遵守這項協議。

「聽著，」史托米說道，「施醫師交待下來，要整理那些急救用品，請你代勞一下好嗎？我有其他事必須料理。」

當李在整理櫃子時，史托米從架上取下11－C罐，將酒精倒進大燒杯，又將清水裝進原來的酒精裡，然後在瓶口四週抹上一層極苦的濃縮液。

「我有事去找施醫師，」他告訴李，「這兒一切就拜託你了。」

過了十分鐘後，一位身材魁梧的黑人進入檢驗室，說道：「給我11－C，小子，我已給史托米十元了，一共是兩劑，他說你知道仙丹在哪兒。」

李將仙丹拿給那個黑人，他很快就往嘴裡倒。突然，他的眼睛睜得好大，立刻吐了出來。

「好小子，你騙我！這是什麼鬼東西？」他不停用袖子擦拭嘴巴，嘴唇奇怪地抖動著。

那黑人抓起瓶口，用力敲打桌面，整個瓶子應聲粉碎，瓶裡的液體濺到李的制服上。那黑人握著破碎的瓶頸大喊：「白鬼！我一定要你好看！」

李倒退回門口，「雷根，」他低聲說道，「嗨！雷根。」

李愈來愈恐懼，期待雷根出現保護他。但是，沒有人出現。他衝出檢驗室奔向大廳，那黑人就在後面追趕。雷根準備開始現身了，但亞瑟說道：「李必須接受教訓。」

「不能眼見他被欺負呀！」雷根回答。

「如果他仍不知有所收斂的話，」亞瑟說：「將來可能是個禍患。」

雷根接受了建議。因此，當李跑進大廳時，雷根並未出面干預。「雷根，你跑哪兒去了？」

當雷根覺得李已受夠教訓，情況也十分危急時，他將李推走。此刻，黑大個兒已逼近胸前，雷根停了下來，拖出病床阻擋黑大個兒的去路。黑大個兒一不小心摔了一跤，被破瓶子給割傷了。

「結束了！」雷根大吼。

黑大個兒整個人跳起來，因憤怒而發抖。雷根抓住他，將他摔向X光室，只見他倒在牆邊。

「沒事了，」雷根說：「如果你還不住手，我就殺了你！」

對這突如其來的轉變，黑大個兒睜大了眼睛。比利不再是受到驚嚇的大男孩了。黑大個兒發現自己被一個帶有俄國口音的白人逼進牆角，那白人眼裡露出凶光。黑大個兒的手臂被他狠狠扭到背後，他另一隻手臂頂住頸子。

「可以住手了吧！」雷根在他耳邊低語，「這地方待會兒必須清理一下。」

「好了，兄弟，放輕鬆點兒，別玩眞的。」

雷根鬆手，黑大個兒倒退步行，「兄弟，我要走了，剛才的事別計較，就當沒發生……」他迅速跑開了。

「那是野蠻人解決問題的方式！」亞瑟說。

「如果是你，你會怎麼做？」雷根問。

亞瑟聳聳肩，「如果我有你的體格，或許我會採取同樣的手段。」

雷根點點頭。

「李如何了？」亞瑟問道。「這要由你下決定。」

「他是惹人厭的傢伙。」

「沒錯，我們需要的是個能說點兒比較實際的笑話的人，他這個人沒價值。」

李被判出局了，他很不願意待在黑暗中，寧可完全消失。

在很長的一段時間裡，沒有人笑。

(3)

湯姆的信開始出現無法預測的情緒變化，他寫信給瑪琳：「我的手指關節腫了。」他在信中描述他與另一位偷他郵票的犯人打架的情形。八月六日，他發誓要自殺，五天之後，他寫信要她送來壓克力畫具，這樣他就可以開始作畫。

亞瑟抓到四隻老鼠當寵物飼養，並且研究牠們的行爲。他開始撰寫有關移植老鼠皮膚到人體上的報告。某天下午他在檢驗室寫筆記時，有三個人犯進來。其中一位在一旁把風，另外兩位站在他面前。

「那包東西給我！」其中一位說：「我們知道是你拿走的，快交給我！」

亞瑟搖搖頭，繼續寫自己的東西。那兩個人繞過桌子，一把抱住他……

雷根推開那兩人，輪番痛踢他們。在外把風的男子聞聲進來，手中還握了把小刀。雷根見狀，立刻打斷他的手腕。最後，那三人狼狽地逃開。其中一個還大吼：「你死定了，比利！」

雷根問亞瑟到底是怎麼回事。

「那包東西，」亞瑟回答，「從他們的言行舉止看來，我猜想一定是毒品。」

他搜遍了檢驗室和藥櫃，最後在架子最頂層的一些書籍和紙張後面，找到一只塑膠袋，裡面裝有白粉。

亞倫問道：「是毒品嗎？」

「我必須先檢驗才能確定，」亞瑟說完便將白粉放在天平上，「大約有半公斤。」結果，那是一包古柯鹼。

「你要如何處理這些東西？」

亞瑟撕開袋子，將白粉全倒在馬桶裡。

「一定會有人發瘋！」亞倫說。

但是，亞瑟早已轉頭去想他那皮膚移植的報告了。

亞瑟曾經聽過關於監獄裡憂鬱症之類的事，大多數的囚犯都會先通過一段情緒不安的階段。當犯人失去自我獨立及地位時，還必須同時承受各種壓迫與強制性的生活程序，如此的轉變通常會造成犯人的沮喪及情緒的崩潰。這對比利而言，則造成了各種人格的《混亂時期》。

寫給瑪琳的信改變了。菲利浦和凱文曾寫過一些猥褻的言詞、畫過色情漫畫，如今已經停止。現在，信中顯示的是精神錯亂的恐懼。湯姆在信中提到他內心有莫名的空虛，同時還寫道，他日以繼夜地研究醫學，說是在獲得假釋後，他將去學醫。「即使花上十五年的時間！」

他承諾將與瑪琳結婚、買一棟自己的房子，而且繼續做研究，最後成為一位專家。「妳的看法如何？」他寫道，「密里根醫師娘和密里根太太。」

十月四日，由於古柯鹼事件，獄方決定將比利轉到C區牢房隔離接受保護。他的醫學書籍和電視被取走，於是雷根把鐵床上的鐵條拆下來，塞進門栓。工作人員必須將整扇門卸下，才能進入將他帶出牢房。

他常失眠、嘔吐，視覺有些模糊，於是就向上呈報這些症狀。施海利醫生爲他診療，給他一些藥效較弱的鎮靜劑和止痙劑。雖然施醫師認爲比利的問題大多數是心理上的，但在十月十三日，他命令獄方讓比利移往哥倫布市的中央醫療中心接受治療。

亞倫被送抵醫療中心後，寫信到美國公民自由聯合會要求協助，但沒有任何回音。到達哥倫布市十天後，院方發現他罹患胃潰瘍，被告知要進食中和酸性的胃潰瘍餐，然後再度被送回利巴嫩監獄的隔離室。他知道，要到一九七七年四月，才能符合假釋條件。

(4)

聖誕節和新年來了又去。一九七六年一月廿七日，亞倫與其他囚犯集體絕食。他寫信給哥哥：

親愛的傑姆：

我躺在牢房裡時，想到的是你和我年幼時的情景。隨著年紀一天天成長，我的靈魂就愈痛恨生命。很抱歉，我是造成家庭破碎的原因。在你的人生中，你有許多目標與希望，可千萬不要學我。如果你因此而恨我的話，我很抱歉。但是，我仍然尊敬你。因天父之聖名，我向你發誓，我並未犯下那些被控的罪行。神說每個人都有他所屬的地方和命運，我猜想這就是我的命運。我很抱歉因我的行爲，而爲你和我週圍的每個人帶來羞辱。

湯姆寫信給瑪琳：

給我的瑪琳：

現在，牢裡正展開集體絕食抗議。在囚犯掌握勢力前，我特地寫信告訴妳這件事。因爲如果監獄被囚犯接管，他們就不允許寄出信件了。吵雜聲和玻璃破碎聲愈來愈激烈，如果我不小心把食物從推車上弄翻，我一定會被殺死……

不知是誰放的火！但很快就被撲滅了。警衛正將囚犯拖出去，整個行動進行得很緩慢。但在下個星期內，囚犯或許會佔領監獄。告訴妳，情形就是這樣。警衛全都荷槍實彈守在外面。但囚犯們並不害怕。瑪琳，我非常想念妳，但又不能見到妳。事情發展得愈來愈糟了，再過幾天，這兒的事就會上六點的電視新聞，目前只有辛西那提電台在報導。如果事態擴大了，請勿到這附近來。據我所知，將會有成千的人圍在監獄四週，妳根本就無法擠到前排來。我愛妳、想念妳！請幫我個忙吧！周圍的人說要我把這封信送到地方電台去。他們必須經由大眾的協助才可能達成他們訴求的目標。千萬記住，必須送到電台！他們要我向妳致謝。好了，瑪琳，我非常非常非常的愛妳，妳要好好照顧自己。

愛妳的比利

附記：事情過後，請帶可可亞來探監！

《鮑比》將自己的名字寫在隔離房的鐵床上。在這兒，他可以沈溺於自己的幻想中。他看見自己是個大明星，在電視和電影中出現，或旅行到遙遠的地方，展現出英雄式的冒險行爲。他很不喜歡別人叫他《羅勃》，而一直堅持自己是《鮑比》。他很自卑，不存任何理想，只在心中幻想自己領導其他囚犯。他是他們的模範，就像偉大的印度國父甘地一樣——通過絕食，他會讓那些統治階層跪下求饒。絕食抗議一週後，活動雖然停止了，但鮑比決定持續下去。他的體重已大幅減輕。

某天晚上，當守衛用餐盤送來食物時，鮑比將餐盤推回去，還把食物潑到守衛臉上。

亞瑟和雷根雖然都同意鮑比的幻想幫助他們度過難關，但他的不飲不食，已將身體搞壞了。雷根宣佈，羅勃是《惹人厭的傢伙》。

某天下午，桃樂絲前來探監後，湯姆走出會客室——桃樂絲此行目的是爲了慶祝她兒子的廿一歲生日。他走到一半回過頭從會客窗看見以前未曾留意到的情景：在房間各個角落，犯人們都坐在他們女人身旁，手隱藏在小方桌下看不見。他們彼此不說話，也不互相注視，只見兩眼若無其事地凝視前方，根本就像金魚眼。

他問隔房的鍾斯這是怎麼回事。鍾斯笑說：「小子，你眞不知道？他們是用手做愛！」

「我不相信。」

「小子，如果你有個女人，她會爲你做任何事。她們來這兒全部穿裙子不穿褲子，甚至還不穿內褲。下次如果我們同時會客，我會讓你瞧瞧我女人的屁股。」

隔週，他和桃樂絲會面時，見到鍾斯和他女朋友走來。鍾斯眨了一下眼睛，掀起女友的裙子，展現出她光滑的屁股。

湯姆的臉紅了，立刻將頭轉向另一側。

當晚，湯姆寫信給瑪琳時，字體改變了。菲利浦寫道：「如果妳愛我，下次來的時候記得要穿裙子，但不要穿內褲。」

(5)

一九七六年三月，亞倫開始期待六月的假釋到來。但是，當假釋委員會決定將公聽會延後兩個月時，他開始擔心了。他聽別人說，必須買通總辦公室的相關人員，才可能保證假釋案的通過。亞倫開始用鉛筆和炭棒作畫，把畫賣給其他囚犯和守衛，藉此累積財富。他寫信給瑪琳，懇求她帶來注射有伏特加酒的橘子，其中一顆是給雷根吃的，其餘的就賣掉換錢。

六月廿一日，在被轉到保護隔離牢房八個月後，他寫信給瑪琳，說他十分確定假釋公聽會的延期只是一種心理測驗。「否則我會發瘋，不知道自己會做出什麼事來……」他被轉到C區的「精神病區」，仍被隔離。那兒有十間牢房，是特別爲精神有問題者設立的。後來，由於丹尼拒絕接受治療，因此又被送往哥倫布市中央醫療中心。經過短暫的停留後，再次返回利巴嫩監獄。

在C區牢房時，亞倫繼續書寫《風箏》給典獄長——《風箏》是一種正式的抗議函。他抗議自己被任意隔離，憲法權利被剝奪。他還威脅說，要控告所有獄方人員。過了幾週，亞瑟提出改變策略的建議——沈默，不與任何人交談，不論是囚犯或警衛。他知道這麼做會令獄方緊張。同時，其他孩子們也拒絕進食。

八月，他被安置在隔離病房已十一個月了，他接到通知，說他可以遷回一般牢房了。「我們可以讓你做一些比較不具危險的工作，」杜爾曼典獄長說道，手指著牆上的塗鴉，「我聽過你的藝術天份，如果派你到萊納先生的美術班，你覺得如何？」

亞倫興奮得點頭。

隔天，亞倫到美術教室，那兒到處都很忙碌，只見一群人忙著製作絹網、練字、照相和印刷。幾天來，身材瘦小、脾氣倔強的萊納先生偏著頭看亞倫，亞倫似乎對教室內的忙碌景象不為所動。

「你喜歡做什麼？」萊納問他。

「我喜歡畫畫，尤其對油畫很在行。」

萊納敲了敲自己的腦袋，始起頭看他。「在這兒沒有人畫油畫。」

湯姆聳聳肩，「我想畫。」

「好的，比利，跟我來，我想我知道該從哪兒為你找到畫具。」

湯姆的運氣很好。吉利柯西監獄的油畫課程正好結束，於是送來一些油畫顏料、畫布和畫架。萊納先生幫湯姆擺好畫架，然後告訴湯姆可以開始動手作畫了。

半個小時後，湯姆拿了一幅風景畫給萊納先生。他嚇了一跳，「比利，我從未見到有人畫得如此快，而且還畫得這麼好。」

湯姆點點頭，「如果我想完成任何事，我必須學著畫快一點。」

雖然油畫不在計劃中，但萊納先生知道比利只要手中握著畫筆，情緒就變得十分平靜。因此，他允許比利從星期一到星期五，可以畫所有他喜歡的畫。囚犯、警衛和其他行政人員，無不讚賞湯姆的畫作。他畫了許多幅，與別人以物易物，這些畫作的署名是《密里根》；其他畫作則是爲自己而畫的。當桃樂絲或瑪琳來探監時，獄方允許她們攜出那些畫。

施海利醫師常到美術班教室探視，他向比利請教如何作畫。湯姆教他如何處理風景、如何畫石頭，讓那些石頭看起來像在水裡。施醫師甚至利用週末休假，帶著比利離開牢房，兩人一起作畫。由於他知道比利厭惡監獄裡的食物，所以便爲比利帶來潛艇三明治和起司燻鮭魚圓麵包。

「我希望能在自己牢房裡作畫。」某個週末，湯姆告訴施海利醫師。

施醫師搖搖頭，「如果是兩人房，這就行不通，有違獄方的規定。」

但是，這項規定過不久就不適用了。數日後的某夜，兩名守衛來到牢房將比利搖醒，因爲他們在比利的房間發現大麻。「不是我的，」湯姆告訴他們，他很擔心守衛不相信他的說詞而再度將他送進單人特別房，但是，當守衛審問另外一位同房囚犯時，那囚犯竟招認大麻是他的，因爲他非常怨恨他妻子離他而去。這位囚犯隨即被送進隔離牢房，只留下比利一個人。

萊納先生與摩雷諾副主任商量，在其他囚犯尚未進來之前，不妨先讓比利在囚房裡作畫。摩雷諾同意了。因此，每天美術課下午三點半下課後，比利可以回到牢房繼續作畫直到上床睡覺爲止。時間過得很快。

然後，有一天，有個警衛說，就快有囚犯搬進來了，於是亞倫走進摩雷諾的辦公室。

「摩雷諾先生，如果您讓其他人與我共室，我就無法再畫畫了。」

「是嗎？那你可以到別的地方畫嘛！」

「可否容我向您說明一些事？」

「稍後再過來，我現在很忙。」

午飯後，亞倫從美術教室帶來一幅湯姆剛完成的油畫，摩雷諾盯著那幅畫。「是你畫的？」他問道，然後提起畫作，欣賞這幅深綠色的風景；在畫裡，有條河流曲曲折折地流向遠方。

「嗯，我也想擁有這麼一幅畫。」

「如果你同意我可以在牢房裡作畫，我就畫一幅送你。」亞倫說。

「呃……稍等一下，你會爲我畫一幅？」

「而且免費。」

摩雷諾叫來助理，「卡西，把新囚犯的名牌從威廉・密里根囚房前的名牌匣中抽出來，拿另一塊畫×的白卡插進去。」然後轉向亞倫，「別擔心，你在我這兒還有九個月的時間，九個月後便可假釋了，我不會安排任何人犯到你牢房去。」

亞倫非常高興，但是他和湯姆、丹尼只利用閒暇時間畫個幾筆，他們不想完成任何一幅畫。

「你們要很小心，」亞瑟建議道，「摩雷諾一旦取得畫，他可能就會食言。」

亞倫敷衍摩雷諾大約兩個星期，然後走進摩雷諾的辦公室，送給他一幅有船隻停泊的港口圖。摩雷諾非常高興。

「你確定這可以防止任何人進我牢房嗎？」亞倫問。

「我就寫在告示板上，你可以進去看看。」

亞倫走進安全室，只見在他的名牌下寫著一行字：『別在威廉・密里根的牢房裡安排其他人。』還用透明膠帶貼覆在上面，似乎是永久性的。

比利自此開始大量作畫，他爲警衛、行政人員、母親以及瑪琳作畫。她們可以帶回家出售。有一天，有人請他爲監獄大廳的牆畫一幅掛畫，於是湯姆便畫了一幅非常巨大的畫，掛在詢問台後方的牆上。但是，他犯了一項錯誤——他簽上自己的名字。在送出畫之前，亞倫發現了，趕緊將名字塗去，改簽《密里根》的署名。

大部分的畫作並未滿足他，那些畫純粹是爲了出售賺錢。但是，有一天，他對某一幅畫非常專注，那是他在一本美術書籍中看到的。

亞倫、湯姆和丹尼三個人以該圖爲藍本，畫下一幅名爲《高貴的凱撒琳》的作品。起初，原本要畫的是一位手持曼陀林的十七世紀貴婦——臉部及雙手由亞倫負責，湯姆負責背景的部份，細節則由丹尼主筆。當丹尼準備在她手上畫曼陀林時，卻發現不知該如何畫。因此，他改以樂譜取代。在晝夜不眠的情況下，他們三人連續畫了四十八小時。完成時比利一頭倒在床上睡著了。

進入利巴嫩監獄之前。《史蒂夫》很少有機會出現。他年輕時，曾坐在汽車駕駛座上，吹噓自己是全世界最優秀的駕駛員。李被雷根放逐之後，雷根便允許史蒂夫出來，因爲史蒂夫也有惹人發笑的能力。他自豪說他是當今全世界最優秀的模倣演員，模倣的任何人物都一定讓觀衆捧腹大笑，模倣是他的看家本事。

但是，當他學習雷根那口斯拉夫口音時，卻把雷根給惹火了；用英國低下階層的口吻說話時，也令亞瑟憤怒。

「我才不是用那種方式說話！」亞瑟堅持說道，「我才沒有那種土包子鄉音！」

「他會爲我們惹來麻煩。」亞倫說。

某天下午，史蒂夫站在李奇隊長身後，兩臂交叉、左右搖晃，模倣李奇的姿勢。李奇忽地轉身逮到他。「好了，比利，你可以到地洞練習你的絕活了，或許十天的隔離會給你一些教訓。」

「亞倫曾警告過我們會出事，」亞瑟向雷根說道，「史蒂夫是個沒用的傢伙，既沒野心也沒才能，唯一會做的就是嘲笑別人。旁觀者或許會被他的滑稽逗笑，但是那些被模倣者會變成我們的敵人。雖然目前由你負責掌管，但我不認爲我們該樹立任何敵人。」

雷根也同意史蒂夫是《惹人厭的傢伙》，於是裁定史蒂夫出局。但史蒂夫拒絕被判出局，他模倣雷根的腔調咆哮道：「這是什麼意思？你並不存在，任何人都不存在，你們全是我幻想出來的虛構人物！這兒只有我一個人，我才是眞正的人，其他的人只是幻象！」

雷根摔倒他，前額撞上牆壁。然後，史蒂夫退去了。

在亞瑟的催促下，亞倫申請參加由社區大學在監獄中開設的課程，選修了英國文學、工業設計、基礎數學和工業廣告四個科目，他在美術科目中得了A，英國文學與數學是B。在藝術課程中他的表現最佳——「特優」、「高度的才能」、「理解力強」、「非常値得信賴」、「人際關係良好」以及「深具創造力」——各種褒獎不一而足。

一九七七年四月五日，亞倫出席假釋委員會。他們告訴他，三週後就可獲釋。好不容易接到出獄通知時，亞倫簡直是喜出望外，他無法安靜坐在那兒，只是不斷在牢房中來回踱步，甚至還把通知單折成紙飛機。釋放前一天，經過李奇隊長辦公室時，口哨聲引起了李奇的注意。亞倫朝李奇射出那架紙飛機，然後帶著微笑離開了。

四月廿五日是比利坐監的最後一天。感覺上，時間過得特別慢。才凌晨三點，亞倫便無法再入睡，只是在房裡走來走去。他告訴亞瑟，出獄之後，在決定誰該出現或退去方面，他應該也有發言權。「負責與外界交涉的人是我，」亞倫說：「而且在麻煩時刻爲大家解圍的人也是我。」

「要讓雷根放棄主控地位恐怕很難，」亞瑟說：「經過兩年完全的控制之後，他不會同意所謂的『三頭政治』。我猜想雷根有意繼續掌握控制權。」

「但是，出了獄之後，你就是老闆了。我要找份工作，好適應外面的生活，所以發言角色應當加重才行。」

亞瑟閉緊雙唇，「亞倫，你的要求也不見得不合情理，雖然我不能代表雷根發言，但你會獲得我的支持。」

下樓時，一位警衛遞上一套新西裝給他，亞倫對於西裝的高品質與合身頗爲驚訝。

「這是你母親送來的，」警衛說，「本來就是你的。」

「是嗎？」亞倫露出似乎記得的模樣。

另一位警衛遞上一份收據要他簽名。出獄之前，他必須賠償在他牢房遺失的塑膠杯——三毛錢。

「上次要我搬去特別牢房時，他們把塑膠杯取走了。」亞倫說：「事後並未還給我。」

「這件事我不清楚，你必須先付錢。」

「好啊，這種遊戲我也會玩！」亞倫大叫道，「我不付錢。」

他們帶他到行政部門的唐先生辦公室。唐先生問道，坐監的最後一天怎麼還會有爭執。

「他們要我付被取走的塑膠杯錢，那杯子並不是我弄丟的！」

「這三毛錢你一定要付。」唐先生說。

「如果我付的話，就不得好死！」

「不付就別想出去。」

「我可以在這兒露營，」亞倫坐了下來，「我絕不為我沒做的事付錢，這是原則問題。」

最後，唐先生還是放他走了。當他走向會客室準備與母親、瑪琳、凱西見面時，亞瑟在途中問道：「難道眞有必要這麼做嗎？」

「就像我對唐先生說的，這是原則問題。」

萊納專程趕來為比利送行，施海利醫師也來了，還塞了一些錢在他口袋裡，那是畫作的尾款。

亞倫迫切地想走出監獄大門，因此當桃樂絲與施醫師說話時，亞倫非常不耐。

「走了啦！」亞倫對凱西說：「我們走吧！」

「比利，稍等一會兒，」桃樂絲說道：「我還有些話要說。」

他站在那兒煩躁得很，看著母親說個不停。

「該走了吧！」

「好了，再一分鐘。」

只見他走來走去、不斷抱怨。最後，他忍不住大叫起來：「媽！我要走了！如果妳要留下，那就儘管說個夠！」

「好了，施海利醫師，再見，謝謝您為比利所做的一切。」

他往門外走去，她跟在後面。鐵門在身後關上了。亞倫注意到，當初入獄時第一道門關上的聲音並未傳來。當凱西把車開來時，亞倫仍然在生氣。他認為她們應該敞開大門讓出獄者飛奔出去，不該與人說話而讓他在監獄裡枯等。被關在牢裡已經夠受的了，更別說是嘮嘮叨叨的母親竟然也要他多待在那鬼地方。眞是太過份了！他砰的一聲把車門關上。

「開車到這兒來很不容易！」最後，他開口說話了，「監獄開立的支票最好就在這裡兌現。回蘭開斯特兌換很愚蠢，他們會知道我剛出獄。」

他走進銀行，在支票上簽字交給櫃台。當銀行職員給他五十元現金時，他把五十元放在施海利醫師給他錢的同一只口袋裡。這時，他仍在生氣，氣得不想再處理眼前的事了……

湯姆看看四週，心想自己為何會站在銀行裡？是剛進來？還是正要出去？打開皮夾，抽出大約有二百元，隨後又放進去。他想，或許是正要走出去吧？透過玻璃大窗，他看見母親和瑪琳在車裡等他，凱西在駕駛座上，這才引起他的注意。於是望了一下銀行員身後的日曆，今天正是他出獄的日子。

他跑出銀行大門，假裝手上握有什麼東西，「快！快逃！快把我藏起來！」他緊緊抱住瑪琳大笑，感覺好極了。

「比利，」瑪琳說：「你還是像以前一樣，情緒說變就變。」

她們想告訴他兩年來蘭開斯特市發生的一切，但他一點兒也不在意，他唯一想做的就是與瑪琳獨處。只能在監獄會客室見面的日子已經結束了，現在他只想與瑪琳獨處一室。

當他們到達蘭開斯特市時，瑪琳告訴凱西：「我在購物中心下車，我必須回去上班。」

湯姆當場楞住了，內心受到極大的打擊。因爲他認爲他出獄的第一天，她會和他在一起。他沒說一句話，吞下眼中的淚水。但是，內心的空虛卻逐漸擴張。他退去了……

回到自己的房間時，亞倫大聲說道：「我早就認爲她不適合他。如果她眞關心湯姆，就應該繼續請假。最好現在就和她斷絕關係。」

亞瑟說：「從一開始，我就是持這種看法。」

第十八章

(1)

比利假釋前八週，凱西搬回蘭開斯特父母的住處，同時也回到原公司任職。她之所以忍受這項工作的原因是，她交了位朋友湯貝芙。她們同在震耳欲聾的包裝部門工作，檢查由輸送帶送來的玻璃成品是否有瑕疵。直到凱西辭了工作到雅典的俄亥俄大學念書，她們都還保持聯絡。

湯貝芙和比利的年齡相仿，是位美麗的年輕離婚女子，一頭棕髮及深邃的綠眸。凱西發現湯貝芙非常獨立、不屈不撓又爽直。她對心理學有興趣，想瞭解人類的性惡面，並且研究行爲背後的眞正原因。

凱西告訴她自己的家庭——尤其是比利——曾受害於米查的暴力，她邀請湯貝芙到母親家，讓她觀賞比利的畫作，並告訴她比利做牢的原因，湯貝芙說希望能見比利一面。

比利回來後，凱西安排和她們一同開車兜風。那天下午，湯貝芙駕駛一輛白色奧斯汀出現在春日街，凱西大喊正在修車的比利，介紹他們互相認識，比利只是點點頭，然後又回去做他的事了。

「來呀，比利，」凱西說：「你答應我們一起去兜風的。」

他看看湯貝芙，又看看修理中的福斯車，搖頭說：「我不認為自己適合開車，我還沒把握。」

凱西笑了，「他現在簡直就像英國人。」她告訴湯貝芙，「眞的，眞的很像。」

他用傲慢的眼神瞪視她們兩人。凱西被惹惱了，她不希望湯貝芙認爲自己的哥哥是騙子。

「走吧！」凱西堅持說：「你可不能食言而肥，兩年沒開車並不久啊！你很快就會熟悉了。如果你眞的害怕，我來駕駛。」

「或是坐我的車。」湯貝芙說。

「我來駕駛。」最後他說，然後走到福斯車後座旁，爲她們開車門。

「至少，」凱西說：「你在監獄中還沒忘記紳士的禮貌。」

凱西坐進後座，湯貝芙則在前座。比利繞過車子，坐入方向盤後啓動引擎。他很快的放開離合器，福斯汽車向前衝上馬路，但卻是逆向行駛。

「或許該讓我來開吧！」凱西說。

他沒說話，屈著身子，將車轉向右邊，慢慢行駛。靜靜走了幾分鐘後，駛進一家保養廠。

「我想我必須加些汽油。」他告訴工作人員。

「他沒問題吧？」湯貝芙問凱西。

「他沒事。」凱西說：「他常這個樣子，一下就好了。」

此刻，她們注意到他的嘴唇無聲無息地動著，然後又很快張望四週的環境。他瞧見凱西坐在後座，於是他點點頭並且笑了笑。「嗨！」他說，「是個開車的好天氣。」

「我們要去哪兒？」當他開上馬路，凱西趁機問道，他開車變得非常有自信而且平穩。

「我想去看科梨溪，」他說：「兩年來我在夢中見過它好幾次了。」

「湯貝芙知道你的事，」凱西說：「我跟她說過你以前的事了。」

他若有所思地看著湯貝芙，「這世界上很少有人願意與一位剛出牢的犯人兜風的。」

凱西看見湯貝芙毫不躲避比利的目光，「我不用那種方式衡量別人，」湯貝芙回答，「我也不希望這樣被衡量。」

從後視鏡裡，凱西見到比利的眉毛上揚、嘴唇緊閉，她知道湯貝芙的話讓比利印象深刻。

他們到了科梨溪——他以前經常露營的地方。他凝視溪流，就好像第一次見到一樣。凱西望著樹梢間透下的陽光灑落在水面上的點點跳躍光芒。她立即明白為何比利如此深愛這個地方了。

「我得再畫下此地的美景，」他說：「但是這次畫的不同，我想欣賞所有我知道的地方，全都畫出來。」

「這地方並沒改變呀！」湯貝芙說道。

「但是我變了。」

他們在這個地區逛了兩小時之後，湯貝芙邀請他們到她的拖車小屋用晚餐。於是他們先載她回春日街取車。她告訴他們詳細地址。

凱西很高興比利穿那件細條紋的新西裝赴晚宴。穿上新裝的他，看起來既瀟灑又端重，八字鬍和頭髮也都梳理乾淨。在她的拖車小屋裡，湯貝芙介紹自己的孩子——五歲大的布萊恩以及六歲大的蜜雪兒——比利立刻將注意力轉到孩子們身上，說笑話給他們聽，讓他們坐在膝蓋上，好像自己也是小孩一般。

小孩吃過飯、上床睡覺之後，湯貝芙告訴比利說：「你眞有孩子緣，蜜雪兒和布萊恩很快就和你打成一片了。」

「我喜歡小孩，」他說：「尤其他們眞的好可愛。」

凱西露出微笑，心裡很高興比利有很好的心情。

「我還邀請了一位朋友共進晚餐，」湯貝芙說：「史迪也住這兒，但他剛離婚。我們是最佳拍檔，我想你們會喜歡他的。他較比利年輕幾歲，半個查諾基人，是個不錯的傢伙。」

一會兒之後，史迪來了，凱西對他深褐色的皮膚、黑色茂密的頭髮，以及黑藍色的眼睛驚訝不已，他較比利高些。

晚餐時，凱西察覺比利很喜歡湯貝芙和史迪。湯貝芙詢問比利有關利巴嫩監獄的生活，他告訴他們有關施海利醫師與萊納的事，還有最後他是如何在牢中繪畫度日的情形。餐後，他說了一些讓他陷入困境的事件，凱西卻認爲他在吹牛。突然，比利跳了起來，「我們開車兜風吧！」

「這個時候？」凱西說：「已經是半夜了！」

「好主意！」史迪說。

「我找鄰居來看顧小孩，」湯貝芙也贊同，「任何時間她都可以來。」

「我們去哪兒呢？」凱西問。

「找個遊樂場，」比利說：「我想盪秋韆。」

裍姆來了之後，他們全擠進福斯汽車，凱西和史迪坐後座，湯貝芙和比利在前座。

他們到一間小學校的運動場。凌晨兩點，他們玩躲迷藏和盪秋韆的遊戲，凱西很高興比利玩得很開心，如果比利能交到好朋友，便不會與坐牢前的那些壞朋友交往了。這是假釋官員不斷提醒家人的重點之一。

清晨四點，送湯貝芙和史迪回拖車小屋之後，凱西問比利今晚過得如何。

「他們眞的是好人。」比利說：「我覺得我交了一些朋友。」

她抓緊他的手臂。

「還有那些孩子，」他說：「我眞的喜愛那些孩子。」

「比利，有一天你會成爲好父親的。」

他搖搖頭，「那是不可能的事。」

瑪琳覺得比利變了。他像變個人似的，態度強硬而且想甩掉她。他處處躲著她，這對瑪琳是一種傷害，因爲他在監獄時，她從未與其他男人約會過，她全部心思都放在他身上。

出獄後的一週，他在下班時來接她，他似乎恢復了往日的模樣，輕聲說話而且彬彬有禮——就是她喜歡的——她很高興。他們駕車前往科梨溪，這又是一次愉快的兜風，然後回到春日街，桃樂絲和戴摩出去了，他們進入他的房間。自從他回來後，這是他們兩人第一次真正單獨相處，沒有任何爭執；也是第一次可以緊緊擁抱在一起的機會。由於太久沒擁抱過了，她反而感到有些害怕。

他一定感覺到她的驚嚇，他鬆手。

「我才要問妳怎麼了？」

「怎麼了，比利？」

「我好害怕，」她說：「就是這樣。」

「怕什麼？」

「已經有兩年我們沒能在一起了。」

他下床，穿上衣服，「好吧！」他抱怨道：「我已經沒興趣了。」

分手突然降臨。

一天下午，比利出現在店中，這讓瑪琳錯愕不已，他要她一同開車去雅典市，在那兒共度一個夜晚，然後第二天早上到學校接凱西，再開車回蘭開斯特。

瑪琳回答她不想去。

「我會打電話給妳，」他說：「看妳改變了主意沒有。」

但是，他並沒打電話來，幾天後，她知道是湯貝芙陪他去雅典市的。

怒氣下，她打電話給他，說不想再這樣下去了。「或許我們該忘掉一切，全都過去了。」他同意她的說法，「或許事情有了變化，我擔心妳會受到傷害，我不希望妳再受傷害。」她知道現在已無挽回的餘地了。但是，兩年的等待最後竟成一場空，這讓她十分難受。

「好，」她說，「那就結束吧！」

戴摩擔心的是比利的謊話，這孩子會在做出一些愚蠢瘋狂的事之後說謊，以逃避懲罰。醫生曾告訴他，不能再讓比利說謊。

戴摩對桃樂絲說：「他不是笨孩子，他太聰明了，但聰明反被聰明誤。」桃樂絲的回答只有一個，「這不是比利，是另一個比利。」

對戴摩而言，比利除了繪畫之外，沒有其他天份或能力，他從不肯接受別人的勸告或指示，戴摩說道：「比利寧可聽陌生人說的話，也不願接受熟人的勸告。」

每次戴摩問比利是誰給他消息或建議時，比利的回答永遠是「是我認識的人告訴我的！」他從未提起對方的名字或解釋「認識的人」是誰或在哪兒見過。

比利的這種態度讓戴摩非常不滿，他甚至連簡單的問題也不願回答，只是靜靜走出房間或轉過頭去。戴摩對比利的恐懼感也越來越覺得厭煩。舉例來說，他知道比利對槍有恐懼感——雖然孩子對槍都不甚瞭解，但對戴摩而言，比利根本是無知到了極點。

只有一件事是戴摩無法理解的，在身材上，他比起比利魁梧多了，有時候他們比賽腕力，戴摩認爲一定輕而易舉就可贏他，但有天晚上，戴摩與比利再次比腕力時，出乎意料地輸了。

「再比一次，」戴摩堅持，「但這一次改用右手！」

比利沒說一句話，又贏了他，然後站起來離開。

「像你這麼強壯的人應該去外面工作，」戴摩說：「你什麼時候才會找到一份工作？」

比利看看他，露出非常迷惑的表情告訴戴摩，他已經出去找過工作了。

「你是個騙子，」戴摩大叫：「如果你眞想找份工作的話，你會找到的。」

爭吵持續了大約一個小時。最後，比利拿起衣服和一大堆私人物品，氣呼呼的衝出屋子。

(2)

湯貝芙現在讓被趕出拖車小屋的史迪住在自己的小屋裡。當她聽說比利在家裡的爭吵後，她要比利搬過來住。於是，比利在保釋官的許可之下，搬進湯貝芙家。

湯貝芙與兩位男士住在一起很高興。幾乎沒人相信他們之間沒有任何性關係，而只是三個好朋友。不論去哪兒，做任何事都在一起，她從未如此快樂過。

比利與蜜雪兒、布萊恩相處得很好，他帶他們去游泳、買冰淇淋或是到動物園遊玩。他關心兩個小孩的程度就好像是親生的一樣。每次湯貝芙下班回來後，她會驚訝屋內整理得非常乾淨，但碗盤除外，比利從不清洗碗盤的。

有時，比利的言行非常女性化，湯貝芙和史迪懷疑他是不是同性戀。通常，比利會與湯貝芙同睡一張床，但從未動過她。有一天，她問起這個問題，比利說自己陽萎。

她並不在意這件事，她非常關心他，她喜歡他們一同做事。比方說外出郊遊、露營、花五十元在地攤上小吃；或是夜深人靜時，在科梨溪畔的森林間穿梭，比利持手電筒扮演〇〇七電影中的詹姆斯龐德，試著找出大麻毒品。他用英國口音說話，給每一棵植物一個拉丁名字，大家都覺得十分有趣。他們在一起做的全是瘋狂事，但湯貝芙覺得處在兩個大男人中間非常快活。

有一天，湯貝芙發現比利已把他那輛綠色的福斯汽車漆成黑色，還加上瘋狂的銀色彩條。

「在這個世界上，這是獨一無二的福斯汽車！」他說。

「比利，爲什麼要漆成黑色？」湯貝芙和史迪同時問道。

「治安單位一直在監視我，這麼一來，他們的工作便要輕鬆多了。」

他沒告訴他們眞正原因。有一次，亞倫身體不適，忘了車子停在哪兒，而這輛黑銀相間的顏色可以輕易讓他找到自己的車。

但幾天後，比利見到史迪兄弟皮爾的廂型車時，他用福斯車和他交換；然後，又用這輛廂型車與史迪的朋友交換一輛不會動的機車。經過史迪妙手回春之後，機車可以動了。

有時，史迪發現比利是個瘋狂的機車騎士，但有時他又害怕得不敢騎機車。一天下午，他們在鄉間奔馳，經過一片陡峭的岩坡地，史迪小心地沿著路緣前進，不久聽見上方有很大的引擎聲，他抬頭看見比利正在懸崖頂端。

「你是怎麼上去的？」史迪大聲喊著。

「騎上來的呀！」比利回答。

「不可能！」史迪大吼回去。

幾秒後，他見到比利的轉變。比利試著從懸崖下來，但他的行爲卻好像完全不知道如何騎機車似的，好幾次車子朝一個方向駛去而他人卻往另一個方向去。最後，在下面的史迪將機車停好，爬上陡峭的山壁，幫比利把機車給弄下來。

「我不敢相信是你騎上去的，」史迪說，回頭看看後方的路，「但又沒有其他路徑。」

比利的表情看起來似乎並不知道史迪說什麼。

還有一次，史迪單獨與比利在一起，他們走進樹林裡，爬了兩小時的山路之後，面前仍然是尖拔的山坡，史迪知道自己比較健壯，但這樣的路程對他而言已經是很吃力了。

「比利，我們到達不了那裡了，休息一下就回頭吧！」

他精疲力竭地靠在樹幹上，然後看見比利突然充滿不可置信的力氣，用很快的速度跑到山坡頂上，他不想輸給比利，於是也一步一步地爬上去。到達坡頂時，他看見比利站在那兒，俯瞰山下風景，伸長手臂搖晃，張口說出一大堆史迪也無法瞭解的語言。

史迪站到比利身旁。此時，比利轉過身來看著他，卻好像不認識他一樣，然後朝山下的池塘方向一溜煙跑掉了。

「比利，天哪！」史迪大叫：「你哪來的體力啊？」

但比利邊往前跑邊用外國話咆哮。他穿著衣服跳入池塘游泳，很快就游到池塘對岸。好不容易史迪趕上了比利，比利卻早已坐在池塘岸邊的大石頭上，用力甩頭，好像要將水珠全給甩乾似的。

他抬頭看著史迪，用抱怨的口氣說：「你爲什麼把我推進水裡？」

史迪盯著他看，不願與他起爭執。

當他們回到機車旁時，比利騎車時笨手笨腳的模樣就好像初學者一般，史迪提醒自己得留意這個人，因爲他一定是個瘋子。

「你知道將來我要做什麼嗎？」他們邊走邊談，「我要把一塊畫布掛在兩棵榆樹之間，畫布拉得很高，汽車可以從下面通過，我要畫一幅有灌木和樹林的山峰，山峰下有一條隧道。」

「比利，你的念頭很古怪。」

「我知道，」比利說：「但我還是要去做。」

湯貝芙發現她的存款一天天減少了，錢多半花在購買食物、汽機車的修理上（比利買了一輛二手喜美車）。因此，她暗示比利與史迪應當開始出去找工作了。他們從蘭開斯特市的幾家工廠開始找起。五月的第三週，比利向雷可化學廠的人事部天花亂墜一番，結果兩人都被錄用了。

那是相當吃重的工作。當玻璃纖維絲從大桶中倒出來捲成一匹匹的布時，他們的工作就是等到一定長度，將纖維絲剪斷，然後把重達一百磅的捲筒抬上卡車，接著繼續處理下一捲。

有天晚上，在回家的路上，比利載了一位搭便車旅行的人，他的脖子上掛了一部自動相機。在駛往城裡的路上，比利向那位年輕人談條件交易，他建議用三片禁藥交換他的照相機。史迪看見比利把手伸進口袋，取出用塑膠袋包著的白色藥丸。

「我不吃這東西。」年輕人說。

「每一片你可以賣八元，利潤不錯的。」

搭便車的男子算計了一下，從脖子上取下照相機交給比利。比利讓那男子在蘭開斯特市下車。然後，史迪轉向他，「我不知道你有這些東西。」

「我沒有。」

「那些禁藥是哪兒來的？」

比利笑了，「那些是阿斯匹靈。」

「天啊！」史迪大笑，手拍大腿，「我從未見過像你一樣的人。」

「有一次我賣了一皮箱的假藥，」比利說：「我想再幹一票，咱們來製作一些假藥吧！」

他把車開到一間藥房前，買了一些膠質和其他成份。回到拖車小屋後，將膠質放在湯貝芙的餐盤中融化，等到凝固後約有十六分之一英吋高的塊狀物，並且變得又乾又硬時，再切成四分之一英吋的小方塊，放在膠帶上。

「每一片假迷幻藥應當可以賣個幾塊錢。」

「吃了它會怎麼樣？」史迪問。

「你會快活起來，可以見到幻覺。但最妙的是，如果有人發現你賣的是假貨而不是毒品時，你認爲那些傻小子會怎麼辦？去找警察嗎？」

第二天，比利啓程去哥倫布市。回來時，整皮箱的貨全賣完了，他賣光了一整袋的阿斯匹靈和假迷幻藥，而手上握有一疊鈔票。但史迪注意到比利的神色有些害怕。

隔天，比利與史迪正要騎車上班時，一位叫瑪麗的鄰居大聲要他們停止噪音，比利隨手扔了一把螺絲起子到她拖車小屋裡，金屬碰撞聲就像開槍似的引人注目。她打電話找來警察，以侵入私宅之名逮捕比利。戴摩必須前往保釋，雖然事後指控無法成立，但假釋官說比利得搬回家住。

「我會懷念你們的，」他在打包行李時說：「而且也會想念孩子們。」

「我們大概也不會在這兒待很久，」史迪說：「聽說管理員要趕我們出去了。」

「你們要怎麼辦？」比利問。

「在城裡找個地方，」湯貝芙說：「把拖車小屋賣了，這樣或許你可以再來與我們同住。」

比利搖搖頭，「你們不需要我。」

「比利，這麼說是不對的，」她說：「你知道我們是最佳三人行。」

「再說吧！我得先搬回家去。」

他離開後，湯貝芙的兩個孩子都哭了。

(3)

亞倫已厭倦化學工廠的工作，尤其現在史迪也辭去了工作。他對領班越來越不滿，亞瑟向亞倫抱怨，如此低賤的工作會影響他們高貴的身份。

六月中旬時，亞倫向公司提出勞工受災賠償，並且辭職不幹。

戴摩察覺比利已辭去工作，他打電話到公司獲得證實。他問比利：「工作丟了，是嗎？」

「那是我的事。」湯姆說道。

「你住在我的房子裡，那就是我的事，家中的帳單全由我支付。錢就在那兒，就看你能不能賺得到。但是你連一件工作也做不好，你欺騙了我們，你從未做對過一件事！」

他們爭吵了大約一個鐘頭。湯姆聽見戴摩所說的話與米查當年的鄙視用詞全然相同，於是等著看比利的母親會不會過來為他說幾句話，但是她什麼話也沒說。他知道無法再住下去了。

湯姆走進房間，整理東西放入袋子裡，再把袋子放到車上，然後坐在車內，等著有人開車載他離開這鬼地方。最後是亞倫來了，他看見湯姆一臉怒氣，立刻知道發生了什麼事。

「沒問題，」亞倫把車駛上馬路，「現在是我們離開蘭開斯特的時候了。」

他們在俄亥俄州開了六天的車，白天在各城市找工作，晚上則開進樹林中睡覺。雷根堅持在座椅下放一枝槍，行李廂也放一枝槍，他說這是為了防身。

某個晚上，亞瑟建議亞倫試著去找份維修工的工作，這類工作對湯姆而言可說是輕而易舉；

舉凡修理電氣用品、機械設備、暖氣設備以及水管等。據亞瑟瞭解，這種工作會提供住處，而且還免付水電費。他建議亞倫聯絡一位在利巴嫩監獄曾受助於他的獄友，目前這位獄友是個修理匠，住在哥倫布市郊叫小金龜的地方。

「或許他知道哪兒有缺人，」亞瑟說：「打電話給他，告訴他你在城裡，要去探望他。」

亞倫有點抱怨，但仍按照亞瑟的指示去做。

鮑納德很高興聽見他的聲音，並且邀他前往，他目前並非在小金龜工作，但比利可以去他們家住幾天。亞倫到達時，他們相見甚歡，而且述說在牢裡的往事。

第三天早上，鮑納德回來時，告訴比利柴寧威公寓正在徵求戶外維修人員，「你可以打電話給他們，」鮑納德說：「但別說出你是如何知道他們在徵人的。」

韋約翰是『凱莉及雷蒙管理公司』的人事經理，他對於比利的印象非常深刻，在所有應徵的人選當中，他發現比利是最合適的人選。一九七七年八月十五日，第一次面談時，比利向他保證他能勝任地面維護、木工、電氣維修及水管工的工作，「不管是電氣或鍋爐運轉，我都可以修理，」他告訴韋約翰，「如果我不知道如何做，我會想辦法。」

韋約翰說他還需要與其他幾位應徵人員談談，決定之後再與比利聯絡。

當天稍晚，韋約翰查看了比利的資料，撥了比利在應徵函上寫的以前雇主戴摩的電話。戴摩告訴他，比利簡直無懈可擊——他是一位不錯的工人，而且也是值得信賴的年輕人。當初他辭去工作是因為興趣不合的緣故。他還告訴韋約翰，比利會是一位優秀的維修人員。

除此之外，韋約翰無法再向另兩位雇主詢問；其中一位是施海利醫師，另外一位是萊納，因爲比利忘了塡寫他們的地址。由於這項工作是在室外，因此韋約翰在前任雇主的保證之下，對比利的印象好極了。但是，其實他應當在任用新進員工之前，都要交待秘書向警方查詢有無不良記錄，這是必要的標準作業。

當比利前來接受第二次面談時，更肯定了韋約翰的第一次印象。比利被雇用在威靈斯堡廣場公寓做戶外維修的工作。該公寓緊鄰柴寧威公寓，兩棟公寓均由『凱利及雷蒙公司』經營。他可以立即開始上工。

比利離去後，韋約翰把比利塡寫的申請表交給秘書，他沒注意到比利塡寫的兩個日期都只有年與日而已—七七／十五及七七／十八——他漏塡了八月二字。

韋約翰雇用了比利，但比利眞正的頂頭上司是有一頭黑髮與極白膚色的年輕女子羅雪倫。她發現新進員工是位聰明瀟灑的男子，她向他介紹租賃部成員——清一色的女性，並解釋他工作的程序。他每天必須到威靈斯堡廣場公寓的辦公室報到，取得由她或卡蘿、凱黛所塡寫的工作指示單。工作完成後，比利得在工作指示單上簽名再交還給羅雪倫。

第一個星期，比利工作得非常好，他安裝百葉窗、修補籬笆和走道，還做了些割草工作。每個人都認爲他是個積極上進的年輕人。他往在威靈斯堡廣場公寓裡，一位年輕的維修人員艾奈德與他住在一起。

第二個星期的某個早晨，比利到人事處辦公室探望韋約翰，向他請教租屋之事。韋約翰想起比利當初描述自己良好的背景，以及在電氣、鉛管、電氣用品進修上的才能，於是決定把他調成廿四小時待命的內部維修人員。因此，他居住的地方必須裝上電話才行，擔任這樣的工作必須由公司提供免費的住宿。

「你可以從羅雪倫或卡蘿那兒取得公寓的一套鑰匙。」韋約翰說。

他的新公寓非常漂亮，客廳內有壁爐、臥房、餐廳及廚房，公寓面對中庭，湯姆把一個櫥櫃改成電氣設備，並將櫃子鎖上，以免孩子誤闖。亞倫在餐廳裡安排一間工作室。阿達娜負責烹飪並保持房子的清潔。雷根四處逛逛認識周圍的環境。公寓的生活和工作均安排得很好。亞瑟贊許這樣的結果，而且很高興他們終於安定下來。現在，他可以專心在醫學和研究報告上了。

由於某些人員作業的疏忽，警方的偵察工作從未調查過比利。

(4)

搬進柴寧威公寓兩週後，雷根慢跑經過貧民區，看見兩個黑人小孩赤腳在人行道上玩耍。一個穿著時髦的白人，從其中一間房子走出來進入一輛白色的凱迪拉克轎車。他想那人一定是皮條客。

他很快跑向他，推了那白人一把。

「你幹什麼呀？瘋了嗎？」

雷根摸他的皮帶，抽出一把槍，「皮夾子拿來。」

男子交出皮夾子，雷根倒空皮夾後交還給他，「現在去開車。」

車子開走後，雷根塞給那兩名黑人小孩兩百多元。「去買鞋子，並買些食物給家人。」

孩子們拿著錢跑開時，他笑了。

後來，亞瑟說雷根當天的行爲太差勁了，「莫非你想在哥倫布市扮演羅賓漢劫富濟貧？」

「很爽呀！」

「但是你很清楚，帶槍是違反假釋規定的。」

雷根聳聳肩，「這兒也不比監獄好多少。」

「這是句傻話，這兒有自由！」

「自由又能做什麼呢？」

亞瑟想起自己的預感是對的，雷根喜歡在任何環境中掌權——甚至是監獄。

雷根越是見到哥倫布市東區的工人住宅區，就越對那些坐在高樓大廈的有錢人感到憤怒。

一天下午，他經過一棟搖搖欲墜的房子，看見一個金髮藍眼的漂亮小女孩坐在洗衣籃裡，她的腳怪異地向後彎曲著。一位老婦人走進門廊，雷根問她，「爲何這小孩沒拐杖或輪椅？」老婦人盯著他看，「先生，你知道那要花多少錢嗎？我已經乞討了兩年，我沒錢爲南茜買那些東西。」雷根繼續向前走著，心中在思考這個問題。

當天晚上，他要亞瑟找找看哪間醫療倉庫中有小孩用的輪椅和拐杖。雖然亞瑟很不高興讀書之際被打擾，而且雷根的口氣也很惡劣，但還是打了幾通電話。他找到一家叫肯塔基的公司有雷根需要的尺寸。他給了雷根型號和倉庫地址，然後隨口問道：「你要這些資料做什麼？」

雷根沒回答。

半夜，雷根開車帶著工具和一條尼龍繩，往南朝路易斯威爾駛去。他找到了倉庫，待在那兒直到確定所有人離開為止。闖進去並不困難，他無須得到湯姆的協助。他在身上紮好工具，爬過鐵絲圍牆，躲在建築物旁，沿著排水管觀察房舍的構造。

在電視影集中，他看見貓賊總會帶個勾子以便爬到屋頂。雷根嘲諷這種可笑的設備，他從背包中取出鐵製鞋拔，拆下左邊球鞋的鞋帶，用鞋帶綁住鞋拔做成一個倒勾。他爬上屋頂，在天窗鑿了個洞，伸手進去將天窗打開，用尼龍繩綁在窗架上，然後沿著尼龍繩滑到了地面。這讓他回想起好幾年前與傑姆爬山的經驗。

他花了幾乎一個小時，才找到亞瑟提供的型號物品——兩根四歲孩童用的拐杖和一台小型折疊式的輪椅。他打開一扇窗，將拐杖和輪椅放到窗外，自己也跟著爬出去。最後，他把所有東西都放進車裡，開車返回哥倫布市。

開車到達南茜家時天已亮了，他敲敲門，「我有東西要給小南茜。」他告訴老婦人。老婦人從窗子裡探視。他從車上將輪椅取出來，教她們如何使用，又教南茜如何使用拐杖。

「可能要花很長時間學習使用它，」他說：「不過走路是件很重要的事。」

老婦人放聲哭了出來。「我永遠也沒能力付錢給你。」

「不必付錢，是一家富有的醫療用品公司贈送的。」

「我給您準備些早餐好嗎？」

「給我一杯咖啡好了。」

「你叫什麼名字？」當奶奶去廚房時，南茜問他。

「叫我雷根叔叔。」他說。

南茜緊緊抱住他。老婦人端出咖啡和他從未吃過最可口的派。雷根全吃光了。

半夜時，雷根坐在床上聆聽不熟悉的聲音——一種是布魯克林口音，另外一種是滿口髒話。

雷根聽見一些有關銀行搶劫分贓的事。他溜下床，取出手槍，打開每扇房門與壁櫥門，他把耳朵貼在牆上，爭執聲就在這裡發出的。他轉身喝道：「別動！否則殺了你們兩個！」

聲音停止。

然後，雷根聽見腦子裡有個聲音說：「他媽的，誰敢叫我閉嘴！」

「如果你不現身，我就要開槍了。」

「開什麼槍？」

「你在哪裡？」

「如果我告訴你，你也不會相信。」

「什麼意思？」

「我不知道自己在哪兒，我一點概念也沒有。」

「你和誰在說話？」

「我和凱文在吵架。」

「誰是凱文？」

「對我大吼的人。」

雷根想了一會兒，「描述你周圍的東西，你看見了什麼？」

「我看到一盞黃色燈座，門旁紅色椅子，開著的電視。」

「電視是什麼樣子？上演什麼節目？」

「白色的殼，RCA大型彩色電視，節目是全家福。」

雷根看看自己的電視，他知道那個人也在屋子裡——隱形人，他再次搜索房間。「這房間我已經搜遍了，你到底在哪兒？」

「我在這裡呀！」菲利浦說。

「什麼意思？」

「我一直在這裡！」

雷根搖搖頭，「好吧，別再說了。」他坐在搖椅裡，搖了一整晚，心想竟然有他不認識的人。

第二天，亞瑟針對凱文與菲利浦的事下結論。「我相信是你創造了他們。」他告訴雷根。

「什麼意思？」

「首先，我們從邏輯面來說，」亞瑟說：「身爲憎恨的守護者，你知道自己擁有毀滅力量。因此憎恨可被暴力所征服，但它同時卻也是難以駕馭的。現在，如果有人想保有憎恨的實際力量，但又要祛除邪惡的一面時，仍然會存留憎恨的某些不良特性。我們的頭腦希望能控制你的暴力，讓那些憤怒處於可以選擇與控制的狀態。因此，在去除邪惡念頭之後，你便可以在沒有生氣的狀態下仍然十分強壯，另一方面逐漸消除你的一些邪惡，而這就是菲利浦以及凱文被創造的原因。」

「他們和我一模一樣嗎？」

「他們是罪犯，只要讓他們取得你的武器，他們會爲達成目的而毫不遲疑地將恐懼加諸在別人身上。但只在擁有武器的情況下才發生，因爲他們的力量來源是武器，他們覺得這樣才可以達到你的水平。他們充滿敵意，而且是爲了金錢不惜拔刀相向的人。我裁定他們是《惹人厭的傢伙》，因爲他們犯下不必要的罪行。但是，你知道在《混亂時期》發生了什麼事嗎？……雷根，雖然你曾顯露善良，但本性仍是邪惡的，要徹底祛除你心中的恨意是不可能的，這也是我們保持力量及進取所必須付出的代價。」

雷根說：「如果你能適切控制誰該出現就好了，就不會出現所謂的《混亂時期》，在監獄時情況就好多了。」

「監獄裡也有混亂時期，即使是在你的控制之下，而且通常都是在事情發生之後你才知道，因爲菲利浦、凱文以及其他惹人厭的傢伙竊取了時間。現在最重要的事情是，不可以讓他們與在監獄中所認識的人搭上線，他們會違犯假釋規定。」

「這點我同意。」

「我們必須結交新朋友，開始新生命，在柴寧威公寓工作是個絕佳的機會，我們一定要能在社會上生存。」亞瑟看了看四週，「第一件事就是整理我們居住的公寓。」

九月，他買了傢俱。帳單金額合計是一千五百六十二元二毛一分，第一期付款日在下個月。

開始時，除了亞倫與羅雪倫有些問題之外，一切都進行得很順利。他不知道問題出在哪兒，她不斷找碴。她的長相與瑪琳相似，唯一不同的是，她很蠻橫而且認爲自己無所不知，他也感覺到她並不喜歡他。

九月中旬之前，混亂時期比以前更加嚴重，每個人都給搞迷糊了。亞倫會開車前往辦公室取得工作指示單，再開車到達指定的地點，在公寓裡等待湯姆的出現來工作。但愈來愈多次湯姆不肯出來工作，任何人都無法找到他。同時，也沒有人可以代替他做這些工作，亞倫知道自己永遠無法弄清楚如何處理水管或修理熱水器之類的；而且他也擔心，如果不小心觸電，搞不好會被電死。

亞倫會坐在那兒一直等到湯姆出現，如果湯姆沒出現，亞倫便會離開並在工作指示單簽上「完成」。或「門上鎖，打不開。」也就是他無法進入工作。但有些客戶會打電話抱怨工作並未完成，有一次，當客戶第四次打電話來之後，羅雪倫決定與比利一起到公寓，看看問題到底是什麼。

「比利，我的天哪！」她盯著無法進水的洗碗機說道：「連我都知道該如何找出毛病，還虧你是維修師傅，你該去檢查零件！」

「我做過了，我把排水管清好了。」

「是啊！但問題很明顯並不在排水管。」

當他讓她在辦公室下車時，他知道她非常生氣。他猜想她會開除他。

亞倫告訴湯姆說，他必須想個辦法，免得韋約翰和羅雪倫把他給開除了。

湯姆的第一個念頭是在韋約翰的汽車上裝電話竊聽器，偷聽他的電話。

「這倒是很簡單，」亞倫告訴韋約翰，「這樣的話，你就會有一部汽車行動電話，甚至電話公司都無法偵測到。」

「這麼做違法嗎？」韋約翰問。

「不會的，電波是免費的。」

「你眞的會裝？」

「只有一個方法可以證明給你看，你付材料費，我幫你裝一個。」

韋約翰問了他一些更深入的問題，很驚訝他對電子的知識如此豐盛。「我很想要一個，」韋約翰說：「聽起來眞的很誘人。」

過了幾天，湯姆在電子零件供應店購買電話零件時，看見一種插入式的竊聽帶，只要電話鈴聲一響，帶子立即轉動。現在，他只要做一件事，假裝打錯電話到人事處或租賃部辦公室，然後掛上電話，接著錄音帶便發揮功能了。經由這些電話錄音，他可以察覺韋約翰或羅雪倫是否正在進行違法的勾當，而他可以威脅他們，以免把自己開除了。

湯姆在公司的帳單上支付這些竊聽器的費用，還有一些其他的零件。

當天晚上，他溜進租賃部辦公室，將錄音裝置插入羅雪倫的電話機裡，也在韋約翰辦公室進行同樣的處理。後來亞倫出來了，他翻看一些檔案櫃，看看是否有任何有用的資料，其中一份卷宗吸引他的注意——上面列著柴寧威及威靈斯堡公寓的投資客戶名單。這份名單屬於機密文件，這些人是公司股東，亞倫將這些名單影印了一份。由於竊聽器的安裝，再加上口袋裡的名單，他覺得不論將來發生什麼事，他的工作是沒問題了。

柯哈瑞第一次見到比利是他到公寓更換一些碎裂的窗簾。

「你可以換台新的熱水器了，」比利告訴他：「我可以弄一個給你。」

「要多少錢？」柯哈瑞問。

「你不必付一分錢，敝公司不會發現的。」

他看著比利，心想如果比利知道自己是警察，他還會說這些話嗎？

「我會考慮。」柯哈瑞說。

「想通了隨時告訴我，我會很高興免費幫你裝一個。」當比利離去時，柯哈瑞決定要仔細盯著他。最近在柴寧威和威靈斯堡公寓的竊盜案件正直線上升，所有的跡象均顯示竊賊是擁有此處公寓鎖匙的人。

韋約翰接到一位維修人員的電話。這位維修人員是與比利同時被錄用的。他告訴韋約翰應當多瞭解比利一下。因此，韋約翰邀請他到辦公室來。

「我覺得自己這麼做不太好，」那個人說：「但比利是個怪人。」

「什麼意思？」

「他在竊聽租賃部辦公室小姐的電話。」

「竊聽，你是說騷擾還是……」

「我說的是電子竊聽。」

「好了，別逗了。」

「我是認眞的。」

「你有證據嗎？」

那個人緊張地看看四週，「是比利親口自己告訴我的，他幾乎一個字也不差地重複說出我在辦公室與卡蘿、雪倫的對話。當時辦公室裡只有我們三人，談論的是高中生幾乎都在吸毒之類的事，他也說出那些女孩單獨一起說的話，比男生在盥洗室說的話還下流不堪。」

韋約翰在桌上敲敲手指沈思，「比利為何要這麼做？」

「他說他已經蒐集許多有關雪倫及卡蘿的證物，如果他被開除的話，他會讓她們一起被開除，再繼續下去的話，公司的每一個人都會離開。」

「眞是愚不可及，他怎麼會如此做呢？」

「他說要為你裝免費的汽車電話。」

「沒錯，但我不贊成。」

「他也說會竊聽你的汽車電話，因此可以得知你的秘密。」

當這名維修人員離去後，韋約翰打電話給羅雪倫，「我想妳是對的，最好請他走路。」

當天下午，羅雪倫打電話要比利來租賃部辦公室，並且告訴他已經被開除了。

「如果我走的話，妳也得辭職，」他說：「我不認為妳還可以在這兒工作很久。」

當晚在家時，羅雪倫對比利的來訪非常驚訝。他身穿三件式藍色西服，看起來像高級職員。

「我在這兒只是通知妳，明天下午一點請到地區律師辦公室，」他說：「還要去見韋約翰先生，如果妳不去，他們會派車來接妳。」然後他轉身離去。

她知道整件事看起來很荒謬，但是她嚇壞了，她對於比利說的話一點概念也沒有，她不知道地區律師為何要見她，而這又和比利有什麼關係呢？他到底是誰？他要的是什麼？但是，有一件事是她清楚知道的——他並不是個普通的維修人員。

五點三十分，湯姆直接到已關門的維修辦公室。他進入辦公室拆下竊聽裝置。離開辦公室前，他決定留個字條給卡蘿，依照他給韋約翰的資料，他知道她一定也會被開除。桌上有個他們兩人共用的桌曆，他把桌曆翻到下一個工作日，一九七七年九月廿六日星期一，他在空白處寫下幾個字：

一個嶄新的日子！

可能的話

請盡情享受它！

然後，他把日曆翻回星期五這一天。

那天，韋約翰下班後，湯姆也潛進去拆了電話上的竊聽器。離開時，他跑去見譚太瑞，他是『凱莉及雷蒙公司』的區域負責人。

「比利，你在這兒做啥？」譚太瑞問：「我以為你已經被開除了。」

「我是來見韋約翰的，公司裡發生了一些事，我要把它公開，在通知相關單位與投資人之前，我要先給約翰一個三思的機會。」

「既然你是約翰的頂頭上司，我想我應當先通知您。」

韋約翰下班回到家不久，便接到譚太瑞的電話，要他立刻趕回公司。「有些事情很奇怪，比利在這裡，我認爲你應當過來聽聽他說的話。」

韋約翰到達時，譚太瑞說比利已回公寓去了，待會兒還會回來與他們兩人談話。

「他說了些什麼？」韋約翰問。

「他提出一些指控，最好由他來告訴你。」

「我覺得這個人有些好笑，」韋約翰說，然後打開抽屜，「我要將談話內容錄下來。」

他把空白錄音帶放進錄音機，並且讓抽屜半開。比利進門時，韋約翰不可置信的望著他。直到此刻前，他所見到的比利一直都穿著工作服，而現在的他則截然不同，他身穿三件式的西裝，並且繫上領帶，神情非常高貴。

比利坐下來，姆指放在背心上。「貴公司發生了一些事情，你們應當要知道。」

「比方說呢？」譚太瑞問。

「有許多是違法的勾當，在我去見地區律師之前，我要給你們機會解決這些問題。」

「比利，你要談的是哪些事？」韋約翰問。

在接下來的一個半小時，亞倫敘述租賃部辦公室是如何操作文件，柴寧威以及威靈斯堡廣場公寓的投資人是如何被欺騙。有些房間實際上被員工的朋友所佔用，卻被當作空房間報銷，那些員工則將租金中飽私囊。而且他也可以證明『凱莉及雷蒙公司』非法偷接電線而未付電費。

他信誓旦旦道，韋約翰與這些事毫無關係，但公司內部其他職員幾乎全員參與——尤其是租賃部辦公室的主任，他們允許自己的朋友佔有那些房間。

「我的意思是給你時間去調查這些指控，然後將不法人員繩之於法，但是，如果你不肯或不願意去做的話，我將要公諸世人，投書哥倫布市快報。」

韋約翰有些擔心，部份不誠實的員工可能會做出一些不法的勾當而變成一項醜聞。從比利的說詞判斷，很明顯的，他認爲羅雪倫是幕後指使人。

韋約翰往前傾，「比利，你到底是誰？」

「只是一個關心的人。」

「你是私家偵探嗎？」譚太瑞問。

「這時候還未到我曝光的階段，你們只要知道我是爲一群特定利益團體工作就行了。」

「我一直認爲你不是普通維修人員，」韋約翰說：「你的行爲顯示你是個聰明人，因此你是爲投資人工作的囉？是否介意告訴我們是哪些人呢？」

比利閉緊嘴搖搖頭，「我可從未說過我是爲投資人工作喲！」

「如果不是，」譚太瑞說：「那就是我們的競爭對手派來摧毀本公司信譽的。」

「是嗎？」比利手指互抵說：「你爲什麼這麼想？」

「告訴我們，你的老闆是誰？」韋約翰問。

「現在我唯一能說的是叫羅雪倫來這兒，質問她一些我剛才的指控。」

「我當然會去調查你提出的指控，而且我還很感謝你告訴我這些事情，我可以向你保證，在本公司中，如果有不誠實的員工，他們一定會受到處罰。」

比利將左手臂伸開，讓韋約翰及譚太瑞看見小型麥克風線直繞到他袖內，「我得告訴你們，剛才的對話已全程錄音，這是接收器，我的夥伴在外面已將剛才的對話全錄了下來。」

「好啊！」韋約翰笑著說，並指著開啓的抽屜，「我也全錄下來了。」

比利也笑了，「好的，韋兒，你有三天的時間，從星期一開始調查事情的眞相，開除那些不良份子，否則我要讓社會大衆瞭解發生的事。」

當比利離開不久，韋約翰打電話給羅雪倫並告訴她有關的指控，她說那些全是謊言，在租賃部辦公室中的員工，絕對沒做那些事。

由於比利曾竊聽自己的辦公室，因此羅雪倫在週日到辦公室搜查時，都無任何發現。如果不是他事先拆了，要不就是嚇唬人而已。她看了桌上的桌曆，很自然地從星期五翻到下個星期一，然後她看見上面寫的字：

一個嶄新的日子！

可能的話，

請盡情享受它！

我的天哪！她心想。他會殺了我，因為我把他給革職了。

她立刻打電話給譚太瑞，並且將該頁桌曆紙帶過去。他們核對比利的筆跡。完全一模一樣。週一下午兩點三十分，比利打電話給羅雪倫，告訴她得在星期四下午一點三十分到富蘭克林郡地區律師事務所。他說如果她沒去，他會陪同警方前來逮捕她，他指出這將很有趣。

當天晚上，柯哈瑞打電話給比利，告訴他別再騷擾那些女孩了。

「你說騷擾是什麼意思？我又沒做什麼事。」

「比利，聽著，」柯哈瑞說：「如果她們真的需要去律師事務所，必須先有傳票才行。」

「這件事與你有什麼關係？」比利問。

「她們知道我是警察，他們要我來調查。」

「她們害怕了嗎？」

「比利，沒有，她們並不害怕，她們只是不願意被騷擾而已。」

亞倫決定暫時放下這件事，但讓羅雪倫開除是早晚的事，暫時他還住在公寓裡，不過他必須開始去找工作了。接下來的兩個星期，亞倫四處找工作，但一直沒有合適的，他發現自己無事可做，也沒人可以談話。時間慢慢流失，而沮喪感更加深了。

一九七七年十月十三日，他接到韋約翰的驅逐通知書。他在屋內大聲咆哮，他該去哪兒呢？他要做什麼事呢？

當他走來走去時，突然發現雷根的九厘米史密斯手槍放在壁爐架上，槍爲何會放在外面？他到底發生了什麼事？這些槍是違反假釋規定的，他會被送進監獄裡去的。

亞倫停止走動，深呼吸，或許這正是雷根的如意算盤，只要回到監獄，他就可以主控一切！

「我無法再處理了，亞瑟。」亞倫大聲說道：「太沈重了。」

他閉上眼睛退去……

雷根抬起頭來，迅速張望四週，確認只有自己一個人。他看見桌上的帳單，立刻知道由於沒工作而無收入的煩惱。他們已經遇到了困難。

「好吧！」他大聲說：「冬天來了，孩子要穿衣也要飯吃，我得去搶錢了。」

十月十四日早晨，星期五，雷根把手槍放入掛在肩上的皮套裡，他穿了棕色套頭毛衣、白色球鞋、棕色慢跑外套、牛仔褲以及運動夾克，他混合伏特加酒吞服三片安非他命20，在天未亮時出門了，朝俄亥俄州立大學校園慢跑而去。

第十九章

(1)

雷根在哥倫布市慢跑了大約十一哩，在星期五早晨七點半到達俄亥俄州立大學東側停車場。他沒有任何計劃，心中唯一的念頭是找個目標搶劫。在醫學院與停車場之間的走道上，他看見一位年輕女子停妥金色豐田汽車。走出車門時，他看見她在敞開的鹿皮外套下穿了一件栗色長褲。他轉過身，搜尋其他下手目標。他並不打算打劫婦女。

但是，阿達娜也在那兒注視，她知道雷根為何會在這兒出現，也知道他吸食安非他命、喝了伏特加酒，跑步跑累了。她希望他退下去……

當她靠近那位女子時，那女子正彎腰取書籍和筆記本。這時，阿達娜從槍套中拔出槍頂住那女子的手臂。那女子頭也不回，笑著說：「好了，你們別鬧了。」

「進車！」阿達娜說：「我們去兜兜風！」

戴凱莉轉身發現這陌生人並非朋友，以前從未見過，而且手中還握有一把槍，她知道這陌生男子不是在開玩笑。他示意要戴凱莉移向乘客座，於是戴凱莉便依言跨過排檔桿坐在右側的座椅上。他取過鑰匙，坐上駕駛座。起初，他鬆開手剎車似乎有些困難，但最後還是將車駛離停車場。

戴凱莉仔細端詳這陌生男子——紅棕色頭髮，八字鬍修剪得非常整齊，右頰上有顆痣，是個體態瀟灑修長的男子，約一百八十磅重，五尺十寸高。

「我們要去哪兒？」她問道。

「某個地方，」他的語氣溫柔，「哥倫布市的路我不太熟悉。」

「聽著，」戴凱莉說：「我不知道你爲何找上我，但我今天有場考試，要考視力檢定法。」

他將車開到一家工廠的停車場停了下來。戴凱莉發現他的眼睛飄來飄去的，這是她必須記得告訴警方的特徵。

他翻動她的皮包，取出駕照和其他證件。此時，他的聲音變得很嚴肅。「如果妳敢報警，我就對妳的親人下手！」他取出一副手銬，將她的右手銬在車門把上。「妳剛才說妳要考試，」他喃喃說道：「在我開車時，如果你想看書的話，請便。」

他們朝俄亥俄大學校園北方前進，過了一會兒，他停在鐵路平交道上，正巧有一列火車緩緩駛來，只見他突然跳下車，繞到行李廂後，戴凱莉可嚇壞了，以爲他要棄她不顧——手被銬在車上，火車就要來了——她心想，莫非他瘋了不成。

原來是當車胎在鐵軌上傳來一陣沈重的聲音時，凱文代替阿達娜出現了，因此立刻跳下車繞到後車廂，檢查輪胎是否出了問題。如果是爆胎的話，他就必須逃開。但是，一切似乎都沒問題，於是又回到車上把車開走。

「脫掉長褲！」凱文說道。

「什麼？」

「把妳的長褲脫了！」他大吼。

她按他的話做，同時也被他突如其來的轉變嚇壞了。她知道他這麼做是擔心她會逃跑。即使未被銬住，要她不穿衣服逃跑也是不可能的事。

在行駛中的汽車裡，爲了避免激怒他，她將目光放在『視力檢定法』的課本上。雖然未抬起頭來看，她也知道他們正在國王大道上朝西前進，不久又轉向奧倫坦吉河路往北行駛，進入一片田園地帶。偶而，他會自言自語：「今天早上才逃掉……用球棒K他一頓……」

通過玉米田時，前路出現路障，於是他繞道駛入樹林，打從一堆廢棄車前經過。

戴凱莉還記得座椅與排檔桿置物箱之間有一把剪刀，她想抓起剪刀刺他。但是，當她注視剪刀時，他開口說話了：「別做傻事！」同時亮出彈簧刀。他停車，將手銬從車門上解開，但手銬仍留在那年輕女子的右腕上。接著，再將她的鹿皮外套舖在泥濘的土地上。

「脫掉內褲，」他低聲說：「躺下來。」

戴凱莉看見他眼珠子飄來飄去……

阿達娜躺在那女子身旁，凝望頭頂上的樹木。她不明白自己的時間爲何總是被菲利浦和凱文搶去。她在開車時，曾有兩次被他們取而代之。她希望他們不會再出現。一切都是如此混亂。

「妳可知道孤獨的滋味？」她問躺在身旁的女子，「尤其是長久以來都沒被人擁抱過的感覺？妳可知道不懂得什麼是愛的感覺？」

戴凱莉沒答話，阿達娜就像抱著瑪琳一樣抱著她。

但是，這位嬌小的年輕女子，似乎有什麼毛病。無論阿達娜如何試著進入戴凱莉的身子，戴凱莉的肌肉總會一陣痙攣，迫使阿達娜出來——就是無法進入。這情形不但奇怪，而且可怕。在迷迷糊糊之中，阿達娜退去了……

戴凱莉哭著臉告訴眼前的男子，說她自己有生理上的問題，她曾看過婦產科醫生。每次和男人睡覺時，她就會有這種症狀。突然間，眼前的陌生男子變得非常憤怒，而且態度粗野。

「哥倫布市有那麼多女孩，」他大聲咆哮，「卻挑到妳這個沒用的女人！」

他讓她穿上長褲，命令她上車。戴凱莉發現，眼前這男子的態度又變了。他靠近她，遞上一張面紙，「拿去，」他溫柔說道：「擤擤鼻涕吧！」

阿達娜神情慌張。她記起雷根今天開車兜風的目的——如果她空手而回，雷根一定會起疑。

戴凱莉看見這個強暴犯不安的眼神和臉上憂心的表情。她倒同情起這男子了。

「我必須弄些錢！」男子告訴她：「否則有人會生氣！」

「我沒帶現金。」戴凱莉說著說著哭了起來。

「別緊張，」他又遞給她一張面紙，「如果妳照我的話做，我是不會傷害妳的。」

「我會照你說的話做，」她答道，「但別把我家人牽扯進來，你可以把我的錢都拿走，但是千萬別動他們。」

他把車停妥，再次搜尋她的皮包，發現一本存摺，存摺上有四百六十元餘額。「妳一星期的生活費多少錢？」他問。

戴凱莉哭著說：「五、六十元。」

「好了！」他說道：「我讓妳留下六十元，另外開一張四百元的支票。」

戴凱莉既驚訝又高興，雖然她知道學費和書籍費已經飛了。

「我們一起去搶銀行！」男子突然說：「妳和我一起去搶！」

「不，我不去！」她斷然拒絕，「你可以要我做任何事，但我絕不幫你搶銀行！」

「我是說，我們一起去銀行兌換支票。」說完，似乎又想到了什麼，「看到妳哭，會令他們查覺有異。妳心情這麼亂，要妳一起去兌現支票可能有困難，反而會惹來銀行員的注意。」

「我不認爲我有什麼問題，」戴凱莉仍然哭著說道，「在槍口的壓迫下，我這樣的表現已經算是不賴了。」

他只嗯了一下。

在西百老街上，他發現一家可供車輛直駛進入辦事的銀行，那是俄亥俄國家銀行的分行。他將槍藏起。但是，當她取出身份證時，槍口立刻指向她。戴凱莉本打算在支票背書時寫上『救命』兩個字，但這一切似乎都被他看穿了。他說道：「別想在支票背面耍花樣。」他將支票、存摺和戴凱莉的身份證交給銀行員，銀行員給了他四百元。「妳可以向警方報案說妳遭搶，然後要求支票立刻止付。」當他將車駛離時說道：「告訴他們妳是在被逼迫的情況下才去兌現的；這樣一來，損失就由銀行來承擔。」

到達市中心時，他們陷入尖峰時刻的車潮中。「妳坐過來開車。如果向警方報案，可別說出我的特徵。如果我在報上看到任何蛛絲馬跡，我自己不出面，但一定會有人去找妳或妳家人。」

然後他迅速下車，消失在人潮中。

雷根四週張望，原本以爲自己在俄亥俄州立大學的停車場裡。但稍一留神，發現時間已經是下午了，而且正打從市中心的拉查拉斯百貨公司大門前走過。時間消失到哪兒去了？摸了一下口袋，發現有一束鈔票。心想一定是幹了一票。這鈔票一定是搶來的，但他對此事卻毫無記憶。

他搭上一輛駛往雷諾斯堡的公車。

返回柴寧威公寓時，他將錢和萬事達卡放在衣櫃裡的架子上，然後睡覺去了。

半個小時後，亞瑟醒了過來，精神飽滿，心想自己爲何會睡得如此晚。淋過浴，換穿內衣時，他發現衣櫃架上有錢。這些錢是哪兒來的？大概是某個人忙著工作賺錢吧？管他的，只要有了錢，就可以買吃的、還清帳單；最重要的是，可以支付汽車貸款。

亞瑟將『驅逐通知』丟到一旁。湯姆他們已被公司開除了，韋約翰只是來催繳房租的，房租可以稍後再付。他已決定該如何對付『凱莉及雷蒙公司』，他打算讓他們繼續發出『驅逐通知』；他們告上法院時，亞倫會告訴法官，當初該公司要他辭去原來的工作，搬到他們的公寓爲他們整修屋子。好不容易領到工錢買了幾件傢俱安定下來，他們卻要開除他，還想將他趕上街頭。

他知道法官會給他九十天的寬限期，即使接到最後一張『驅逐通知』，他仍有三天的時間搬出去。在這段期間裡，亞倫有充份的時間去找另一份工作，存點錢、租新房子。

當晚，阿達娜剃掉八字鬍。她一直不喜歡臉上有鬍子。

湯姆曾答應比利的妹妹凱西在這個星期六，也就是『全郡戶外園遊會』的最後一天，在蘭開斯特市與她一同度過。因爲桃樂絲和戴摩租了攤位賣吃的，或許需要人手協助收拾餐盤、整理雜務，於是拿了衣櫃上的錢——金額並不大——並且要亞倫開車載他去蘭開斯特。園遊會上，他與凱西度過了愉快的一天。他們騎腳踏車、玩遊戲、吃熱狗、喝啤酒；談論小時的情景、猜想雪兒加入搖滾樂團如何在加拿大過日子、傑姆在空軍的表現如何等等。凱西還說，她很高興比利剃掉鬍子。

當他們來到小吃攤時，桃樂絲正在忙，湯姆溜到她背後，用手銬將她銬在導管上。「如果妳想整天都待在火爐旁像奴隸一樣工作，乾脆就把妳銬在這裡好了。」桃樂絲聽了之後笑了起來。

湯姆一直和凱西在一起。園遊會結束時，亞倫開車返回柴寧威公寓。

亞瑟度過一個平靜的星期天，都在閱讀醫學書籍。星期一上午，亞倫打算出門找工作。往後幾天，他打了好些電話，也寄了不少履歷表，但都沒人雇用他。

(2)

星期五晚上，雷根跳下床，他認爲自己已睡過一會兒了。走到穿衣鏡前，那些錢——甚至不記得是搶來的——已經不見了，於是衝進儲藏室取出二五口徑的自動手槍，在公寓裡展開搜索，想找出趁他睡覺時溜進來的小偷，結果卻空無一人。找不到亞瑟時，他非常生氣的從抽屜裡取出僅有的十二塊錢，走出公寓去買伏特加酒。回來之後立刻就把酒喝光了，並且還猛吸煙。他仍然擔心那些尚未償清的帳單。心中想道，無論上次的錢是如何得來的，他必須再幹一票。

雷根吸食過安非他命，將槍繫在身上，穿上慢跑服和風衣，再次朝哥倫布市西區慢跑前進。他大約在早晨七點半到達俄亥俄州立大學『智士停車場』，遠處可以看到一座屬於『俄州人隊』的馬蹄形足球場。他發現身後有一塊招牌『阿普漢大廳』——那是在停車場另一側，一棟現代化的水泥玻璃建築。

一位身材矮小、體態豐滿的護士走出大門，橄欖色肌膚、稍高的頰骨、烏溜溜的秀髮在背後綁成三條長馬尾。當她進入一輛白色汽車時，雷根心頭浮出一種奇怪的感覺，似乎曾在哪兒見過她。或許有個人——可能是亞倫——很久以前在學生常去名爲『古堡』的地方見過她。雷根正轉身準備離去時，阿達娜將他趕出『聚光燈』……

魏達娜在值完夜間十一點至清晨七點的大夜班之後，只覺身心俱疲。她曾在醫院打電話給她未婚夫席尼，說要與他共進早餐。但是，經過一整晚的勞累之後，她只想儘快離開這鬼地方，至於給席尼的電話，等回到家之後再打好了。走向停車場時，一位朋友正好經過，彼此互道早安。接著，魏達娜繼續朝向她每次都很小心停在『阿普漢大廳』前的車子走去。

「嘿！等一等！」不知是誰在大喊。

她抬頭看見馬路對面有一位身穿牛仔服和風衣的年輕人，正在揮手叫她。他很瀟灑，有點兒像是某個電影明星，戴著一副會變色的棕色太陽眼鏡。她站在原地等他，那男子過來之後，問了中央停車場的地點。

「這很難說明，」魏達娜回答，「要往這兒繞過去。我看還是我載你過去好了，上車吧！」

年輕男子依言上車。魏達娜正在倒車時，那男子突然從風衣中拔出槍來。

「繼續開車，」他說道：「妳必須幫我一個忙。」不一會兒，他又補了一句，「如果妳聽話，就不會受到傷害。相信我，我眞的會殺人。」

魏達娜心想這回是必死無疑了。她的臉頰開始漲紅、血管收縮、胸口沈重。天哪！爲什麼不叫席尼來接我下班？至少也該讓他知道回家之後會打電話給他，或許等久了，他會通知警方。

綁匪將手伸向置於後座的皮包，取出皮夾，看著她的駕照。「聽著，魏達娜，把車開往北上七十一號州際公路。」

他從皮夾裡掏出十元——她覺得那是故意做給她看的——接著用很明顯的動作將十元放進襯衫口袋，然後又從她的包包裡取出一根煙，送進她嘴裡。「我敢打賭，妳現在想抽煙！」同時用她的打火機為她點燃。她發現他手上和指甲縫裡全是油漬，但並非油污或髒東西。他刻意將打火機上的指紋抹去，這可嚇壞了魏達娜——這表示對方是個職業罪犯。他注意到魏達娜有情緒不安的反應。

「我是集團成員，」他說：「我們有人捲入政治活動。」

她第一個反應是，他在暗示他頗有來頭，雖然他並未眞正提到他所屬的組織名稱。她認為他上七十一號公路可能是為了逃往克里夫蘭。這男子應該是都市游擊隊份子。

但是，當他下令在達拉瓦郡交流道離開七十一號公路時，她嚇了一跳。他要她走偏僻的道路。他整個人似乎放鬆了，而且對這個地區很熟悉。當附近不見任何汽車往來時，他叫她停車。

魏達娜發現這附近非常荒涼，這才知道這次的綁架與政治完全無關，不是被強暴就是被射殺身亡。只見他向後靠，魏達娜知道噩運即將臨頭。

「我要在這兒休息一分鐘，整理一下思緒。」他說道。

魏達娜坐在那兒，兩手仍然握住方向盤，眼睛注視前方。一想到未婚夫和未來的生活，心想不知接下來會發生什麼事，眼淚就不禁開始流了下來。

「怎麼回事？」男子問道，「你擔心我會強暴妳？」

這些字眼和諷刺的語調刺傷了她，她轉過頭注視他。「是的。」她答道。

「妳眞是個蠢蛋！」他說：「該擔心的是妳的性命，結果妳卻擔心貞操！」

這句話的確令她十分震驚，於是立即停止哭泣。「你說的沒錯，我是很擔心自己的性命！」

她看不清他的眼神，因為他戴太陽眼鏡。突然，他的聲音變得很溫柔，「放下馬尾辮子。」

她坐在那兒，手握方向盤。

「我說把妳的頭髮放下來！」

她取下髮繩。然後，他靠上來將整條髮帶扯掉，雙手撫摸並稱讚她美麗的秀髮。

不久，他的聲音又變了，變得很大聲而且還說個不停。「妳眞是媽的大笨蛋！看看妳把自己弄成什麼模樣！」

「我把自己弄成什麼模樣？」

「看看妳的衣服，看看妳的頭髮，妳一定知道對我這樣的男人妳很有吸引力！一大清早七點半妳在停車場幹什麼？難道妳還不是笨蛋？」

魏達娜認為，就某方面而言他是對的，當初讓他搭便車就是個錯誤。她怨嘆自己造成如今的下場。這時，她更進一步發現自己正被人挾持進行所謂的犯罪之旅，她曾聽過類似的強暴故事，但從未想到會發生在自己身上。

她已不在乎即將發生的事。腦子裡突然閃過一個念頭：也好，不會再有比強暴更糟的事了。

「對了，」他的聲音將她從思緒中帶回現實，「我叫菲爾。」

她兩眼直直望向前方，並未看他的臉。

他對她大吼道：「我說我叫菲爾！」

她點點頭，「你叫什麼都行，我不想知道。」

他叫她下車，在搜查她的口袋時，他說：「我打賭，妳當護士一定可以拿到很多興奮劑！」

她默不作聲。

「到後座去！」他命令道。

魏達娜移到後座時開始不停地說話，希望能分散他的注意力。「你喜歡藝術嗎？」她問，「我最喜歡藝術了，閒暇時就做些陶藝，使用的材料是黏土。」她歇斯底里地說下去。但是，他彷彿並未聽到她在說什麼似的。

他要魏達娜脫下白色褲襪。她很高興他並未叫她把衣服全脫光。

「我沒染病。」拉下拉鏈時，他這麼說。

這令魏達娜十分吃驚，她眞想大喊回去——我有病！我什麼傳染病都有！但是，她同時也感覺這男子是不是有精神病，所以不敢再惹他生氣。總而言之，她目前擔心的不是有沒有傳染病，她只希望儘早辦完事。

她很驚訝他才沒幾下就結束了。

「妳眞是太棒了，」他說道：「妳讓我全身興奮。」他下車張望，要她坐回駕駛座。「這是我第一次強暴，從此不再只是游擊隊了，我還是強姦犯！」

過了一會兒，魏達娜說道：「我可以下車嗎？我想上廁所。」

他點點頭。

「有人監視我的話，我就沒辦法……你可不可以走遠點兒？」

他按她的話走開了。當她回來時，發現他的言行舉止又變了，看起來輕鬆許多。但是，不一會兒，他又變了個樣，重新用命令的口吻、態度和粗暴的言語對她說話。

「上車！」他吼著，「上七十一號公路往北開，我要妳兌換支票，弄些錢給我！」

她迅速思考了一會兒，急著想回到她熟悉的地方。她說道：

「好，如果你要錢，就回哥倫布市。其他城市的銀行在星期六是不會兌現外市的支票的。」

她一邊靜待他的反應一邊告訴自己，如果他堅持上七十一號公路朝北駛去的話，就表示他們是向克里夫蘭前進。她決定撞毀車子，兩人同歸於盡。她痛恨他的暴行，絕不可讓他花她的錢。

「好吧！」他說道，「就往南吧！」

希望他沒發覺自己鬆了一口氣，她決定試試自己的運氣。「為何不走廿三號公路？廿三號公路上有不少銀行，我們可以在下午關門之前領到錢。」

他再次接受她的提議。儘管她覺得自己的性命受到威脅，但仍希望藉由不停的說話讓他分心，或許還有活命的機會。

「妳結婚了沒有？」他突然提出這個問題。

她點頭，心想，這樣的回答會讓他以為家裡有人等她，會知道她失蹤了。「我丈夫是醫生。」

「他怎麼樣？」

「他是個實習醫生。」

「我不是問這個。」

「那你是問什麼？」

「他這個人怎麼樣？」

正要開口介紹未婚夫時，她突然瞭解到，他問的是性行爲方面的能力。

「你比他強多了。」她知道，如果誇獎他，或許他的態度就會好一些。「你知道嗎？我丈夫一定有問題，他做那件事要花很久的時間，你那麼快就結束了，眞是太棒了！」

她看他臉上流露愉悅與滿足的神情，更肯定他的確是精神不正常。如果能不停說笑，或許就可平安脫險。

他再次搜查她的皮包，掏出一張萬事達金融卡、醫院工作證和支票本。「我要兩百元，有人需要錢用。開一張支票，到妳開戶的西維爾銀行換錢，我們一起進去。如果妳有任何企圖，我就扣動頂在妳身後的槍殺了妳！」

走進銀行打從出納員眼前經過時，魏達娜全身顫抖。她簡直不敢相信，那些人竟然沒發覺她臉上的怪異表情。她拼命使眼色想引起銀行員的注意，卻沒有任何人發現。後來，她走向櫃員機用金融卡分兩次提領，每次各五十元，直到自動櫃員機的收據上顯示可借支的限額已滿爲止。

當他們開車離去時，他小心撕毀櫃員機收據，將碎片丟到窗外。魏達娜兩眼直盯後視鏡，幾乎要窒息了——正好有輛警車跟在後面。天哪！她心想，一定會被警察逮捕的，因爲亂丟紙屑。

當他查覺她異樣的興奮神情時，一轉頭，也看到了警車。「他媽的！讓那幾隻幸運的豬儘量開過來，我用槍打爛他們腦袋！很不幸妳看見了，但事情就是這樣，我會幹掉他們！但是，如果妳敢輕舉妄動，下一個就是妳！」

這時，她眞希望警察沒看見丟到窗外的紙屑。她十指互握，十分確信他會開槍射殺警察。巡邏車並未注意他們。她只是向後靠在座椅上，全身發抖。

「我們再找其他銀行。」他說道。

兩人試了幾家銀行，甚至也試過『克拉格』和『大熊』等等連鎖商店，但都領不出錢。她發現每次走進銀行前，他都非常緊張；但是，一走進去之後，又變得很調皮，像在玩耍一般。在『克拉格』商店時，他還像夫妻一樣抱住她。

「我們眞的很需要錢，」他告訴店員，「我們要出城去。」

最後，魏達娜終於找到自動支票兌換機，換得了一百元現金。

「我懷疑，」他說：「是不是所有電腦都連線。」

當她說他似乎十分瞭解銀行作業和那些機器的操作時，他說：「我必須知道這些玩意兒，因爲這對我們組織很重要，我們互相分享資訊，每個人的力量集合在一起就變得很強大。」

這令她再次想起他與某些激進派組織之間的關係，於是決定改變話題，討論政治和目前的國家大事，以便分散他的注意力。當他在一旁翻閱《時代雜誌》時，她向他請教有關巴拿馬運河投票的看法，他看來十分困惑、不知所措。不久，她發現他對電視或報紙上的一些熱門新聞一無所知，他並非政治偏激者，而且對於這個世界上發生的事物知道的太少了。

「這件事別向警方報告，」他突然說道，「因爲我們組織有人負責注意這些變化，我們一定會掌握的。或許我會去阿爾及利亞，但我其他兄弟會代我監視妳，這就是我們做事的手法。我們彼此支援，總有一個會找妳報仇。」

她仍然持續想辦法讓他開口說話，以分散他的注意力，但決定不談政治。「你相信有神嗎？」她問道，因爲這個話題有的人可以談上好幾個鐘頭。

「妳相信有神嗎？」他大聲吼回去，用槍頂在她臉上，「現在神會來救妳嗎？」

「不會，」她喘息道，「你知道嗎？你是對的，神現在並沒來幫我。」

他突然沈寂下來，看著窗外的景物。「我想我眞的被宗教搞迷糊了，妳永遠不會相信，我是個猶太人。」

「眞的？」她毫不經考慮脫口而出，「你不像是猶太人呀！」

「我父親是猶太人。」

他繼續說話，似乎不再那麼氣憤了，最後他說：「所有宗教都是狗屁！」

魏達娜當然沒說話，因爲宗教顯然不是個好話題。

「妳知道嗎？」他溫柔地說：「魏達娜，我眞的很喜歡妳，很遺憾我們在這種情況下見面。」

他不至於會殺了我，魏達娜心想，或許現在該想想如何協助警方逮捕他。

「如果能再見面的話，」她說：「那是再好也不過了。打電話給我……寫封信給我……甚至只是一張明信片也好。如果你不想簽名，可以簽個『G』代表游擊隊。」

「妳丈夫怎麼辦？」

她心想他已經上當了。前面設下的陷阱如今已經讓他上勾了。「別擔心我先生，」她說道，「我會處理他的。寫信或打電話給我，我會很高興能聽到你的消息。」他指著油錶說快沒油了，該找個加油站加油。

「不，還夠用，」她眞希望車子沒油，這樣他就不得不下車。

「現在距離早上我遇見妳的地方有多遠？」

「不遠。」

「妳載我回那個地方！」

她點點頭，心想這是最佳的選擇。快到達醫學院時，他要求把車停在路旁，並且堅持給她五元去加油。她不願接受，因此他把錢放在遮陽板的小袋子裡，然後溫柔地望著她。「很抱歉我們在這種情況下見面，」他低聲道，「我眞的愛妳。」

他輕輕抱了她一下，然後就跑出車外。

當雷根返回柴寧威公寓時，已是週六下午一點了。同樣的，這回他又對搶劫之事毫不知情。他把錢放在枕頭下，槍放在旁邊的桌子上。「這些錢絕不可交給其他人。」說完後便進入夢鄉。

當晚，亞倫起床了，發現枕頭下有兩百元。他很納悶錢又是從哪兒來的呢？當他看到雷根的槍之後，心中也有個譜了。

「原來如此，」亞倫說：「那就出去享樂享樂吧！」

他沖了澡，將臉上長了三天的鬍子刮淨，穿上衣服出去吃晚餐。

(3)

週二晚上，雷根醒來時，以爲自己才睡了幾個小時。他一手伸進枕頭下，發現錢又不見了，被偷了。那些帳單都還未付，也沒買東西。他再次自問到底出了什麼事。這回，他找到亞倫和湯姆。

「是啊！」亞倫說道，「我是看到錢在那兒，但我並不知道不能花呀！」

「我買了一些顏料，」湯姆說：「那是我們需要的。」

「笨蛋！」雷根大吼，「我偷錢是爲了要付帳單、買食物、付汽車貸款的！」

「好了，亞瑟在哪兒？」亞倫問：「他應該告訴我們呀！」

「我找不到亞瑟，他已經不管事了，只專心研究工作，現在由我負責付帳單。」

「那接下來該怎麼辦呢？」湯姆問道。

「我再幹一票，這是最後一次，誰都不准再去碰那些錢！」

「天呀！我痛恨《混亂時期》！」亞倫在一旁說。

十月廿六日星期三早晨，雷根穿上皮夾克出門了，這是他第三次穿過哥倫布市往俄亥俄州立大學前進。他必須弄到一些錢，他必須向某人搶劫，任何人都行。大約七點半時，他站在十字路口，一輛警車也停在那兒等紅綠燈。雷根握緊懷裡的槍，那些警員或許有些錢。當他朝他們走去時，綠燈亮起，警車呼嘯駛離了。

沿著東伍得拉夫大道前進時，他看到一位非常漂亮的金髮女郎駕駛藍色雪佛蘭汽車，朝一棟磚造建築物駛去，牆上的招牌寫著『雙子座』。他尾隨到停車場，很確定自己並未被對方發現。他從沒想過要對婦女下手行搶，但如今的他已無技可施了。這麼做，也都是爲了那些孩子。

「進車裡去！」

那女郎轉過頭來問：「什麼？」

「我有槍，載我去個地方。」

慌張之下，她依言行事。雷根坐上乘客座掏出兩支槍。此時，阿達娜第三度代他出現……

阿達娜開始擔心亞瑟或許會知道自己曾竊取雷根的時間，她認爲如果有一天雷根被警方逮捕，或許會被控訴所有罪行。由於他出門帶槍，一心只想搶劫，所以大家一定會認爲所有時間都是他佔用的。如果他記不起發生過什麼事，警方可能就會歸因於那些伏特加酒和毒品。

她很羨慕雷根，既勇敢又進取，尤其是他對克麗絲汀的那份柔情。她眞希望自己能擁有雷根的特質。當年輕的金髮女子開車時，她用雷根的口氣與她說話。

「我要妳在那邊的辦公大樓停車，後側的停車場應該有一輛豪華房車。」果然有輛房車停在那兒。阿達娜掏出槍來，瞄準那輛車。「我要殺了那輛車的主人，如果他在這兒，他可就死定了。那傢伙販賣古柯鹼，我知道他用古柯鹼害死了一個小女孩，他連小孩都不放過，這就是我爲何要殺他的原因。」

阿達娜查覺皮衣裡有些東西，是湯姆的手銬，她將手銬放在座位下。

「妳叫什麼名字？」阿達娜問道。

「倪波莉。」

「好了，波莉，油不夠了，去加油站吧！」

阿達娜付了五加侖的油錢，然後要倪波莉朝七十一號公路往北開。他們一路開車到達俄亥俄州的伍新頓市，在那兒，阿達娜堅持要在『友誼冰淇淋店』停車，和倪波莉喝杯可樂。

繼續上路後不久，阿達娜注意到有條河沿著道路右側流去，河上有一些老舊的單線通行橋樑跨越。她知道倪波莉正在一旁仔細打量，日後好向警方指認報案。阿達娜繼續假裝雷根的口氣說些故事。這麼一來，亞瑟和其他人就會被搞迷糊，也不會露出自己的狐狸尾巴出來——絕不會有人知道她曾經出現過。

「我殺過三個人，但在戰爭中我殺過更多人，我是恐怖組織的一份子。昨晚他們在哥倫布市放下我，要我完成一項任務。我必須殺掉一位出庭作證對我們組織不利的證人。告訴妳，這項任務已經完成了。」倪波莉只在一旁安靜點頭、聆聽。

「我還有一種身份，」阿達娜吹噓，「當我穿著整齊時，是生意人，開的是瑪莎拉蒂。」

來到一條荒涼的鄉村道路時，阿達娜要倪波莉駛過一道深溝，經過一片蘆葦叢生的田野，旁邊有座池塘。阿達娜同她下車，觀察池水和附近地區。繞了一圈回來之後，兩人坐在引擎蓋上。

「放我下車前，我想再等廿分鐘。」

倪波莉鬆了一口氣。

接著，阿達娜又說：「另外，我要和妳做愛。」

倪波莉開始哭了。

「我不會傷害妳的，我不是那種會毆打女人的男人，我甚至不願意聽到類似的事情發生。」

倪波莉哭得更大聲了。

「聽著，做愛時不准鬼叫亂踢！這會讓我發火，脾氣變得更凶暴。最好乖乖躺著，口裡說『來吧』！強暴者是不會傷害這種女人的。妳已無任何選擇了，我一定要妳和我做愛。」

阿達娜從車上取來兩條浴巾，和自己的外套一起舖在地上。「躺下去，雙手平放地面，眼睛望天空，心情放輕鬆。」

倪波莉依言照做，阿達娜隨後也躺在她身旁，脫下她的衣服和胸罩，吻她。「妳不必擔心會懷孕，」阿達娜說：「我做過結紮了。」

阿達娜將運動褲脫到膝蓋，讓倪波莉看看小腹下方的一道疤痕。其實，那並非結紮手術留下來的疤痕，而是疝氣開刀疤痕。

當阿達娜趴在她身上時，倪波莉哭了。「請不要強暴我！」強暴兩個字眼深深刺入阿達娜的心中，她記起曾經在大衛、丹尼和比利身上發生過的遭遇。天哪！強暴是多麼令人恐怖的事呀！

阿達娜停止了，轉身躺在地上，眼眶裡含著淚水凝望天空。「比利！」阿達娜大喊道，「你到底是怎麼回事？要好好振作呀！」

阿達娜站起來將浴巾放回車上，取出口徑較大的槍，順手將啤酒罐丟進池塘。開始射擊時，無法擊發；再試了兩次，雖然擊發卻未命中。她的確比不上雷根神乎其技、百發百中的槍法。

「我們該走了。」阿達娜說。

離開時，阿達娜將車窗搖下，朝車外的電線桿開了兩槍，然後翻找倪波莉的手提袋。「我必須為某些人弄一筆錢，大約二百元。」她找到支票本，「我們到『克拉格』兌現支票。」

倪波莉在『克拉格』商店兌現了一百五十元，接著又到北高街的儲蓄銀行，結果被拒絕。後來又經過數次的失敗，阿達娜提出建議，不妨使用倪波莉父親的聯合公司卡擔保兌換支票。最後，終於有家商店同意兌換五十元。「我們再去兌換一張，」阿達娜提議，「兌現的錢妳自己用。」

情緒突然轉變的那一刻，阿達娜正好從支票本上撕下一張支票，在支票上寫下一首詩送給倪波莉。但詩寫完後，卻說：「這不能送你，警方可能會用來核對筆跡。」言畢立刻將支票撕碎，然後從倪波莉的地址簿上撕了一頁下來。

「這一頁我留下，」阿達娜說道，「如果妳向警方報案或供出我的特徵，我就會將這些名單交給我們組織，到時候他們會派人到哥倫布市殺死妳家人。」

就在此刻，一輛警車從左側超車。這情景嚇壞了阿達娜。她溜走了……

菲利浦發現自己正在注視車窗外行進中的警車，一轉頭，竟見到一位陌生的金髮女子在開車。

「我爲什麼在這裡？」他大聲問道，「這是哪兒？菲爾！」

「你不是比利嗎？」

「不，我是菲爾。」他望望四週，「這到底是怎麼回事？媽的！幾分鐘前我還在……」

然後湯姆出現了，兩眼盯著她瞧，心想自己爲何在這裡出現，或許正與她約會。他看了一下手錶，接近中午。

「餓了嗎？」湯姆問。

她點點頭。

「前面有家『溫蒂』，我們到那兒吃漢堡和薯條吧！」

她點了餐，湯姆付錢。用餐時，她談到她自己的事，但湯姆並未認眞聆聽。這金髮女子並非他約會的對象。因此，他只是坐在那兒等待與她約會的人出現，然後帶走她。

「你想在什麼地方下車？」她問道。

他注視她，「校園附近，可以嗎？」

雖然湯姆不清楚誰約了這女子，但他知道自己被甩了。坐回車裡時，他閉上眼睛……

亞倫一抬頭，便看見一位女子在開車。他摸到口袋裡的槍和錢。莫非又……

「聽著，」亞倫說：「不論我做過什麼事，我很抱歉，我眞的很抱歉，希望沒傷害妳。別告訴警方我的長相，好嗎？」

她盯著他看。亞倫知道必須將事件弄得更混亂一些，免得她向警方報案。

「妳告訴警察說我是來自委內瑞拉的胡狼卡羅。」

「誰是胡狼卡羅？」

「胡狼卡羅已經死了，但警方還不知道。如果妳告訴他們我是胡狼卡羅，他們或許會相信。」

他跳出車外，迅速離去……

回到家時，雷根數了一下鈔票，正式宣佈：「任何人都不准再碰這些錢，我搶這些錢是用來支付帳單的。」

亞瑟說道：「等一下，我在衣櫃裡發現一些錢，把帳單付清了。」

「什麼？你爲什麼不早告訴我？那我就沒必要到處去打劫了嘛！」

「我以爲你看見錢不在，應該就會知道。」

「這麼說來，我第二次搶來的錢呢？也不見了，並未拿去付帳單呀！」

「其他人已經向你解釋過了。」

雷根覺得自己像個冤大頭，在房裡衝來衝去。他要知道，到底是誰偷了他的時間。

亞瑟找到湯姆、凱文和菲利浦，但他們三人都否認偷過雷根的時間。菲利浦描述他在車裡見過的金髮女郎，「她看起來很像啦啦隊員。」

「當時你不該出來呀！」亞瑟說。

「沒錯，我也不想啊！我也不知道自己爲什麼會坐在車裡，而且當我發現是怎麼回事時，我就立刻退下去了。」

湯姆也說他曾與相同的女孩在『溫蒂』買漢堡吃，他以爲是其他人和她約會呢！「我出現的時間大約只有廿分鐘，當時錢早已在口袋裡了。」

亞瑟說道：「這兩、三天，每個人都不准出門。我們必須查一查到底發生了什麼事，直到查出是誰偷了雷根的時間，否則誰都不准出去！」

「但是……」湯姆說：「明天是戴摩和桃樂絲的結婚四週年慶，凱西打電話來提醒我，我答應她要和她在蘭開斯特見面，她要幫我選禮物。」

亞瑟點點頭，「好吧！打個電話給她，說你明天會和她見面，但別帶太多錢去，夠用就行了，記得儘快趕回來。」

第二天，湯姆與凱西在蘭開斯特市區逛街購物，買了一床絲絨床單當禮物。凱西說，十四年前的此刻，也正是母親嫁給米查的同一天。

與桃樂絲和戴摩晚餐之後，他們共同享受了一段美好的時光。湯姆坐在車裡等候亞倫出現，好開車回柴寧威公寓。

亞倫一回到公寓，便一頭躺到床上休息……

大衛醒來了，他不知道自己的情緒為何如此低落，總覺得有些不對勁，但也說不上來是什麼。他在房裡來回踱步，試著要找亞瑟、亞倫和雷根，但他們都沒出現。每個人都生彼此的氣。後來，他發現躺椅下方有一包用塑膠袋裝著雷根手槍的子彈，槍也在紅色椅子下。他知道這不是好現象，因為雷根始終會把槍給鎖起來的。

他記得亞瑟常告訴他，「如果發生任何困難或有人做壞事，而你又無法找到人幫忙，就去找警察來。」他翻開電話簿，撥了一通電話到警察局。當彼方傳來男子的聲音時，大衛說道：「這兒有人做壞事，不知出了什麼意外，一切都不對勁！」

「你在哪兒？」

「舊里維通街的柴寧威公寓。這兒發生了可怕的事，但別說是我打來的。」然後他立刻將電話掛斷。望著窗外的濃霧，心中有一股奇怪的感覺。

隔了一會兒，他退下了。丹尼出現，雖然夜已深，他仍拿起筆做畫，一會兒，又坐在客廳裡看電視。

當大門傳來敲門聲時，他嚇了一大跳。從窺視孔裡，他看見一個人捧著必勝客的外送比薩盒。他打開門，說道：「我沒訂比薩呀！」

當丹尼試著幫那個人去找比利時，那人卻突然拔槍，將丹尼猛推到牆上，槍口還指著他的頭。一批警察荷槍實彈從大門湧進來。一位漂亮的女士告訴他有權保持沈默。因此，他就沒再說話。然後有兩個男人將他押上車，車子在大霧中緩緩駛往警察局。

丹尼不清楚自己為什麼會被逮捕，或是發生了什麼事。但是，當他坐在牢房裡不久，大衛就出現了，直盯著那些兜圈跑的蟑螂。隨後，也不知是亞瑟、雷根或亞倫，反正就是有人出現帶他離開這個地方。大衛知道自己並不是壞小孩，也從未做過任何壞事。

第三部　瘋狂的他

第二十章

(1)

一九七七年初的幾個星期，作家常到雅典心理健康中心探望比利。《老師》向作家口述過去發生的故事、其他人見到的、思考的以及做過的種種，其他人格——除了蕭恩外（他天生耳聾）——也都在一旁聆聽，藉此瞭解自己的歷史。

現在，《老師》是以比利之名回答各種問題，信心與日俱增。雖然不與作家會談時，仍會有其他人交替出現，但比利卻深深感覺，如果所有人格融合的時間愈久，在引導通過《混亂時期》時不出現敵意或恐懼的話，那麼他就能控制自我，展開一個全新的生命。出售自己的畫作得來的收入，應該夠他病癒後的生活所需。

比利閱讀書報、研究醫學、在運動場上運動，繞著建築物慢跑、繼續作畫；他為亞瑟素描，為丹尼、蕭恩、阿達娜和艾浦芳畫人像。他從大學書店買回分子模型，開始研究化學、生物學以及物理學。他還買了無線電收發機，一到晚上就在病房中開始播音——他與其他香腸族談論有關受虐兒童的話題。

比利在閱讀當地報紙時，得知一個為受虐婦女成立的雅典婦女組織——《婦女報導》刊物，由於經費來源不足，可能將面臨解散的命運，於是比利捐助了一百元。但是，當她們知道捐款來源之後，更立刻將捐款退回給比利。

一月十日，比利被送來此地一個月左右，便以『防止兒童受虐基金會』的名義在銀行開立了帳戶，同時自己也存進了一千元，這是他從哥倫布市一位婦女準備開畫廊支付他高達五位數金額中的一部份，她曾到雅典心理健康中心購買那幅手捧樂譜的『高貴的凱撒琳』。

然後，他又印了許多黃底黑字的汽車保險桿貼紙。

今天請擁抱您的孩子

——這是輕而易舉之事

請協助防止虐待兒童——比利

比利常與女患者談天。護士和健康技師知道，那些年輕女子和他相處是為了引起他的注意。貝白蒂護士發現那位曾在人類學系就讀的瑪麗，每當比利與她相處時，她就不再頹喪；比利會稱讚瑪麗的智慧，也常向她請益。一月，她出院後，比利非常想念她，她也承諾日後會回來探望比利。

不與瑪麗、郭大衛或作家聊天時，《老師》會覺得很無聊，並且對監禁生活不耐煩。這時，他通常會退下去，而讓丹尼、大衛或尚未融合完成的比利出來；如此對他而言，與其他病患交往會比較容易些。某些與比利較爲接近的職員發現，丹尼或大衛對其他病患較有同情心，知道那些病患何時會生氣、受到傷害或感到恐懼。如果任何年輕女病患因痛苦或歇斯底里離開病房時，比利就會告訴護理人員在何處可以找到她們。

《老師》告訴作家，「大衛和丹尼擁有我憐憫的特質，他們知道誰受到傷害。每當有人離去或心緒大亂時，他們之間總會有燈塔出現，丹尼或大衛會指引出正確的方向。」

某晚，吃過晚飯後，大衛坐在客廳裡，突然有一種預感，有位女病患衝出病房——外面有三階陡梯，每當大衛有這種想法時，雷根就認爲他太多慮了。但是雷根卻警覺到這次可能是眞的。雷根出現了，衝向走廊，登上階梯，一腳踢開大門往大廳跑去。

凱莎琳是心理健康技師，當時她正坐在出口處旁的辦公室裡，她見狀立刻從辦公桌上跳出來，跟著他跑出去。她及時趕到現場，看見比利正好抓住已越過欄杆的女病人，拉她上來。當凱莎琳帶她回去後，雷根退下去了……

大衛只覺自己的雙臂隱隱作痛。

除了從最初採用一般性的治療方式協助比利加強意識控制的能力之外，郭大衛醫師還採催眠療法，同時教導病患以自我暗示的技巧幫助緩和緊張的情緒。每週的群體治療，比利與其他兩位多重人格病患在一起，這可以協助比利瞭解自己的情況和自己的行爲所產生的影響。他的角色互換頻率愈來愈少，而郭醫師也覺得比利的病情正在改善。

當比利——亦即《老師》——開始對某些約束感到不耐煩時，郭醫師便有系統地放寬他的特權及自由。首先，允許他在護理人員的陪同下，到院外附近走走；後來，讓他與其他病患一樣可以簽名後一個人外出，地點仍限於醫院所屬的範圍內。比利便利用這段外出時間沿著「赫金河」岸，檢測不同地點的污染狀況。一九七九年春天，他打算進入俄亥俄大學選修課程，科目是物理學、生物學和美術。這時，他也開始記載自己的情緒變化圖。

一月中旬，比利向郭醫師爭取其他病患所擁有的福利——到城裡去——他必須去理髮、去銀行領錢、去見自己的律師、購買美術用品和書本。

起初，比利必須在兩位人員的陪同下才可獲准離開醫院，一切情形都發展得很好。後來，郭醫師決定，只要有一位人員伴隨就行了。一些大學生曾在報章雜誌上看過比利的相片和報導，因此會與比利揮手打招呼，這讓他感覺很好，或許並非每個人都痛恨他，或許社會並不完全否定他。

比利終於要求進行下一階段的療程。他強調自己是個好病患，已經學會信任周遭的人。現在，該是醫生讓他體認被人信任的感覺的時候了。其他一些比他病情更嚴重的病患，已經可以在無人陪伴的情況下獨自一人進城，他也要求獲得相同的待遇。

郭醫師同意這項要求。

爲了確保沒有任何誤解，郭醫師與舒佛斯院長以及有關的法院官員會談。條件是這樣的：每當比利進城或返回醫院時，院方都必須通知雅典市警方以及哥倫布市假釋局。比利同意遵守規定。

「比利，一切都必須事先規劃。」郭醫師說：「我們必須考慮你獨自上街可能面對的狀況。」

「這怎麼說？」

「讓我們先假設可能會發生的狀況，以及你可能產生的反應。比如你在柯特街上行走，一位女士看見你，她認識你，當她走過你身旁時，一句話也不說就打了你一巴掌。你知道這種事可能發生嗎？人們知道你是誰，這時你會如何應付？」

比利手托面頰，「我會退到一邊，避開她。」

「好的，假設有個男人走向你，用難聽的字眼叫你，他說你是強姦犯，然後揍你，將你擊倒在地，這時你會如何應付？」

「郭醫師，」比利說：「我會躺在地上，寧願不回監獄，我躺在那兒希望他會適可而止，直到離去爲止。」

郭醫師笑了，「或許你已學到一些東西，我想現在也該是讓你有機會表現的時刻了。」

比利第一次獨自進城時，內心混雜了緊張與興奮的感覺。他過馬路非常小心，注意不被警察以亂闖馬路的罪名拘捕，他也很注意身旁的路人，祈禱不會有人攻擊自己，即使有，他也不還手，他會完全依照他告訴郭醫師的方式去做。

他買了一些美術用品，然後去理髮店理髮。迪諾瑪護士已在事前打過電話關照，通知理髮店說比利會來。理髮店人員站在那兒歡迎他，「嗨！比利！」、「最近可好，比利？」、「嗨！比利，你看來滿不錯的嘛！」

一位年輕的女理髮師，爲比利剪髮吹風，她不肯收費，她說比利任何時候都可以進來，不必事先預約，她每次都會提供免費的服務。

走出街外時，一些學生認出是他，於是對他露出微笑揮手。他回到醫院時，心情十分舒暢，郭醫師擔心的狀況完全沒有發生，一切都進行得很順利。

二月十九日，桃樂絲單獨前來探望比利，比利將對話錄了下來，他想多瞭解自己幼年的生活，也想知道父親爲何自殺。

「你可以自己建立對父親的印象。」桃樂絲說，「你可以問我一些問題，我會儘我能力回答，但不會說他的壞話。我不會提及傷心往事，因爲沒有必要對小孩造成傷害。你可以自己勾勒出來，畢竟他是你父親。」

「再告訴我一次，」比利說，「關於我們住在佛羅里達的情形。妳將所有錢都給他時，家中只剩下一罐鮪魚醬和一包通心粉。後來他到底有沒有拿錢回家？」

「沒有，他繼續他的『波西特』，我並不清楚他工作的情形，他回來時……」

「波西特？是表演秀嗎？」

「在山裡面，是卡茲克爾山上，一家猶太人別墅區裡的飯店或劇場，他在那兒演出。當時，他曾託他經紀人捎回一封信說道：『我不相信妳會做出這種事！強尼上。』我不知道那兒到底發生了什麼事。他回來時，整個人比以前更洩氣。事情就是這樣。」

「妳看過父親的自殺遺言嗎？聽史凱瑞說，上面提到許多人的名字……」

「上面有一大堆債主的名字，但我知道放高利貸的債主名字並未寫出來。我見過他們，因爲我曾與你父親一同去過——他下車付債時，我就坐在車裡——每次地點都不相同，他必須償還賭債。他還活著時，我認爲我有責任償還這些賭債，但後來我不願意再還了。債務不是我造成的，我只是盡我的力量幫他還。但絕不可動用孩子的錢。」

「不壞嘛，」比利竊笑說：「家裡還剩下一罐鮪魚醬和一包通心粉。」

「我回去工作了，」桃樂絲繼續說，「不久有了一些收入，購買家用品。那時我已停止給他零用錢，只給他房租錢，但是他只付一半房租給房東。」

「另外一半他拿去賭博了？」

「沒錯，或是拿去付高利貸，我也不清楚他是怎麼花的。每次我問他，他都不老實回答。有一次，錢莊要來搬走傢俱，我告訴他們，『拿走吧！』但是因爲我哭得很傷心，他們不忍心搬。當時我正懷著凱西。」

「強尼這樣做不好。」

「是呀，」桃樂絲說：「就是這樣。」

在雅典心理健康中心待了兩個半月後，比利失落的時間一天比一天減少了。此時，比利要求郭醫師進行下一個階段的治療進度——休假。其他病人的改善狀況雖然比不上比利，但他們已可在週末回家與親人團聚。幾經考量過他的行爲、思想和長時期的穩定狀態後，郭醫師認爲他已可返家休假了。他允許讓比利連續幾個週末，前往位於勒岡的凱西家中度假。比利眞的很興奮。

某個週末，比利堅持要凱西讓他看莫強尼自殺的遺書，他知道凱西從公設律師那兒取得一件影本。凱西唯恐比利會因而受到激怒，因此不肯拿給比利看。但是，當她聽見比利談到母親所遭受到的苦痛時，她也生氣了。在她一生中，一直很崇拜父親。現在，該是讓比利瞭解眞相的時候了。

「在這兒！」她將一只厚厚的牛皮紙信封放在咖啡桌上，然後走開了。

信封裡有一封醫療檢查員寫給史凱瑞的信；其他文件包括：四張留給四位不同人士的指示、給邁阿密新聞報一位記者勞哈伯的八頁信柬，以及已被撕破但後來被警方拚湊而成的兩頁筆記，這似乎是寫給勞哈伯的第二封信柬，並未寫完。

有關支付欠債的指示，其中最小的金額是廿七元，最大的金額則是一百八十元。一封給『路易斯』的便條上寫著：『最後的笑話。小朋友：狼人是什麼？媽媽！母親：閉上嘴，把你臉上的毛梳整齊！』

寫給桃樂絲的便條紙上，起頭是有關以保險金償還欠債的指示；結語是，『我最後的要求是把我火葬了——因爲我無法忍受妳在我的墳墓上跳舞。』

寫給記者勞哈伯的信件影本有多處無法辨讀，在此就以＊號表示。

致勞哈伯先生
邁阿密新聞報

敬啓者：

寫這封信並不容易，這似乎是膽小者的行爲，但我整個世界已經崩潰，已經沒有任何事物值得留戀了。唯一可以提供給我那三個小孩傑姆、比利和凱西些許保障的，就是我的保險金。如果可能的話，請設法別讓我妻子接觸那些錢，她一直與她工作圈裡的男人鬼混，就是因爲這些人，才讓我的家庭破碎，雖然我曾努力維持家庭的美滿。

這個故事非常令人不齒——儘管我全心全意地去愛我的孩子，但是，她爲了想繼續自己的事業，竟然耍手段，讓孩子們無法享受到婚姻後帶來的快樂。事實如下：在第一個孩子出生前，我就試了好幾次要娶她爲妻（因爲她總責怪我第一次約會就讓她懷孕。）但是，她一直找藉口推諉（前前後後的經過，均可由我的邁阿密律師羅森豪證明。）我將她介紹給我的家人，告訴他們她是我妻子。因此，當孩子出生時，我計畫搬到較小的城市生活，辦理結婚手續，給孩子合法的出生證明。當時，我是多麼喜歡我的小兒子呀＊＊＊

後來，她又找到理由——「可能會有熟人看見我們身分證上的結婚欄」等等——接著，第二個男孩也出生了。起初的兩個星期，我們一直擔心他是否能活下去，幸好神與我們同在，現在的他不但好好的，而且也很健康——但是，我認爲這是個警告，我又再次提出結婚要求。同樣的，她又有其他藉口，她的生活也完全走了樣——酗酒，經常溜出俱樂部。在那種情況下，孩子們與她在一起並不安全。她不只一次毆打孩子，並非只用手掌——我必須動用暴力禁止她鞭打小孩。請相信我，我的生活就像在地獄裡一般。此一不幸也影響了我的工作——我知道，如果繼續這樣下去，我會殺了她——我要＊＊＊但她央求我要有耐心，我們將小孩送到一家不錯的托嬰中心。於是她說，她又可以回到夜總會和劇院工作了。

我們又返回邁阿密。第三個孩子出生後，她雇用褓母照料三個小孩，她發誓絕不再和客人鬼混，所以我就讓她回去唱歌——但是由於她不斷酗酒、雜病纏身，結果因第一期肝炎而被送進醫院治療。她幾乎無法康復——出院後，她還持續好幾個星期接受醫生的照料。返家時，她說醫生告訴她，因爲家庭開支太大，她可以回去工作，而且偶而喝幾杯雞尾酒對她身體也不會有什麼影響。我不同意她的看法，因此在未得到我的首肯之下，她與皮克威簽下合同。當時，我也決定到紐約山區工作幾個星期，以前我們從未彼此分開過。當然，在那個時候，我並不知道她交往的人竟是一些皮條客、放高利貸的地下金主——這些人對她而言，才是多采多姿生活的代表。我回家時，看見她購買的衣服式樣——像男人穿的襯衫——一些牛仔褲。自此開始，我簡直就像生活在煉獄中。

她因爲繼續酗酒，結果又被送進醫院接受開刀治療。但是，由於她的肝病已嚴重到無法動手術——她在醫院住了幾個星期——所以我必須趁夜開車一五〇里，才可以在白天的探病時間看到她，回家裡油漆——當時她還打算拆散家庭，好讓她有機會重新展開她的新生活。開刀當天，手術過後麻醉藥效尚未褪去，她還以爲我是其他男人，她的病況每下愈況，無止盡地持續惡化——我試著告訴她，是我在她身旁（她住在病房裡），但她似乎仍未清醒。她開始吹噓說她多年來是如何像玩弄嫖客一般玩弄我——事後，我從未向她提到這些事，這都是爲了孩子的緣故。我乞求

＊＊＊

好了，當她身子逐漸復原之後，我又再次提起結婚之事，她說她曾與一位祭司談過，她說祭司的說法是『妳不必擔心這件事』，他們是『神的孩子』——對我而言，這只不過是推託之辭。然而，正如我前面說過的，她跟我只是在玩躲迷藏遊戲罷了。她甚至向媒體表示，說她要跟我離婚；事實上，我們根本就還沒結婚。不僅如此，在沒有任何預警的情況下，我竟然接到一封來自法院的通知，說不准我接近我的小孩，結果讓我無法和三個小孩共度聖誕節——新年除夕夜，正是我小女孩的生日慶祝會，她拒絕讓我去看她。然後打電話告訴我，說他們在生日派對上玩得很愉快……

勞先生，您可以向我工作場所中的同仁們詢問，我是如何深愛忠於我妻子；但是，眼前的一切卻令我無法再忍受了——夜總會是女人的天下，她運用影響力迫使我失掉兩份工作——你可以猜想得到，她說，如果我再要動孩子們的念頭，她就要將我趕出邁阿密。她每隔一段時間總會失蹤個一至三天，我已經無法面對人生，也無法面對這些小孩未來將要遭逢的人生——以前我嘗試

過，但失敗了。不過，這一次我希望能成功。為了保護孩子們，我必須忍受與她共同生活所帶來的痛苦，也寧願與全能的神為自己贖罪。最後一項請求是，洽詢其他相關機構，請他們保護我的孩子。祈求神憐憫我的靈魂。

莫強尼

比利被父親的遺書給楞住了，他一遍又一遍地讀著，試著懷疑它的眞實性。但是，他讀的次數愈多，就愈想知道更多的事情。後來，比利與作家聯絡，好確定整件事情始末的眞僞。

在離開凱西家之前，他打了一通電話到佛羅里達律師協會，想與父親的律師交談。但是，對方告訴他，那位律師已經過世了。後來，他又打電話去婚姻登記處查詢，發現並無任何莫強尼或桃樂絲的結婚記錄。

他不停打電話，終於讓他找到了父親當時工作的夜總會老闆。這位老闆退休了，目前仍擁有一艘遊艇，而且還提供夜總會所需的海產。他說他知道總有一天莫強尼的孩子會來找他問問題。他曾開除比利的母親，因為她帶了一些言行不檢點的人進夜總會。強尼也一直試著要她離開那些人，但都徒勞無功。他說他這輩子還未見過一個女人是如此對待男人的。

比利說，他也找過另外一個人——這個人曾在汽車旅館工作，他記得比利的父親，也記得聖誕節時打進來的一通電話，那通電話令強尼非常的沮喪。這樣的敘述與父親的遺言內容十分吻合——母親曾打電話給父親，在電話中羞辱他。

當他返回醫院時，又開始遺失時間。星期一早晨，他打電話給作家，要求延後會談日期。星期三，作家來訪，不久即發現《老師》失蹤了。他面對的是尙未融合的比利。兩人談了一會兒，作家爲了引起老師的興趣，因此詢問有關比利目前正在研究的無線電話。當比利在思考該怎麼回答時，不知不覺中，他說話的聲音愈來愈堅定，同時也愈來愈清楚了。討論的內容更是偏向於技術層面，《老師》又回來了。

「你爲什麼如此生氣、如此沮喪？」作家問道。

「我很累，因爲睡不著。」

作家指著一本柯迪電子無線學校的教科書，「誰在組裝這些機器？」

「湯姆花了一整天組合這些東西，郭醫師一直在和他交談。」

「現在你是誰？」

「《老師》，但我很鬱悶。」

「爲什麼要消失？爲什麼由湯姆出現？」

「我母親和他現在的丈夫，還有她的過去。我很緊張，昨天吃了一片鎭靜劑，睡了一整天。昨晚整個晚上都醒著，直到今晨六點。我想徹徹底底的消失——我對假釋委員會很生氣，他們希望把我送回利巴嫩監獄，但我希望他們別來煩我。」

「比利，分裂無法解決問題呀！」

「我知道，我看見自己每天都在努力，好讓自己達成盡善盡美的要求，而且試著去做每一人格能做的事，這些都很累人。我在這兒必須畫畫，畫完之後必須停下來把手洗乾淨，取出書本，坐在椅子上寫筆記，讀好幾個鐘頭的書，接著又起身開始組合無線電話。」

「你自我要求太多了，這麼多事情是無法一次做完的。」

「但我一直想這麼做，我得儘快彌補過去的空白，時間又這麼少，我知道自己必須加油了。」

《老師》站起來朝窗外看去，「另外還有一件事，到最後仍必須面對我母親。我不知道該如何對她啓口，我無法再像以前一樣。現在，事情全都變了。假釋委員會、即將舉行的公聽會、前幾天我看到父親自殺遺言——我很難維持統合，因爲這些事快把我撕裂了。」

二月廿八日，比利打電話給他的律師，說在隔天上午的公聽會上，不希望見到母親出現。

第二十一章

(1)

一九七九年三月一日公聽會後，比利又被裁定移送雅典心理健康中心六個月。曾與他一同工作的人員都知道，還有其他威脅壓在他身上。比利也知道，一旦接受治癒出院後，假釋局將會因他違反假釋規定而被抓回監獄，繼續爲『葛雷西藥房』搶案服完三年刑期；也可能會因違反保護管束規定，必須爲『公路休息站』騷擾案被判六年至廿五年的徒刑。

他在雅典雇用的律師戈愛蘭向法院申請取消有罪申訴，他提出的理由是，在一九七五年，法院當時並不知道比利是個多重人格罪犯；因此，當時的罪行是在無法自我控制的情況下犯的。戈愛蘭律師認爲，如果蘭開斯特市的法官願意撤銷過去的判決，那麼治癒後的比利，便可恢復自由之身。比利一直在這種希望下活著。

就在同時，比利很高興聽到，凱西將在秋季與相戀許久的男友鮑伯結婚。比利很喜歡鮑伯，於是幫他開始策劃婚禮事宜。

在醫院花園裡散步，初覺春天的氣息，比利開始覺得艱困時期已過，病情也見起色。到凱西家度週末時，他開始在牆上作壁畫。

桃樂絲否認自殺遺言中的內容，並且同意公布。她說莫強尼自殺身亡前患有精神病，而且曾與一位脫衣舞孃有染，他在寫下這篇遺言時，可能是將桃樂絲與脫衣舞孃搞混了。

比利與母親和解。

三月三十日星期五下午，比利回到病房後，立刻感受到不尋常的眼光——大夥兒低聲細語，瀰漫一股不安的氣氛。

「你看到下午的報紙沒有？」一位女病患問道，同時把報紙遞給他，「你又上報了。」

他目光停在《哥倫布市快報》上的大標題：

醫生表示允許強姦犯走出心理健康中心——施約翰報導

去年十二月被移送雅典心理健康中心的多重人格強姦犯威廉．密里根，已獲准可以自由活動不受監視，根據本報查訪……威廉．密里根的主治大夫郭大衛向本報記者透露，威廉．密里根已獲准可以離開醫院，自由進出雅典市，並且還可與親人共度週末假期……

報上還刊載，據雅典市警察局長鍾泰德指稱，日前已接到社區許多關心居民的投訴，而他本人也「十分在意讓精神不正常的病患在大學社區自由出入的影響」。報導中還採訪佛傑法官，佛傑法官裁定比利無罪；他也認爲「不應讓威廉．密里根隨意活動。」文章結尾是：「一九七七年末，該男子爲俄亥俄州立大學附近的婦女帶來恐怖。」

《哥倫布市快報》自那天起，便開始一系列的追蹤報導，報導比利獲得自由外出權利的經過。四月五日，該報社論標題是：必須立法保護社會。

受到驚嚇的居民與大學生的父母親，紛紛打電話給俄大校長，同時也打電話到醫院要求澄清。

兩位分別來自雅典市和哥倫布市的州議員，開始要求舉行公聽會，重新考慮允許比利移往雅典心理健康中心接受治療的法律適當性，他們要求修改該項法律。

醫院裡一些工作同仁對於比利賣畫致富的行爲十分不滿，他們不斷提供資料給各大報社記者，並且透露他擁有鉅款之事；尤其是他高價出售《高貴的凱撒琳》之後，還買了一輛馬自達汽車專爲載運畫作一事，更上了報紙頭條新聞。

社區代表要求在雅典醫院舉辦一場調查公聽會，排山倒海而來的指責與攻擊，全集中在郭大衛醫師與醫院院長身上。輿論要求取消比利的週末假期，並且撤銷他自由外出的規定。

比利對這些事並未有任何心理準備，他一直遵守院方各項規定、遵守自己的諾言，而且不曾違反任何法律；但是，現在他的權利被剝奪了。

在悲傷的情緒下，《老師》放棄了，退了下去。

盧麥克在十一點前來值班時，比利正坐在一張椅子上搓揉雙手，似乎受到了驚嚇。麥克心想，是否該去關心他。有人曾告訴麥克，比利對男性的恐懼；麥克知道雷根的衝動個性，也曾看過郭醫師針對多重人格者的訓練錄影帶。因此，直到目前爲止，他對病患從不多做干涉。他不像其他工作人員，認爲比利是裝出來的；麥克相信醫師的診斷報告，在讀過護士的記錄以及有關比利的病歷之後，他只是不敢相信那些專業的心理學家和精神科醫師，居然會爲了一個甚至未上過高中的年輕人忙得不可開交。

對他而言，比利看起來算是頗穩定的，這也才是他眞正關心的重點。但是，自從《哥倫布市快報》頭條新聞刊出之後，過去一個星期來，比利的情緒愈來愈陷入低潮。盧麥克對那些新聞報導十分厭煩，而且對那些政客的作爲也頗不齒。盧麥克從櫃台後走過來，坐在距離受驚的比利不遠的椅子上。他不知道比利會有什麼反應，因此必須非常小心。

「覺得如何？」他問道，「我可以爲你做什麼事嗎？」比利用驚恐的眼神看著他。

「我看得出你在生氣，我只是要讓你知道，如果想找個人說話，你可以找我。」

「我很害怕。」

「我看得出來，願不願意告訴我？」

「是那些年輕的孩子們，他們不知道外面發生了什麼事，他們也受到了驚嚇。」

「可否告訴我你叫什麼名字？」盧麥克問道。

「丹尼。」

「你認識我嗎？」

丹尼搖搖頭。

「我是盧麥克，值夜班的心理健康技師，如果需要的話，我可以提供協助。」

丹尼不停揉搓手腕、四處張望，然後停止了，聆聽內在的聲音，點點頭，「亞瑟說我們可以信任你。」

「我曾聽過亞瑟的事，」麥克說：「麻煩你代我向他致意，我絕不會做出傷害你的事。」

丹尼告訴他，雷根對於刊登在報紙上的內容非常生氣，他準備以自殺的方式謀求解決，這可把其他小孩嚇壞了。經由振動的嘴唇和滑溜溜的眼神，盧麥克知道又換了一個人。然後，他看見一個小男孩畏縮成一團，似乎因爲痛苦而哭泣。

角色持續不停更替，兩人也一直聊，直到隔天凌晨兩點。最後，盧麥克帶著丹尼回到病房。

從那時開始，盧麥克發現自己與不同的人格相處得滿好的。雖然男看護對上床時間執行得很嚴格（星期一到星期五是十一點半，星期六是清晨兩點。）但盧麥克知道比利幾乎不睡覺，因此花了好長時間與他徹夜長談。他很高興的是，丹尼和未融合的比利約他外出談心；而他也開始瞭解，爲何比利如此難以相處。他瞭解到，比利認爲自己又再次因他人犯錯而受罰。

四月五日星期四下午三點半，丹尼發現自己在醫院花園中散步，四周張望，想知道自己身在何處，而且爲何會在這裡。他發現身後有一棟維多利亞式紅磚建築，前方則是河流和城市。他在草地上行走時，記起在哈丁醫院羅莎護士幫助自己之前，無法如此自由的在室外走動——沒有恐懼。

突然間，他看見一些漂亮的小白花，於是摘了幾朵，隨後又看見更高處的大花朵。爬上小山丘時，發現自己就在一處小墓區附近，墓碑上沒有名字只有編號——他心裡奇怪為何會這樣。幼時深埋的記憶令他發起抖來。他開始向後退——如果那是他的墳墓，應該不會有名字，也不會有編號。

丹尼看見山丘最高處的花開得最大，因此繼續往上爬到達峭壁上，峭壁很陡。他朝邊緣前進，緊緊抱住樹幹，在這兒可以看見峭壁下的馬路、河流和房子。

突然傳來車輪尖銳聲，就在下方彎道處，他看見閃耀的燈光。這種高度令他頭暈。當他不自覺地搖動身子時，身後傳來人聲。「比利，下來！」

他看看四週，為何有這麼多人圍繞在四週？亞瑟或亞倫為什麼不出面保護？他滑了一跤，一些小碎石掉下峭壁，一個男人突然伸手抓住他。丹尼抓住對方的手臂，慢慢走回安全的地方，那位善心人士陪著丹尼回到有好多圓柱的紅磚建築。

「比利，你打算跳下去嗎？」有人問他。

他張開眼睛，發現眼前站的是一位陌生女子。亞瑟曾說過，不要與陌生人交談。但是，他發現病房裡的人似乎都很興奮，他們都在注視他、談論他；他決定去睡覺，讓其他人出來……

當天晚上，亞倫在病房裡走動，心想到底發生了什麼事。一看手錶，已是十點四十五分了。這表示他已有很長一段時間沒出來過。他與其他人一樣都非常滿足，聆聽老師的教導，並且得知自己的人生。當初，他們每個人就像是大拚圖中的一小部份，老師爲了讓作家瞭解曾經發生過的事，於是將他們重新組合，因此每個人都知道自己的過去。由於老師尚未說完所有經過，還有一些殘缺部份，所以只有經由記憶，才能回答作家提出的問題。

不巧的是，現在老師消失了，溝通管道不再暢通，老師不再與他們交談，也不與作家溝通，亞倫只覺迷惑孤單。

「比利，發生了什麼事？」一位女病患問道。

他看著她，「我有些神智不清，或許吃了太多藥，我想我該上床了。」

幾分鐘後，丹尼醒來時，發現有幾個人衝進來，將他從床上拖下來。

「我做了什麼事？」他乞求著。他看見有人手上握著藥瓶，地上散了好幾片藥。

「我沒吃藥！」丹尼喊道。

「你必須到醫院去。」他聽到有人說，另外還有人叫著說要用推床將比利送走。丹尼退去了，大衛出現……

當盧麥克接近時，雷根以爲他要傷害大衛，因此取而代之。盧麥克試著幫他站立，雷根卻與他打了起來，兩人都倒在床上。

「我要扭斷你的脖子！」雷根大吼。

「快住手！」盧麥克說道。

他們兩人纏在一起，滾到地板上。

「放手！否則打斷你骨頭！」

「那我就絕不鬆手！」

「再不放手，我就要你好看！」

「你再亂說話，我絕不鬆手！」盧麥克說道。

他們互相扭扯，誰也沒佔到便宜。最後，盧麥克說道：「如果你鬆手，答應不打斷我的骨頭，我就放手。」

見到如此的僵局，雷根同意了，「我放手，你也要放手，你退回去。」

「我們同時鬆手，」盧麥克說：「冷靜點兒。」

他們彼此互看一眼，然後同時把手放了。

這時，走道上的郭醫師示意工作人員將推車推進來。

「我不需要這玩意兒，」雷根說道：「沒有人過量服藥。」

「你必須去醫院接受檢查，」郭醫師說：「我們並不清楚比利私藏了多少藥，只有到醫院檢查之後我們才能確定。」

郭醫師不斷與雷根談話，直到他退去為止。然後是丹尼出現，盧麥克協助他躺在推車上。

他們一行人將車推至等在大門外的救護車。盧麥克陪著比利坐進救護車。坐定之後，救護車便駛往歐勃尼紀念醫院。

盧麥克感覺到急診室的醫生並不歡迎比利被送來治療。因此他試著盡量向醫院說明，請求他們小心照料比利。「如果他開始用斯拉夫口音說話，你們最好就先退到一邊，由女護士來處理。」

醫生並不以爲意，只是丹尼的眼睛溜來溜去。盧麥克知道丹尼出來了。

「他根本就是在演戲！」醫生說。

「他正在更換人格……」

「聽著，比利，我要爲你洗胃，我會從你的鼻孔插進幾根管子。」

「不！」丹尼喃喃自語，「我不要插管……」

盧麥克猜想丹尼對這件事會有何反應。

「不管你喜不喜歡，我一定要這麼做。」醫生說道。

盧麥克再次看見人格的替換。

雷根很快坐了起來，處於完全的警戒狀態。「聽著，我不允許你這醫學院畢業的菜鳥小子拿我當試驗品！」

醫生退了一步，臉色突然慘白，轉身走出去。「去他的！就算死了也不干我屁事！」

盧麥克聽見他打電話給郭醫師，告訴郭醫師剛才發生的事，然後又回來了，態度和緩了許多。他同時要一位女護士餵比利服下兩片嘔吐劑。雷根退了下去，丹尼出現。當丹尼吐完後，醫生檢查吐出物，結果並無藥物反應。

盧麥克陪伴丹尼搭救護車回去。當時已是清晨兩點了。丹尼非常安靜、茫然，他唯一想要的就是睡覺。

第二天，治療小組通知比利，他必須遷移到五號病房——男病患上鎖的病房。他不知道爲什麼，對於藥物服用過量或盧麥克前往醫院之事，也不復記憶。當幾位男看護進入病房時，雷根在床上亂跳，將玻璃杯摔向牆上，手握碎玻璃片。「別過來！」他警告他們。

迪諾瑪衝向電話請求支援。幾秒鐘後，擴音器中播出「綠色狀況」的播音。

郭醫師來了，只見眼前態勢緊張，忿怒的雷根大吼大叫，「我已經很久沒打斷別人的骨頭了，來呀！郭醫生，你是第一個！」

「雷根，你爲何要這麼做？」

「你背叛了比利，這兒每個人都背叛了他！」

「這並不正確。你知道這一切都是因爲《快報》的報導所引起的。」

「我不搬到五號病房。」

「雷根，你必須搬過去，我也沒辦法。現在我們面對的是安全問題。」他一臉悲傷的神情，搖搖頭走開了。

三名警衛以床墊當盾牌衝向雷根，將他推到牆上，另外三個人擒住他，將他臉朝下壓在床上，分別抓住四肢。亞瑟制止了雷根。這時，看護們聽見丹尼大叫：「別強暴我！」

亞瑟看見另外一位女護士手持針筒，她說道：「打這一針他就安靜了。」

「不可以！」亞瑟大叫，但已經太遲了。他曾聽吳可妮博士說過，對多重人格者而言，鎮定劑有不良影響，它會使情況更糟。他試著讓血液流動速度減緩，避免鎮定劑流向腦部。然後，他感覺自己被六雙手抬了起來拖出房間，搭電梯到達二樓的五號病房。他看見好奇的臉孔在窺視自己，有人伸出舌頭，有人對牆壁說話，有人在地板上撒尿，到處都可聞到嘔吐物及糞便的臭味。

他們將他丟進一間小房間，裡面舖設有塑膠覆蓋的軟床墊，然後將門鎖上。當雷根聽見關門聲時，他站了起來，想破門而出，但亞瑟制止了他。塞繆爾出來了，跪在那兒啼哭：「神啊！爲何要棄我而去？」菲利浦大聲咀咒，在地板上翻滾。大衛出來承受痛苦，整個人躺在床墊上。克麗絲汀在哭泣，阿達娜感覺到整張臉都哭溼了。克里斯朵夫坐了起來玩弄鞋子。湯姆開始檢查是否可將門給弄開。但是亞瑟叫他退下去。亞倫開始大叫，要求他的律師前來。艾浦芳充滿報復的心態，希望這地方大肆燃燒。凱文在咀咒。史蒂夫嘲笑他。李在大笑。鮑比幻想自己可以從窗口飛出去。傑森在生氣。馬克、華特、馬丁和提摩西在上鎖的房間內大聲怒吼。蕭恩發出嗡嗡嗡的聲音。亞瑟已經沒有能力控制那些惹人厭的傢伙了。

經由探視窗，五號病房的幾位看護人員看見比利撞牆壁、旋轉、用不同的口音嘮叨、大笑、大哭、躺在地上又站了起來，他們都同意他們看到的是個瘋子。

第二天郭醫師來了，給比利打了一針鎮靜劑，這可以讓比利平靜下來。比利覺得自己似乎有部份融合了，卻又失去了一些東西。亞瑟和雷根不見了，他們分離開了，成了未融合的比利——整個人看起來既空虛、害怕又迷惘。

「讓我回到樓上的病房好嗎？郭醫師。」他乞求道。

「比利，上面的看護人員都很怕你。」

「我不會傷害任何人的。」

「雷根幾乎傷了人，他手持碎玻璃，準備割傷那些警衛，甚至還要打斷我的骨頭。如果再將你轉回開放病床，那些員工會罷工，他們正要求把你送出這兒呢！」

「要送我去哪兒？」

「利瑪。」

這個名字嚇壞了他，在監獄時，曾聽人說過，而且也還記得史凱瑞和茱迪想盡辦法不願意將他送去那兒。

「郭醫師，別把我送走，我會聽話的，他們說什麼我都會服從的！」

郭醫師若有所思地點點頭，「我盡我所能。」

(2)

不斷有消息從雅典心理健康中心洩露出去，報上的報導從未間斷。四月七日《哥倫布市快報》宣稱：在佯裝服藥過量之後，比利被移送特別監護病房。

目前《快報》將攻擊比利的矛頭轉向雅典心理健康中心和郭醫師身上。郭醫師開始接到恐嚇電話與其他威脅；曾有人向他大吼：「你怎麼姑息這種強暴犯？我要殺了你！」自從接到那通電話之後，郭醫師每次進入車子前，都會小心地朝四週打量；甚至睡覺時，還在床頭櫃上放了一把上膛的左輪手槍。

隔週，《快報》刊出抗議雅典心理健康中心作法的報導，同時也反對再爲比利另覓醫院。

司琴納議員針對雅典醫院協助比利轉院一事表示懷疑

哥倫布市選出的州議會民主黨議員司琴納，對於雅典心理健康中心正嘗試將比利轉到其他醫院一事表示懷疑。司琴納議員表示，由於上週本報的大幅報導，因此他確信，雅典心理健康中心無法將廿四歲的強姦犯、搶劫犯威廉・密里根悄悄移轉出去。

「坦白說，如果未經報紙公開，我很確定他（比利）早就已被移出本州或送到利瑪（州立醫院）了。」司琴納做了上述的表示……

在週三的記者會中，該院院長由於本報揭露了消息，因此承認比利的確曾獲准在無人監護的情形下外出醫院。

司琴納議員對於院長的意見不表贊同，「責備媒體報導事實，是不負責任的行爲！」

當司琴納議員及鮑爾議員要求俄亥俄州心理健康局邀請外界專家前來檢查比利的治療過程時，吳可妮博士同意前來雅典。她在報告中稱讚郭醫師的治療計畫，並解釋當前的退步情況常會在多重人格者身上發生。

一九七九年四月廿八日《哥倫布市快報》報導：

女巫精神科醫師贊成給予治療中的比利假期——威德納報導

由俄亥俄州心理健康局邀請的精神科醫師……前來檢查比利的治療過程，她建議對於目前的治療方法不要有任何變動。

……在回答健康局的報告中，吳可妮博士贊同比利的復健方式，其中包括最近給予病患的休假在內。她表示，經過十三個月的州立醫院以及私人醫院的治療後，他已不具危險性。她建議，如此的治療應當持續。她表示，無人監護的假期進行得非常順利，但社會大眾的看法則對該治療造成了負面影響。

一九七九年五月三日，《哥倫布市公民報》報導：

針對比利病情提出報告的醫師，其客觀性值得懷疑

民主黨籍州議員司琴納對於精神科醫師的客觀性提出質疑……在他寫給健康局代理局長科邁爾的信函中，司琴納指稱，吳可妮博士不應針對比利的案件提出建議：「因爲當初即是由她提議將比利送往雅典市接受治療的。」司琴納還表示，挑選吳可妮來此地，「就好像詢問卡特夫人，關於卡特總統在白宮做什麼事一樣。」

五月十一日，全國婦女聯盟寫了一封長達三頁的信函寄給郭醫師，副本則送給梅爾卡茲、司琴納、唐菲爾、卡森、吳可妮博士，以及《哥倫布市快報》。信函內容如下：

郭醫師：

你爲威廉·密里根安排的治療方法，依照媒體報導，其中包括未受監護的休假、不受限制的駕駛汽車、寫書以及拍電影的財務資助，這些情形一再顯示出你漠視了附近社區婦女們的安全，在任何情況下，這都是令人無法容忍的……

信中不斷提到在郭醫師的治療計畫中，不僅沒有教育比利暴力以及強暴是不被允許的行爲，而支持他「應受譴責」的行爲；信中還控訴道，由於郭醫師的勾結，非但讓威廉·密里根學習到「對女性施展暴力是可接受的行爲，而且也被利用成爲商業化、色情的商品的宣……」

信中直指郭醫師「缺乏醫德……公開主張施暴的人格爲一女同性戀人格，這是早爲衆人看穿的父權文化認同策略伎倆。不可原諒的是，犯下重罪的罪犯，居然可以逍遙法外，而棄無辜的受害婦女於不顧。」

在吳可妮博士的建議下，比利仍留在雅典醫院。

掛號室與集中治療病房裡的工作人員，已對社會大衆的騷擾和比利的反應感到厭煩，紛紛要求變更治療計畫，否則就要罷工。因爲有些人認爲，郭醫師花了太多時間在比利身上，他們堅持郭醫師必須將每天的工作交由員工自行料理，同時限制郭醫師在醫療上的參與程度。爲了避免比利被送到利瑪，郭醫師在不得已的情況下同意了。

社會工作人員胡達娜擬了一份《合約書》要比利簽字，比利同意遵守一系列的約束；其中的第一條是「不可對任何職員做出威脅。」若有違犯，就不准作家前來拜訪。

比利的房內不得有任何玻璃或尖銳物品，在未得到早班治療小組的核准下，比利不可享受一般的權利，不得有外面打來的電話；至於打到外面的電話，則限制一週一通打給律師，一週兩通給母親或妹妹。准許前來探望者侷限於他妹妹、妹妹的未婚夫、母親、律師和作家；除此之外，也不准他「給其他病患任何醫學、社會、法律、經濟或心理上的忠告。」他一週不可從存款帳戶中領取超過八·七五元，口袋中的零用錢也不可超過這個數字。繪畫所需材料，院方會在規定時間供給，但作畫時必須有人在旁監視。完成的畫作一週只能送出去一次。若能連續兩週遵守這些規定，院方才會考慮恢復他的權利。

比利同意了他們的條件。

未融合的比利依規定行事，他覺得醫院已被醫護人員變成了監獄。他再次感覺到自己爲了沒做過的事而受罰。由於亞瑟和雷根仍然不在，因此比利大部份時間都與其他病患一起看電視。

兩個星期後，首先恢復的權利是作家的來訪。

自從報紙展開第一波攻擊之後，作家就不曾來過了。由於比利無法提供記憶或曾發生過的事情經過，因此自覺很不好意思。爲了避免混淆，他與作家決定在自己名字後加個「分裂」的字首U，而成爲比利U。

「我沒有問題，」比利U告訴作家，「很抱歉，我幫不上忙，相信只要亞瑟和雷根一回來，一切都會好轉。」

(3)

隔週星期五，五月廿二日，作家來訪。他面對的仍然是未融合的比利，這令作家感到悲傷。

「爲了記錄目的，」作家說：「請問你是誰？」

「是我，比利U，很抱歉，亞瑟和雷根還沒回來。」

「比利，別說抱歉。」

「我恐怕幫不了多少忙。」

「沒關係，我們可以聊天呀！」

比利點點頭，但顯得無精打采。

過了一會兒，作家建議由他去申請是否可讓比利到外面走走。他們找到了迪諾瑪護士，並獲得同意，但是範圍必須在醫院內。

那是個晴朗的日子，作家要比利沿著當初丹尼走過的路徑走——丹尼當時爬上了峭壁。雖然不太確定，但比利憑著方向感試著重演當天的情景，結果仍然無法成功。記憶很模糊。

「當我想獨處時，我常會去一個地方，」比利說道：「我們去那兒吧！」

作家邊走邊問道：「部份融合時，你腦子裡的其他人在做什麼？」

「變化，」比利說：「就是所謂的『共存意識』，我可以感覺到其他人存在的『共存意識』，大概是逐漸發生的吧！我並不清楚爲什麼，也不知道是如何造成的。

上個星期，在樓上的會議中，亞倫和郭醫師以及另一位病患權利支持者曾有一番爭論，當時亞倫突然站起來說：『你們都下地獄吧！我會在利瑪和你們碰面！』然後就走了出去。我當時坐在大廳椅子上，突然在腦子裡聽見他剛才說的那句話。

接著，我就大吼回去，『什麼？喂！等一下！『利瑪』是什麼意思？』我坐在椅子前緣，只覺渾身毛骨悚然；因爲幾秒鐘前聽到的對話，就好像是錄音帶重播一樣。我看見精神科醫師從房間走出來，我對他說：『你要救救我，醫生！』

他說：『你在說什麼？』我開始發抖，並且告訴他在我腦子裡聽到的對話，我問他那是否是眞的。我說：『剛才我是否要求你送我去利瑪？』他說是的，然後我開始哭了，『別送我去利瑪，別聽我胡言亂語。』」

「這是不是一項新的發展？」作家問。

比利若有所思地望著作家，「我猜這大概是未完全融合時『共存意識』的最初徵兆。」

「這很重要。」

「但也很恐怖。我又哭又叫的，房裡所有人都轉過頭來看我。我忘了自己剛才說過什麼，我開始在想：『爲什麼大家會用這種眼神看我呢？』此時，我再次聽到腦子裡的對話。」

「現在你還是分裂的比利嗎？」

「是的，我是比利U。」

「是否就只有你聽過你所謂的『錄音重播』現象？」

他點點頭，「因爲我是主人，中心人格，共存意識是由我發展出來的。」

「你對它有什麼感覺？」

「這表示我已好轉了，但我仍然害怕，有時我想，我自己是否眞想治癒？經歷如此的苦痛是否值得？或者乾脆像以前一樣把自己埋在黑暗之中，忘記所有的事？」

「你的答案是什麼？」

「我不知道。」

到達那座位於『皮肯啓智學校』附近的小墓園時，比利變得安靜多了。「這兒就是我每次沈思的地方，也是最令人傷心的地方。」

作家看看那些小墓碑，有不少已經倒塌，淹沒在雜草之中。「爲什麼墓碑上只有編號？」

「如果你在這世界上沒有親人或朋友，」比利回答：「就沒有人會在意你死在這兒，所有關於你的記錄都被毀滅，但還留有一份名冊，可供將來前來查詢的人查閱，這兒大部分的人都死於……一九五〇年的瘟疫，我想大概是這樣吧！但也有一九〇九年或更早年代的墓碑。」

比利開始在墳墓之間逛來逛去。

「我會來這兒，獨自坐在那些松樹附近的土堆上。雖然瞭解這段歷史之後會令人心情鬱悶，卻也能帶來一股平和的氣氛。你看到那棵枯樹沒有？它散發出一種獨特的高貴與優雅。」

作家點點頭，不想打斷他的說話。

「當初建造這座墓園時，原來的規劃是圓形的，你看，就像一種旋渦狀。但是，後來瘟疫發生了，空間不夠，所以不得不採用列陣方式埋葬。」

「這座墓園目前還使用嗎？」

「人死了又無親無故，是件痛苦的事。如果你來這兒尋找久未見面的親戚，結果發現他的編號是四十一，你會有什麼感想？看見土墳上一堆堆的石碑，的確會令人很沮喪。對死者而言，這是不敬的行爲。另外一些氣派的墓碑，並非州政府設的，而是事後被其他親人發現而重新豎立的，上面刻有名字。你可知道，人們都喜歡追溯過去的歷史，都想知道自己從哪兒來。當他們來到這兒發現自己的祖先或親戚只是一座編了號碼的黃土坯時，他們一定會發怒，而且會說：『這是我的家人，我們必須表示出更大的敬意。』難過的是，這兒只有少數幾塊漂亮的碑石。只要有時間，我就會來這兒『走走』。」

作家知道他說的『走走』是《快報》上使用的字眼。「我很高興你還能苦中作樂，希望你不會受到影響。」

「不會的，我已經克服了，我知道將來還有更多的考驗。但我知道，我可以輕易解決。」在他們的談話之中，作家感覺比利臉上的表情已有改變，甚至連走路的速度也加快了，說話也很清楚，居然也會取笑報紙標題。

「我有幾個問題想問你。」作家說：「現在，如果和你談話，而你不告訴我你是比利U的話，我還眞的會被你給騙了呢！你很像《老師》……」

比利的眼睛發亮，臉上露出微笑，「爲什麼不問我呢？」

「你是誰？」

「我是《老師》。」

「不會吧！你要我。」

他微笑道：「事情就是這麼發生的，每當我放輕鬆時，我就會出現；心境如果不平穩，就出不來。在這兒，我可以找到那份平靜……和你交談、再次見到那些情景，我就能記起回憶。」

「爲什麼要等我來問你？爲什麼不自己告訴我你是老師？」

他聳聳肩，「因爲已經和你見過好幾次面了。比利U曾與你談話，然後突然加入雷根，接下來是亞瑟，因爲他們有話要說。這時候如果開口向你問安，豈不是很奇怪？」

他們繼續走，《老師》說：「亞瑟和雷根眞的很想幫比利告訴你上次混亂時期所發生的事。」

「說下去，」作家說道：「我想聽。」

「丹尼從未有過跳下峭壁的念頭，他只是被那朵花吸引，山丘上的那朵大花誘使他爬上去。」

《老師》走在前面，將丹尼走過的路指給作家看，還指了丹尼抱住的那棵樹。作家往下探頭。如果丹尼跳下去的話，他必死無疑。

「雷根也從未有傷害警衛的意思，」《老師》說：「那只破碎的玻璃杯是給自己用的，他知道比利被出賣了，所以準備自殺。」《老師》說著把手舉起來，這讓外人看起來像是一種威脅，其實這正好是他自己脖子的高度。「雷根打算割喉自殺，一了百了。」

「但是，你爲何告訴郭醫師說你要打斷他的骨頭？」

「雷根實際上要說的是，『來吧！郭醫師，先看我打斷幾根骨頭！』我才不會傷害那矮子。」

「比利，最好保持融合狀態。我們需要《老師》，我們有工作要做，你說的這些很重要。」

比利點點頭，「我也希望如此，」他說道：「我要讓世人都知道。」

治療期間，來自醫院外部的壓力並未停止。比利與工作人員之間的兩週合約重新更改了，權利也逐漸恢復了。《哥倫布市快報》仍舊刊登不利於比利的內容。

受到報紙報導的影響，州議會的議員要求召開公聽會。當司琴納知道有人開始撰寫有關比利的書籍時，便開始提案立法，禁止動用——包括因精神異常獲判無罪者在內——因出版有關罪犯本身的傳記或犯罪行爲之書籍所得之款項。公聽會將在兩個月後舉行。

(4)

即使到了六月，報紙依然大肆攻擊；無視於報紙的持續攻訐，以及造成生活和治療上的混亂，比利的狀況十分穩定，而且也可以在簽名之後走出病房，活動地區限於醫院之內（不可進城）。郭醫師對他的治療繼續進行。比利又開始作畫了。現在，作家和郭醫師都同意《老師》已有很大的改善，但記憶力已不再如同過去一般鮮明。

《老師》告訴作家，有一天，湯姆在撥弄無線通信設備時，聽見自己大聲說：「咦？我到底在做什麼？沒有執照隨便廣播是違法的。」然後，在未與湯姆互換角色的情況下，他又說：「這有什麼關係？」

《老師》自己嚇一大跳。他擔心的是自己的態度，這讓他相信這些人格——現在，《老師》已接受『人格』的說法，並且相信那不是『人』了——已經成了他的一部份。突然，這還是生平頭一遭，在未經角色轉換的情況下，他覺得自己像他們，這就是眞正的融合，他已成了廿四個不同人格的整合體了，他既未變成羅賓漢，也未變成超人，而是一個非常普通、反社會、沒有耐性卻擁有智慧與才能的年輕人。

正如喬哈丁醫師曾經說過的，融合後的比利，或許會遠不如各個「人格」的總和。

大約就在此時，迪諾瑪厭倦了上午專案主任一職，於是她的職務由另一位女同事潘華達接手，潘華達身材嬌小，是個年輕的離婚女子；與新病患接觸時，通常她都會顯得很不安。「我一接到通知時，」她後來承認，「我這麼想：這下可好了，光是看報紙上的報導，我早就被嚇死了！我的意思是，他是個強暴犯，而且還有暴力傾向。」

她回想第一次見到比利時，是去年十二月他剛被轉來雅典醫院。他在交誼室裡作畫，她走進去與他聊天，竟發現自己抖得如此厲害，甚至掉到眼前的頭髮也在抖動。

她是當初那批不相信多重人格的一群。但經過幾個月後，她已不再存有懼怕之心了。就像曾對醫院其他婦女說過的一樣，他告訴她，即使雷根出現也無須害怕，因為雷根從不傷害婦女或小孩。

現在，她與他相處得很好，常到他房間幫他檢查，聊天也聊得很久。她發現她開始喜歡他了，並且相信他是被虐待的多重人格病患。她會出面為他辯護，以抵抗那些充滿敵意的人。

潘華達第一次見到丹尼，丹尼躺在沙發上試著拔下椅子上的釦子。她問他為何要這麼做。

「只是想把釦子拔掉。」丹尼的語氣裡充滿了稚氣。

「好了，別再拔了。你是誰？」

他笑了，而且更加用力的扯。「我是丹尼。」

「如果你不停止，我可要打你的手心了。」

他抬頭望著她，最後還想拔。但是，當潘華達靠近時，他立刻停止了。

第二次遇到丹尼時，丹尼正將自己的衣服和一些日常用品丟進垃圾桶。

「你在做什麼？」

「把東西丟掉。」

「爲什麼？」

「這些都不是我的，我不要。」

「立刻住手，丹尼，全拿回房裡去。」

他走開了，東西還留在垃圾桶裡。潘華達不得不幫他把東西取出來，放回他的房間。

她有好幾次逮到丹尼亂丟衣服和香煙，也有好幾次，其他工作人員將丹尼丟到窗外的東西撿回來。後來，比利會問是誰拿走了他的東西。

有一天，她帶著十八個月大的侄女咪咪進入交誼室，比利已在那兒作畫。當他彎身去看小女孩時，咪咪立刻後退哭了起來。比利露出悲傷的神情看著她，並說道：「妳看過了報紙，是嗎？」

潘華達望著他的風景畫，「畫得非常好，比利，你知道嗎？我希望能擁有一幅你的畫，我錢不多，但是如果你畫一頭鹿給我的話，只要小小一幅就行了，我會很願意付錢的。」

「我什麼都畫，」比利回道：「但首先我要爲咪咪畫一幅肖像畫。」

比利開始畫咪咪，而且也很高興潘華達喜歡他的作品，她最平易近人了。他知道她已離婚，沒小孩，目前住在距她父母家不遠的拖車房裡，微笑時臉上會有酒窩，還擁有一對深邃的明亮眼睛。

某日下午，比利在建築物四週漫步時，想到了她。此時，她正好駕駛一輛全新的四輪驅動貨車進來。

「哪天可以讓我開開吧？」她才下車，比利便開玩笑似地說道。

「比利，不可能。」

他看到車上的天線和車後窗上的呼叫號碼，「我不知道妳也是火腿族吔！」

「沒錯！」她將車門關上，朝醫院走去。

「妳的呼名是什麼？」他跟過去問她。

「殺鹿者。」

「女人取這種呼名很奇怪。爲什麼取這個名字？」

「因爲我喜歡獵鹿。」

比利停下腳步盯著她看。

「怎麼回事？」

「妳獵鹿？妳殺生？」

她打量他的眼睛，「我二十歲時就射殺了第一頭鹿，從那次之後我就一直打獵。上一季運氣不太好，但我要告訴你，今年秋天一定會大豐收。我是爲了鹿肉而獵鹿。我不認爲這有什麼不妥，別跟我爭執。」

兩人一起搭電梯上樓，比利進入自己的房間，撕碎爲她畫的鹿畫。

一九七九年七月七日，《哥倫布市快報》用紅框框圍起了頭條新聞，是由魯羅伯撰寫的。

強暴犯威廉．密里根將在數月後獲釋

文中描述再過三、四個月，比利可能會成爲正常人。依美國最高法院對聯邦法律的解釋，比利可能會被釋放。該篇文章的結論如下：

「他（司琴納議員）預測，如果哥倫布市人發現比利在城內走動，比利將會有生命危險。」

讀完這篇報導後，郭醫師說：「我擔心這篇報導可能會鼓動某些人打歪主意。」

比利告訴作家，他發現自己發生了不少變化。在無需轉換成湯姆的情況下，他不必用鑰匙就能開啓上鎖的門；在無需轉換成雷根的情況下，他會騎摩托車，甚至可以像雷根一樣騎陡坡，全身的肌肉靈活得就像雷根一樣。

他也發現自己有反社會傾向，他受不了同室病患的干擾，甚至對工作人員也失去了耐心。他有一股強烈的慾望，想拿一根六呎長一端帶勾的鐵棍往變電所走去。他知道何處有電流變壓器，只要拉下它，就可以關掉電流。

他與自己爭論，說不可以這麼做。夜間如果沒有路燈，很可能會發生意外。但是，他爲什麼會想這麼做？然後，他記起有一天他母親與米查正在吵架，由於無法忍受，於是湯姆便騎著腳踏車沿著春日街出去了。他騎到變電所，爬進去切斷電流。湯姆知道，如果沒電，人們會變得比較安靜。父母必須停止爭吵。三條街都停電了。當他回家時，只見一片漆黑，爭吵也結束了。父母都坐在廚房裡的燭光下喝咖啡。

這就是他爲什麼想再做一次的原因。比利從凱西那兒聽說桃樂絲與戴摩爭吵得很凶，於是笑著望向變壓器。

他同時也懷疑自己似乎不太對勁，因爲他對性沒什麼興趣。他曾有過機會，其中兩次是他週末度假在她妹妹家時，他曾與一位對他有興趣的女孩住進汽車旅館，但是兩次都因爲看到外面的警車而放棄。他認爲自己是個有罪在身的小孩。

他繼續研究自己的變化，發現自己擁有不同人格的特質，而且知道哪些人格的影響力減弱了。就有那麼一次，他在樂器店中無意間敲打小鼓，頗驚訝於自己的才能，於是買下一套小鼓。亞倫習慣打鼓，但這個能力現在屬於《老師》了；甚至比利U也會吹奏薩克斯風、彈鋼琴。但是，只有打鼓最能讓他放鬆自己。

當比利的治療計劃中再度包括外出休假的消息傳出哥倫布市時，攻擊郭醫師的文章又開始出現了。俄亥俄州道德委員會接獲指示調查郭醫師，查看他是否有失職之處。有人控告郭醫師秘密爲比利寫書，所以才給予比利特別權利。由於法律規定必須先有人提出告訴，委員會方可進行調查，因此該委員會便要求自己會內的律師提出控訴。

郭醫師發現攻擊四起，於是在療程上做了修正，同時在一九七九年七月十七日提出自辯書。

過去幾個月有關威廉．密里根一案所造成的騷亂與爭執，我認爲已超過理智、合理及法律的界限……

我做出的診療決定是經過愼思熟慮的結果，也是經過許多專家們共同支持的方案……

我相信自己已遭受到了無謂的傷害，其中包括州議會議員以及令人懷疑的媒體報導……

後來，經過多月的調查以及所費不貲的法律程序，證明了郭醫師的行爲完全沒有任何誤失。但是，在這段期間裡，他發現必須花更多的時間與精力保護自己、名譽與家庭。他知道大衆要的是什麼，他當然可以監禁比利，藉以掃除任何外來的威脅，但他拒絕這是在議員及報紙的壓力之下做成的決定；因爲依照治療進度，比利應與其他病患一樣享有權利。

(5)

八月三日星期五，比利獲准將部份的畫作送往雅典國家銀行，該銀行同意在八月份公開展示他的作品。比利抱著愉快的心情進行工作，準備新作品、新畫裱框；他同時也花了一些時間準備凱西的婚禮，婚禮訂在九月廿八日舉行。他用賣畫的部份所得租下結婚禮堂，也去訂作了一套禮服，衷心期盼婚禮的到來。

畫展的消息吸引了記者和電視台，在獲得律師的允許下，比利接受了WTVN的記者阮珍，以及WBNS的記者博開文兩家電視台的晚間新聞訪問。

電視記者阮珍訪問比利有關畫作以及他對雅典心理健康中心治療的感想。當她問到有多少幅畫是由其他人格完成時，比利回答：「基本上，那是全體的創作，他們都是我的一部份，而我必須學習去接受它，他們的能力就是我的能力。但，目前是由我負責所有的行爲，我希望這種情形能繼續維持下去。」他還告訴她，賣畫的收入將用來支付州立醫院的費用、律師費用，並且捐給有關防止兒童虐待的運動組織。

他同時告訴她，他的人格已結合爲一體了，他現在可以將注意力放在未來的工作上——防止兒童受虐。「我希望見到養育院的設備充實起來，」他說：「確保孩子們能有個平安、舒適的環境。孩子們在物質和精神生活方面都必須要有妥善的照顧。」

阮珍發現去年十二月與今天的比利最大的不同，在於他對社會的態度。雖然幼年時曾遭受許多嚴酷的虐待，但現在的他卻用信心去面對未來。

「我對司法制度已有了更多的信心，現在我已不覺得這個世界上的每一個人都反對我。」晚間六點新聞，記者博開文指出，在雅典心理健康中心裡，比利的治療計劃引來多方的責難與批評，但現在的比利已感覺到自己是社會中的一份子了。

「我對雅典市的居民已更有好感，」比利表示：「隨著大衆對我的認識，他們不再充滿敵意。也不像當初我來時那樣怕我了，那是由於……」

他指出，他很謹愼地挑出一些自己的作品供社會大衆觀賞。其他畫作之所以不展示出來，是因爲他害怕有人會通過畫作分析他的種種言行；他也承認，他很擔心不知社會大衆會如何看待他的作品。「如果有人來參觀，我希望他們不是來找尋刺激的，而是由於他們對藝術的喜好。」

他說他想上學唸書，增進繪畫技巧，但由於惡名遠播，大概也不會有學校願意接納他；或許這種現象未來會有所改變，他願意等待。

「現在我已經面對現實了，」他告訴記者，「這是很重要的一點。」

比利自覺醫院工作人員對晚間新聞的播出反應良好，內容是關於他的畫作以及與記者交談的鏡頭，大多數的員工已對他十分友善，只有極少數的人仍在批評。甚至曾經公開持反對意見的人，也開始在看護報告上提出正面的看法了。令他驚訝的是，現在已有人告訴他小組會議的經過，告訴他病情進展的情形。他知道，自從進入五號病房以來，他已有長足的進步。

八月四日星期六，比利正要外出醫院時，傳來了電梯警鈴聲，電梯卡在三樓和四樓之間，電梯裡還有一位心智障礙的小女孩被困。比利看到門外的電箱冒出火花，他知道一定是電線短路了。當走道上擠滿病患時，電梯內的小女孩也開始尖叫、敲打電梯門。比利大聲高呼求援，不久立刻有一位工作人員將電梯外門拉開。

凱莎琳健康技師這時也走出辦公室，看到眼前一片混亂的景象；只見比利沿著纜繩滑下，打開電梯上方的小通風口，跳進電梯，站在女孩身旁與她談話，讓她安靜下來。他們在裡面等待電梯維修人員的到來。同時，比利還從內部檢視電箱。

「妳讀過任何一首詩嗎？」比利問那個女孩。

「我知道聖經。」

「可以為我背誦聖經裡的詩篇嗎？」

他們談論聖經大約談了半個小時。

當電梯維修人員終於讓電梯啓動時，他們兩人在三樓走出電梯，女孩看著比利說道：「現在我可以要一罐汽水了嗎？」

隔週星期六，比利很早就起床了。雖然畫展很成功，但是他對於報社仍然稱他為強暴犯很不滿意。他必須學習處理雜亂的情緒，這是一種新的感覺——雖然迷惑，但對他的心智穩定是必要的。

當天早上，他決定慢跑至醫院旁的『俄亥俄大學旅館』附近，順便買包煙。他知道自己不應吸煙的，以前只有亞倫會吸煙。但是，他現在需要吸根煙，治癒之後，他會再戒掉。

他走下醫院台階，注意到一輛停在入口處的汽車裡坐著兩個人，他猜想他們大概是訪客吧！但是，當他跨過馬路之後，那輛車從身後越過他。來到另外一條路上時，他又看見那輛車。

比利抄近路經過剛割過的草地，朝醫院外圍跨越一條小河的行人專用橋跑去，這時他已是第四度看見那輛車了，他繼續往前過去。

就在踏上那座小橋之際，車窗玻璃搖了下來，出現一隻握槍的手，有人叫道：「比利！」

比利當場楞在那兒。他分裂了。

子彈並未射中已轉身跳進河裡的雷根，第二發也未擊中。接著又是一槍。雷根在河床底找到一根木棍，然後沿著河堤爬上岸。他用木棍擊碎那輛車的後窗，車子在倉惶之中逃逸無蹤。

他站在那兒許久，全身氣得發抖。剛才《老師》在橋上竟然僵住了——既軟弱又優柔寡斷，如果不是雷根立刻出來，他們全都會送命。

雷根緩緩走回醫院，與亞倫、亞瑟討論該怎麼辦。結果決定必須把這件事告訴郭醫師。在這家醫院裡，他們的目標太明顯，隨時都可能被發現而遭殺害。

亞倫向郭醫師報告早上的意外事件，並且說明目前休假外出的重要性。他告訴醫師，必須找到一個安全地方，直到蘭開斯特市的公聽會舉行那天為止。並且還要求郭醫師在公聽會後安排他離開俄亥俄州前往肯塔基州，由吳可妮博士為他治療。

「這很重要，」亞瑟告訴亞倫，「絕不可洩露這次的槍擊事件。那些傢伙如果在報紙上未見到任何報導的話，心情一定會開始動搖。他們會擔心比利將採取什麼報復行動。」

「要不要告訴作家？」亞倫問道。

「除了郭醫師之外，誰都不可以說。」雷根的態度頗堅持。

「《老師》固定在下午一點與作家見面，到時候他會出現嗎？」

「我不知道，」亞瑟說：「老師消失了，大概是因爲橋上的軟弱表現而不好意思出現吧！」

「那該如何告訴作家呢？」亞倫問道。

「你口才不錯，」雷根說：「假裝你是《老師》呀！」

「他會知道的。」

「只要你以老師的名義說話，」亞瑟說：「他就會相信。」

「要我說謊騙人？」

「如果讓作家知道《老師》分裂消失了，他會不高興的，他和《老師》已是好朋友，我們不可冒著無法出書的危險行事。每件事都必須按預定計劃進行。」

亞倫搖搖頭，「從沒想到你會要我說謊。」

「如果目的正當，」亞瑟說：「可以避免有人受到傷害，那就不是說謊！」

但在會面時，作家察覺比利的態度和言行不太自然，似乎太傲慢、口才太好、要求太多。比利說，常有人告訴他凡事要做最壞的打算，但要有最好的希望。現在，他的希望無法達成了，他認爲自己一定會被送回監獄。

作家認爲他不是《老師》，但又不敢確定。比利的律師戈愛蘭這時也來了。作家總覺得眼前正在解釋爲何要寫遺囑的人是亞倫，他說要把所有的遺產都留給凱西。「在學校時，一直有個壞學生纏著我。有一天，他準備痛打我一頓，結果卻沒有。我事後發現，原來是凱西將自己僅有的兩毛半錢給了那傢伙，這正是他沒揍我的原因。我永遠無法忘記這件事。」

週末，在凱西家，丹尼和湯姆在牆壁上描畫，亞倫則擔心將在蘭開斯特舉行的公聽會。如果贏了，郭醫師便會送他去肯塔基州，吳可妮博士會幫助他。但是，如果法官裁定敗訴的話，又該怎麼辦呢？如果要他餘生都在監獄或精神病院度過的話，那又將會如何？州政府要他支付每天超過一百元的醫藥費，他們要他所有的錢，他們要他破產。

星期六晚上，他無法入眠。隔日清晨大約三點鐘時，雷根走在屋外，悄悄將機車推出去。晨霧從山谷中吹來，他感覺到自己很喜歡在晨曦中騎車，於是開始朝向勒岡水壩前進。

他喜歡黑暗中的霧氣，因爲在濃霧中行走，不論是在森林中或池塘旁漫步，都可以欣賞到前方的景色溶入虛無飄渺的意境中。清晨三點是他最喜歡的時刻。

當雷根到達勒岡水壩頂端時，一條狹窄的小路只容得下機車輪子通行。他關掉機車大燈，因爲車燈在霧中的反光會令他目眩。這時，他可以辨識兩旁的黑暗，保持在中心線上往前行進。這麼做很危險，但也是他需要的刺激。他極想征服某些事物，想成爲勝利者。

他從未有過在水壩頂上急馳的經驗，也不知道這條路有多長，他無法看得很遠。但他知道行駛速度必須很快，否則反而容易摔落壩頂。他很害怕，但總得一試。

他踢了一下，轟然一聲，立刻沿著狹窄的堤道中央急行風馳。當他安全騎過之後，他轉過方向回頭騎。他高聲大吼、盡情哭泣，兩頰流滿了淚水，在夜風吹襲之下變冷了。

當雷根返家時做了一個夢，他夢見自己在橋上遭槍殺身亡，因爲《老師》嚇得僵在那兒，害得每個人都死了。

第二十二章

(1)

九月十七日星期一是公聽會之日。作家在醫院走廊上看見比利正在等他。從比利的笑容和點頭的姿勢看來，他知道那是《老師》。兩人彼此握手寒喧。

「很高興見到你，」作家說：「已經好一陣子了。」

「發生了不少事。」

「戈愛蘭律師到達前，我們先私下談談。」

他們進入一間小會議室。《老師》前前後後告訴了作家有關槍擊事件、人格分裂、亞倫租了一輛新跑車、如果法院取消答辯機會，亞倫將啓程前往肯塔基繼續接受吳可妮博士的治療等等。

「上個月你失蹤時，冒充你與我談話的人是誰？」

「是亞倫，很抱歉。因爲亞瑟知道，如果讓你發現我們再度分裂的話，你會很傷心。通常他並不關心別人。我唯一能做的假設是，槍擊事件影響了他的判斷。」

他們持續交談，直到戈愛蘭到達爲止，然後就出發前往蘭開斯特法院。

戈愛蘭向庭上提出分別由喬哈丁醫師、吳可妮博士、柯絲薇醫師、郭大衛醫師以及譚如茜博士所提出的醫學報告。報告中，均一致同意，一九七四年十二月的『公路休息站』騷擾案與一九七五年一月的『葛雷西藥房』搶案發生時，比利乃處於精神不健全的多重人格狀態中。他們也都同意，當時比利並無能力協助他的律師葛喬治爲自己提出辯護。

檢察官路斯只傳喚了一位證人，即布朗醫師，他出席作證表示，被告十五歲時，他曾爲被告診療，並且還送他到哥倫布市州立醫院住了三個月。他還表示，在最近的醫學科技下他會改變承認被告的病症爲伴隨多重人格而產生的分裂性障礙。但他又說，檢察官曾派他前往雅典市與比利面談，在那次探望中，比利或許不是眞的多重人格者，因爲多重人格者通常不會知道其他人格做的事。

步出法院時，戈愛蘭頗爲樂觀，比利也很欣喜，因爲他十分確定傑克森法官會接受四位德高望重的精神科醫師的證言，而不是布朗醫師。

法官向新聞記者透露，他將在兩個星期內做出決定。

九月十八日，郭醫師見比利在公聽會後心情一直很高興，加上擔心他可能再遭槍擊，因此特別給予外出假。比利知道在妹妹家也不太安全了，所以決定前往納許維爾的『赫金汽車旅館』度假。他打算帶著畫架、顏料和畫布去那兒，不受干擾地盡情作畫。

星期二，比利用假名住進旅館。他試著放鬆心情，但由於太過緊張，如何也無法鬆弛下來。作畫時，耳邊盡傳來噪音。在搜索了房間和大廳之後，卻發現噪音竟來自腦袋裡——他自己的聲音。他試著不聽，全神貫注在畫筆上，但那些人仍在談論，不是亞瑟也不是雷根，他無法立即辨認出他們的口音，一定是那些《惹人厭的傢伙》！現在又有什麼地方不對勁呢？他無法工作、無法睡覺，而且也因爲擔心而不敢到妹妹家或返回雅典醫院。

星期三，比利打電話給盧麥克約他出來。盧麥克到達時，看見緊張不已的比利，於是打電話給郭醫師。

「反正你都值夜班，」郭醫師說：「今晚你就在那兒陪他，明天把他帶回來。」

有盧麥克陪伴，比利的心情輕鬆不少。他們在酒吧飲酒。比利談到希望接受吳可妮的治療。「我會先在醫院裡待兩、三個星期，直到吳可妮博士認爲我可以到外面租屋獨居爲止。我想我辦得到，即使有困難，我也能處理。然後，我會開始接受治療，遵照她的指示去做。」

盧麥克靜靜聆聽比利未來的計劃、未來的新生活——只要傑克森法官能還他清白。他們一直談到深夜，到了第二天清晨，兩人才上床睡覺。他們起床後吃過早餐，在星期四早晨開車回醫院。

回到病房後，比利坐在大廳裡老想著爲何無法做一件正正經經的事，總覺得自己像個低能兒。或許是因爲失去了其他人格給予他的能力吧？亞瑟的機智、雷根的強壯、亞倫的流利口才、湯姆的電子知識等；他覺得自己愈來愈笨，壓力也愈來愈大。恐懼和壓力持續高漲，噪音也不斷擴大，色彩變得令人無法忍受。他想回自己的病房，把門關上，大聲叫喊、大聲叫喊……

隔天，潘華達在咖啡店吃完午餐，同桌的朋友猛然離開座位跑向窗邊。潘華達轉身望去，目光凝視窗外的雨景。

「我看見有人，」朋友說，手還指著，「一個穿棕色軍用雨衣的人跑過雷契蘭大道橋，然後走下橋去了。」

「在哪兒？」潘華達踮起腳尖。但是，從飄雨的窗子，她只能看到橋上停著一輛車，駕駛員下車，朝橋的兩側張望，似乎在尋找橋下的東西或人。

潘華達有一種不祥的感覺，「最好去看看比利在哪兒！」她在病房樓上樓下奔走，詢問其他護理人員和病患，並沒有人見到他。她查看他的房間，他那件棕色軍用雨衣也不見了。

查洛莉是病房主任，她走進護士站說有人打電話來，是另一位同事打來的，他曾看見比利在雷契蘭大道上。這時，郭醫師走出辦公室，說他也接到一通電話，說比利在橋上。

每個人都開始慌張起來，他們不希望安全人員去找他，因爲制伏很可能會激怒比利。

「我去找他！」潘華達邊說邊拿起她的外套。

巴卡達警衛開車載她前往。到達之後，她走下橋，在交錯的管線間張望，然後順著河堤走去，什麼也沒看到。當她回來時，她看見先前那輛車的駕駛員，她很驚訝那個人仍在那兒。

「你是否看見過一位身穿棕色軍用雨衣的男子？」她問道。

那男子指向附近的大學會議中心。

巴卡達載她前往那棟磚牆和玻璃蓋成的大樓，外貌酷似蛋糕。

「他在那兒！」巴卡達說道，指著圍繞三樓的水泥走道。

「在這兒等，」她告訴巴卡達，「讓我來處理。」

「不要和他走進建築物裡，別與他單獨在一起。」巴卡達說道。

她跑上其中一座坡道，看見他一扇門接一扇門試著想進入建築物內。

「比利！」她大叫，沿著坡道跑向水泥走道，「等等我！」

他並未答話。

她試著喊出其他名字，「丹尼！亞倫！湯姆！」

他仍然不理她，在走道上迅速走動。最後，他找到一扇未上鎖的門走了進去。她以前從未進入這間會議中心，她有點兒害怕，不知道他想做什麼，也不知道他為什麼要跑來這裡。顧不了這麼多了，當她衝進去時，發現他走上了陡峭的階梯。她站在階梯最下方。

「比利，下來呀！」

「去妳媽的！我不是比利！」

她從未見過比利嚼口香糖，但他現在卻邊叫邊嚼。

「你是誰？」她問道。

「史蒂夫！」

「你在這兒做什麼？」

「笨蛋！妳沒看到我在做什麼呀？我要爬到建築頂端。」

「為什麼？」

「我要跳下去。」

「快下來！史蒂夫，我們談一談！」

儘管她說破了嘴，比利仍然拒絕下來。這麼耗下去是沒用的，她相信他決心要自殺了。這時的比利頗不尋常：態度高傲、音調很高、說話速度快，行為舉止都像大男人。

「我要上廁所！」他走進男廁所。

她立刻奔往出口，確認巴卡達和車子是否仍在原處。他已經走了，當她回到建築物內時，史蒂夫已從廁所出來，朝另外一道門走出去了。她試著跟上去，卻被他從外面上了鎖。

潘華達看到牆上一具電話，於是打回去找郭醫師。

「我不知道該怎麼辦，」她說道：「他自稱是史蒂夫，想自殺。」

「讓他冷靜下來，」郭醫師說：「告訴他，一切事情都很順利，不像他想像的那麼糟，他可以到肯塔基接受吳可妮博士的治療，快叫他回來！」

她掛上電話後，走回那道門，邊敲邊喊：「史蒂夫，把門打開，郭醫師說你可以去肯塔基。」

幾秒鐘後，一位學生推開門走過來，潘華達發現門外是一條狹窄的圓形走廊。她邊走邊朝每一間辦公室探頭，並未發現比利。她繼續找下去。

在經過兩位正在談話的學生時，她大叫道：「你們剛才看到一個男子經過這兒沒有？身穿棕色雨衣，全身濕淋淋的。」

其中一位學生指向前方，「他往那個方向……」

她繼續向前奔跑，不時查看出口。看來他已從出口離開了。最後，在某個出口，她看見他在外面的走道上。「史蒂夫！」她叫道：「等一下！我必須和你談談！」

「沒什麼好談的。」

她立刻圍過來，站在他與欄杆之間，防止他跳下去。「郭醫師要你回去。」

「去他媽的老傢伙！」

「他說事情並不像你想像的那麼糟。」

「聽他鬼扯！」他在那兒走來走去，猛嚼口香糖。

「郭醫師說你可以去肯塔基，吳可妮博士也會幫你。」

「我再也不相信他們了！他們一直想告訴我，說我是什麼多重人格者。根本就瘋了，他們才是神經病！」

他脫下濕透的雨衣，張放在大玻璃窗上，再用拳頭猛捶。她立刻抓住他的手臂，阻止他再繼續敲打玻璃窗。她知道他想讓玻璃割傷。或許他以爲玻璃太厚了不易打破，頂多只會弄傷拳頭。她緊緊抱住他，他則試著甩掉她。兩人糾纏在一起。她試著說服他回去，但他似乎失去了理智。雨勢仍大，而且很冷。最後她說：「我已經很累了，我只給你一個選擇的機會：要不就立刻跟我回去，否則我踢你命根子。」

「妳才不敢！」他說道。

「試試吧！」她仍緊緊抓住他的手臂，「我數到三，如果仍不跟我回醫院去，我就踢了！」

「呃……我是不會欺負女生的。」

「一……二……」她將膝蓋往後縮。

此刻，他也兩腿緊靠、保護自己，「妳眞的會踢嗎？」

「沒錯。」

「是嗎？我才不管妳，」他說道：「我還是要到房頂上去。」

「不，不行！我不准你這做。」

他與她繼續爭執，趁著她鬆懈時衝往欄杆。到達屋緣時，她正好也趕到。潘華達一隻手抱住他頸子，另一隻手抓住他腰帶，將他拉回頂在牆上。相互扭扯之際，比利的襯衫被撕裂了。

不一會兒，他內部似乎起了什麼變化，摔倒在地，兩眼無神。她知道另外一個人出現了，只見他開始大哭、全身發抖。潘華達心想，他大概是害怕了。這時，她也知道他是誰了。

潘華達抱住他，告訴他沒什麼好擔心的。「丹尼，一切都會好轉過來的。」

「有人會鞭打我，」他哭著說：「我的鞋子沾了泥土，頭髮和褲子都濕了，衣服也髒了，全身都髒兮兮的！」

「和我一起去散步怎麼樣？」

「好。」他回答。

她從地上拾起了他的雨衣爲他穿上，並引導他走向大門。從樹林之間，她可以看見山坡上的醫院，心想他一定經常從那兒遙望這棟圓形建築物。巴卡達駕駛的車已經回來了，就停在下面的停車場上，車門是敞開的，裡面沒人。

「你和我一同坐在車裡好嗎？別再淋雨了。」

他退縮了一下。

「這輛車沒問題，是警衛巴卡達駕駛的，他這個人很好相處。你會喜歡他，對不對？」

丹尼點點頭，坐進後座。但是，當他看見車內保護用的鐵網時，卻又退縮了，身子直發抖。

「沒問題，」潘華達瞭解是什麼困擾了他，「我們可以坐前座，等巴卡達回來載我們回去。」

他安靜地坐在她身旁，兩眼呆視自己濕透的長褲和沾滿污泥的鞋子。

潘華達讓車門開著，開啓車頭大燈作爲訊號。過了一會兒，巴卡達與迪諾瑪從會議中心的坡道上走下來。

「剛才我回醫院把她接來了，」巴卡達解釋道：「我們到裡面去找妳和比利。」

潘華達告訴他：「這位是丹尼，他現在已經沒事了。」

(2)

九月廿五日星期二，貝白蒂護士看見比利與霍斯頓在大廳聊天，霍斯頓是幾個星期前入院的，他與比利在利巴嫩監獄就已相識。樂莉和瑪莎走過來，向這兩位男士猛送秋波。樂莉一直對比利有好感，現在為了讓比利嫉妒，她故意對霍斯頓表現出親熱的模樣。貝白蒂是樂莉的看護主任，她很清楚自從比利入院以來，樂莉就一直對比利頗有好感。她是個漂亮但不很聰明的女孩，一直圍繞在比利身旁，留字條給他。她還告訴其他員工，說她與比利未來的打算。她也曾散佈謠言，說她與比利最後終究會結婚。但比利從未將她放在心上。有一次，當她們告訴比利她們已經破產時，他各給了她們一人五十元。為了報答他的恩情，她們從比利那兒取得了『今天，擁抱你的孩子！』汽車貼紙，幫比利到城內分發。

麥愛蓮原是比利下午的負責人，她今天下午沒上班，由另外一位同仁凱莎琳負責照料他。凱莎琳才上班，比利就問她是否可以出去走走。

「這必須由郭醫師核准，」她說道：「這不是我權限之內能做的決定。」

比利在電視旁等待，凱莎琳去問郭醫師的意見，結果是郭醫師要找比利談一談。經過討論幾次有關他的情緒問題之後，凱莎琳和郭醫師都同意比利可以和霍斯頓到外面散步。

半個小時後，他們回來了，然後又走了出去。當比利再次進來時，大約已是下午六點。凱莎琳正在忙，只聽見比利說：「有女孩在哭叫。」

她知道那不是比利，而是大衛的聲音。

「你說什麼？」

「女孩受傷了。」

凱莎琳跟著他走到大廳，「你到底在說什麼？」

「那兒有女孩。我在外面時，聽見有女孩在哭叫。」

「什麼女孩？」

「我不知道，一共有兩位，其中一個女孩告訴霍斯頓，要他叫我回來，因爲我會壞事。」

凱莎琳用鼻子聞聞他是否喝了酒，但並無任何酒味。

幾分鐘後，樓下的總機呼叫她。於是凱莎琳走下樓，看見警衛帶著瑪莎進來。當她帶領瑪莎上樓時，她可以聞到酒味。她帶她回房。

「樂莉在哪兒？」凱莎琳問道。

「我不知道。」

「妳們去了哪兒？」

「我不知道。」

「妳喝了酒，是不是？」

瑪莎被送進一號病房，那是女病患的特別監護病房。

在此同時，比利的角色由大衛換成了丹尼。當他看見瑪莎一個人獨處時，他似乎受到了干擾，由於沒見到樂莉，因此他便走到外面找樂莉。凱莎琳氣喘噓噓的在後追趕。在抓住他之前，葛廉警衛已經帶著樂莉進來了。她被發現躺在草地上，吐了一地的穢物。葛廉告訴凱莎琳：「她差點兒給悶死了。」

凱莎琳看出來比利很關心女人。她聽見走廊上有人低聲說著「強暴」這個字眼，但她不認爲兩個男孩在外面的時間不久卻能做這種事來。她不相信。凱莎琳晚上十一點離開，一切都很平靜。兩個女孩都被安置在一號病房，比利和霍斯頓則在他們的病房睡覺。

隔天早上七點貝白蒂上班時，病房和醫院內謠言四起，說是兩個女孩被發現喝醉了，在山坡上不省人事，樂莉的衣裳不整；有人說她抱怨自己被強暴，其他人則未提到強暴之事。那時，比利與霍斯頓正在外面散步，他們成了可疑焦點。但幾乎所有院方人員都認為，不可能有強暴一事。

高速公路警察局被請來調查這個案子，他們要求暫時封閉男病房，接著便進行審訊工作。郭醫師與幾位職員交談了一會兒，比利和霍斯頓此刻仍未起床。目前的問題是，要由誰來告訴比利和霍斯頓遭指控之事？貝白蒂自己不願這麼做，每個人也都拒絕接這個燙手山芋。貝白蒂未曾見過雷根發狂的模樣，但其他人都曾親眼目睹。

在未通知他們兩人的情況下，郭醫師下令將他們的房門鎖上。霍斯頓先起床，郭醫師告訴他遭指控之事，然後又走向比利，同樣說明該事件。

起初，這兩個年輕人都是一頭霧水，而且認為這項指控傷害了他們。天色漸亮時，他們變得更害怕、更生氣了。謠言說有人要來抓他們去利瑪，也有人說聯邦調查局要抓他們回利巴嫩監獄。

這一整天，工作人員一直試著撫平兩人的情緒。最後，連工作人員也給惹毛了，因為他們完全不相信所謂的「強暴」一事。潘華達和貝白蒂一再向比利和霍斯頓保證，沒有人會帶他們離開。但是，她們都知道，說話的人並不是比利，而是其他人格。潘華達十分確定他是史蒂夫。

當天，貝白蒂餵比利服下許多鎮定劑，試著讓他穩定下來，其間他小睡了一會兒，看來似乎沒事了。但是，下午兩點鐘時，這兩個年輕人又發火了。比利的角色從史蒂夫轉換成大衛，大衛不停的哭鬧，一會兒又變得很堅強。他和霍斯頓一樣，都在房間裡走來走去，對走進房間的人也都充滿敵意。每當電話鈴響時，比利就會跳起來大叫：「他們要來抓我了！」

比利和霍斯頓走向已上鎖的逃生門，用桌椅排成路障，然後將腰間的皮帶抽出來捆在拳頭上。

「我不准任何男人靠近我們，」史蒂夫說：「否則我們要把門撞開了！」他舉起了左手邊的椅子，那模樣就像是馴獸師一般。工作人員自知已無法控制場面，於是發出「綠色警報」。

貝白蒂聽到擴音器傳來的警報之後，便知道可能會有八、九名警衛和其他戒護人員趕過來。

「天哪！」門被撞開的時候，她看見一大群壯漢衝了進來——安全警衛、護理人員、助理、主管及醫院其他部門人員，一共有三十多人，活像捕獸大隊，每個人都站在那兒等候攻擊命令的下達。

她和潘華達站在比利與霍斯頓身旁，這兩人並無傷害她們的意思。但是，當那群人往前進時，這兩名病患便開始揮動椅子，以皮帶包捆的拳頭不斷做出威嚇的姿勢。

「我不要去利瑪！」史蒂夫大叫道：「每次事情發展得很順利，我就要為不是我做的事受到指責！現在我一點希望也沒有了！」

「比利，聽我說，」郭醫師說：「你這樣是無法解決問題的！」

「如果你們再進逼過來，我們會把門撞開，開車逃走！」

「比利，你錯了，這樣做對你沒好處的。你會遭人控訴，這樣的結果對你不利，你不可以這樣做。我們也絕不會放任不管。」

比利拒絕聽他的話。

馬大衛是臨床心理學家，他試著與比利講道理，「別鬧了，比利，我們以前讓你受過傷害嗎？我們在你身上投注了那麼多時間，你以為我們會讓他們把你帶走嗎？我們要幫助你，並不想把事情弄糟。我們也都不相信那會是你們做的。我們這兒有你們和那些女孩的記錄，時間可以作證，調查反而對你們有利。」

比利放下椅子走過來，情緒稍微平靜下來了，其他工作人員也紛紛離去。但不一會兒，比利又開始哭了。霍斯頓仍懷有敵意，他不停大吼，這讓比利的情緒非常不穩定。

「我們已經沒有機會了，」霍斯頓說：「以前我被冤枉過，你等著瞧，他們會趁我們不注意時來逮捕我們，我們往後都無法再相見了！」

下午三點的交班時間已過，年長的麥愛蓮和凱莎琳替代了年輕的小姐們。凱莎琳聽見強暴案的調查事件時非常驚訝。在早班人員的提醒之下，她們試著讓比利和霍斯頓保持平靜。但是，當時間過去之後，他們又開始發作了。他們談論可能被抓進監獄之事，威脅要把電話線拆掉，不准呼叫警衛人員，還說如果有其他人進來，他們就從逃生門衝出去等等。

「我不想用這種方式結束我的人生，」比利說：「我寧可死去也不願就這樣結束。」

凱莎琳坐在那兒與比利聊天，比利向她要幾顆鎮定劑，她同意了，於是比利走向護士站取藥，而凱莎琳這時也將注意力移轉到其他病患身上。

不久，她聽見有人打開後門，只見比利和霍斯頓從逃生梯跑出去了。值班護士見狀立刻按下當天的第二次綠色警報。

過了一會兒，一位護士打電話給凱莎琳，問她要不要下來二樓。因爲看護抓到比利，而比利要求見她。當她來到二樓時，看見四個大男人在電梯門口前將比利按在地板上。

「凱莎琳，救救我，別讓他們傷到我，如果他們把我綁起來，米查就會過來的！」

「不，丹尼，米查是不會來這兒的。你必須一個人待在房裡，現在你卻想逃出醫院，所以我們不得不抓你回來。」

他啜泣著，「妳可不可以叫他們讓我起來？」

「放開他吧！」她告訴那些男子。

這幾位警衛有些遲疑，不知該不該鬆手。

「他沒事的，」凱莎琳說道：「他會跟我走的，對不對？丹尼？」

「是的。」

她帶他到五號病房——特別監護病房。

「現在把口袋裡的東西全掏出來，皮夾子給我。」

她發現他身上不少錢。

五號病房的一位戒護人員在門外等得不耐煩了，只聽見他大叫：「凱莎琳，快出來，否則我把你們關在一起。」

她知道他們害怕這孩子。

凱莎琳返回一般的開放病房不久後，一位護士又打電話給凱莎琳，說比利的病房裡發生了一些事——比利將床墊擋在觀察玻璃前，不讓別人往裡面看，但是工作人員卻不敢把門打開，看看他在做什麼。因此，他們要她再下來看看。

她帶了一位男助理一同過來——是比利認識的人——她在門外高喊：「我是凱莎琳！我要進來看一下，別害怕！」

他們進去了，只見比利正發出咯咯聲。頸上的項鍊被扯斷掉在地板上，墜子不見了。

沙麥可醫師命令比利移到一間有床的病房。但是，當工作人員進去時，卻和比利發生打鬥，結果動用了好幾個壯漢，才將他遷走。

在新房間裡，凱莎琳陪著他，她給比利喝了幾杯水，沒幾分鐘又全吐出來。護士為他打針。凱莎琳又與他談了一會兒，向他保證她還會再回來，要他多休息。

第二天早晨，當潘華達、貝白蒂和盧麥克上班時，他們聽說比利和霍斯頓被關進五號病房。

由於盧麥克現在已改上早班，因此便前去探望比利。

當比利的妹妹凱西打電話過來時，醫院人員告訴她比利出了狀況，已被關進加護病房，所以比利很可能無法參加她明天的婚禮了。

消息洩露了。一九七九年十月三日《哥倫布公民報》登出了以下的報導：

警衛透露，比利資助蘭姆酒會——司琴納議員——羅立克報導

多重人格的強暴犯威廉·密里根，爲參與雅典心理健康中心上週舉行的蘭姆酒會的四名病患之一。州議會議員於本週三做了上述的表示。

哥倫布市的司琴納議員聲稱，在一項高速公路警察局的秘密調查中，發現威廉·密里根提供兩名女病患金錢，要她們去買蘭姆酒，和另一名男病患舉行『蘭姆酒與可樂』宴會……

根據該議員的說法，這表示「健康中心的管理發生了問題。」

「依照我的瞭解，該份報告無法證明這兩位婦女遭到強暴，」司琴納於週三表示：「但是報告中指出，兩位女孩從比利那兒取得一些錢，外出回來時帶著蘭姆酒……」

上週五，負責調查的巡邏隊隊長吳契警官表示，目前尚未完成女性病患是否遭到強暴的檢驗報告，必須再等一段時間。

司琴納議員強調，上述消息是得自可靠的消息管道。

同一天，作家獲准探望五號病房。經過作家提醒之後，比利才認出他來。

「哦？是嗎？」他用茫然的眼神望著作家：「你就是常常和比利談話的那位嗎？」

「你是誰？」作家問道。

「我不知道。」

「你叫什麼名字？」

「我想我大概沒有名字。」

兩人談了一會兒，顯然比利並不知道自己曾經發生了什麼事。作家等待另外一個人格的出現等了很久，其間都一直保持沈默。最後，那個自稱沒有名字的人格說：「他們不再讓他畫圖了。雖然這兒有兩幅畫，但也不知什麼時候會被撕爛。如果寫作上需要，你可以保存這兩幅畫。」

比利離開會議室一會兒，回來時帶了兩幅畫進來，其中一幅是色彩豐富的風景畫，湯姆畫的；另一幅尚未完成，是夜景。

「你是湯姆嗎？」作家問。

「我不知道我是誰。」

(3)

隔天早晨，戈愛蘭律師接獲通知去見民事法庭的瓊斯法官。州檢察總長代表俄亥俄州已向法院申請將比利送往州立利瑪醫院，霍斯頓則將被送回利巴嫩監獄。

戈愛蘭告訴瓊斯法官，他想將這件事告知他的當事人。「依照我的理解，威廉．密里根先生有權知道轉送醫院之事，而且依照法律規定，他也有權要求立即召開公聽會。由於他尚未接到這份通知，因此我代表他提出他有權舉行公聽會，而且可以親自參加。」

法官不同意他的請求，接著又打電話給雅典心理健康中心的安全主管盧克明。

「盧克明先生，您是否知道威廉．密里根先生最近與醫院人員打鬥？」

「是的，我從助理威爾森先生和值夜班的警衛巴卡達先生得到的報告獲知，事件的發生日期是一九七九年九月二十六日……目前他被安置在上鎖的病房裡。」

「身爲貴中心的安全主管，您是否非常擔心……貴中心的設施不足以防止比利脫逃？」

「我相信我們有足夠的設施。」

「您是否有當天晚上他企圖脫逃的第一手資料？」

「是的，我有。比利和另外一位病患霍斯頓企圖破壞病房逃生門，他們使用的工具是椅子……他們到達停車場，比利的車就停在那兒，他們打算打開車門進去……」

他說比利正要坐進去時被工作人員制止，於是他們兩人又趁隙跑下山丘，結果終於被三名警衛逮到，帶回五號病房。

法官仍決定將比利轉往利瑪醫院。

一九七九年十月四日下午兩點，比利被銬上手銬，除了與郭醫師道別之外，他沒有時間向其他人道別。就這樣，他被送往一百八十哩外的州立利瑪醫院，那是專為精神異常罪犯設的。

第二十三章

(1)

一九七九年十月五日，《哥倫布市快報》有如下的報導：

高階警官催促儘速遷移威廉·密里根——魯羅勃報導

由於州立心理健康局高階官員的調停，多重分裂人格的強暴犯威廉·密里根在週四火速遷移至州立利瑪醫院，那兒有最嚴密的安全設施。

據說遷移的命令直接來自俄亥俄州心理健康局與心理障礙組織哥倫布總部，他們在週三打了數通電話到雅典心理健康中心。威廉·密里根已在該單位接受治療十個月。

消息來源指出，心理健康局局長提摩西·馬瑞茲至少打過數通電話……

兩位州議員——代表哥倫布市的司琴納與雅典市的鮑爾則不斷抱怨對強暴犯的懲罰太輕。週四，司琴納與鮑爾兩位議員均讚賞將威廉·密里根轉到利瑪監獄的決定，但鮑爾加了一句：「爲什麼這項決定拖得如此久？」

司琴納則說他將繼續密切注意密里根這件案子的發展，直到他對社會沒有任何威脅為止。

在比利轉移後次日，蘭開斯特民事法庭傑克森法官針對『葛雷西藥房』搶案取消有罪抗辯的申請，做了如下的判決：

關於一九七五年三月二十七日威廉・密里根精神異常之舉證責任，本庭判定由被告負責提出……在經過小心分析所有證據之後，本庭不認定一九七五年三月二十七日威廉・密里根為精神異常、無法協助自己辯護、無法理解起訴內容、無法進行有罪答辯之證據。因此，針對威廉・密里根提出因不當判決而要求取消有罪答辯之申訴，本庭予以駁回。

戈愛蘭向俄亥俄第四巡迴上訴法庭申請上訴，上訴理由是傑克森法官未適當考量佐證的重要資料——由四位著名的合格精神科醫師與一位心理學家所提出的研究報告，而只採信布朗醫師一人的證詞。同時，他也向俄亥俄利瑪市亞倫地方法院提出上訴，上訴理由是他的當事人在沒有機會與律師討論之下，未經適當作業程序而逕被移至比以往更受限制的場所。

(2)

一星期後，亞倫地方法院審理威廉・密里根轉回雅典市的申請，這是作家第一次看見比利被手銬銬住。那是《老師》，《老師》靦腆地笑著。

在房間裡，《老師》與戈愛蘭律師、作家談到過去幾週來在利瑪醫院所接受的治療，臨床主任林德納醫師診斷比利的病症爲假性精神病質性精神分裂症，他開出的藥方是 Stelazine，此一藥物與 Thorazine 屬同類藥物；服下此藥之後，會使人格的分裂更加嚴重。

他們持續談論，直到法警通知他們裁判會議即將開始爲止。戈愛蘭律師與比利要求作家與他們同坐，對面坐的是檢察總長畢大衛與他的證人林德納醫師。削瘦的林醫師有一張皺縮的臉龐，戴著一副金邊眼鏡，並且蓄著范大克式鬍子。他望著對面的比利，臉上掛著一絲冷笑。

會議經過律師與仲裁官長時間的討論，最後仲裁官作下決定——純粹出於法律的規定，無須作證——由於瓊斯法官判定適合治療的地點是利瑪醫院，而且由於在十一月底之前，威廉・密里根有權在九十天內的審查期間提出證據，而公聽會也將擇期另議；因此，在六週內，不論威廉・密里根是否仍然心智不健全，或是仍然安置在利瑪醫院內，法院將不會做出任何決定。

《老師》在庭中發言：「我知道在重新開始治療前，我必須等待，而且在過去兩年當中我的醫師們曾經告訴過我：『你必須向那些願意幫助你的人要求協助，必須完全信任你的醫師、精神科醫師以及治療小組。』我只是希望法院能儘快協助我，適當地恢復我的治療作業。」

「密里根先生，」仲裁官說道：「對於你的發言，我有一些意見。我想你提出了一項不正確的事實，你認爲在州立利瑪醫院無法接受治療。」

「這個嘛，」比利說，眼睛直視林德納醫師，「你必須要求得到治療，而且在接受之前要求別人的幫助；因此必須信任那個人。我不認識這些醫師，而且我也不信任他們對我說的話。那些醫師曾說過，他們不相信我得的病症，因此如果要我再回去那個不會治療我的地方，這會讓我害怕的不得了。我想我的確需要接受治療，而且是正確的治療。但我在利瑪的醫師已經清楚地說明，他們並不相信多重人格這回事。」

「那是醫學上的問題，」仲裁官說：「今天我們不準備討論這項議題。儘管如此，你的意見可以在公聽會上提出，到時候會愼重考慮利瑪醫院是不是合適的地方。」

公聽會後，作家與戈愛蘭前往利瑪醫院探望比利。他們穿過金屬偵測器，皮箱也同樣經過徹底搜查，通過兩重鐵條門，然後在一名人員的護送下進入會客室。沒多久，一位守衛帶比利進來。他仍然是《老師》。在兩個小時的探望中，他告訴作家有關在雅典醫院引起調查的強暴案件經過，同時也描述搬來利瑪醫院的過程。

「有天晚上，兩個女孩坐在大廳裡，她們談著爲何沒有工作、沒有錢，我爲她們感到難過。我想我眞的是太天眞了，因此告訴她們，如果願意爲我散發貼紙的話，我會付她們薪水。她們發出去一半貼紙時，我就付給她們報酬。」

「四天後的下午，她們不見了，她們想把賺來的錢花光，所以就到酒店買了瓶蘭姆酒。」

「我被限制在病房中不得外出，只有在護理人員的伴隨之下或是別的病患被允許出外散步時，才可能在醫師的同意下外出。後來，霍斯頓與我一同外出，凱莎琳記下我們外出的時間。她說我們不能待在外面超過八分鐘或九分鐘。我們只是在病房外逛著。在外面時，我覺得很不安，當時我的人格正在分裂。」

「是誰出來的？」作家問。

「是丹尼，那時霍斯頓很關心我——他不知道我是如何組成的，他不知道我的問題是什麼。當我們散步的時候，聽見女孩們在那兒叫霍斯頓，她們也叫我『比利』。她們站起來走近我們，我發現她們已醉得很厲害。我想其中一瓶是百事可樂，裡面換成酒了。我們聞到她們全身都是酒味。」

《老師》說，其中一位女孩知道他是丹尼，而不是比利。她們靠向霍斯頓說：「讓那個無聊的人回去吧！你加入我們。」

霍斯頓告訴她們這是不可以的，但就在他們脫身之前，一位女孩吐了霍斯頓一身，部份則濺上丹尼的褲子。

丹尼往後跳了一步，只覺十分噁心，同時用手遮住臉部。霍斯頓大聲咀咒她們，然後跟丹尼調頭走回病房，女孩們則在後面嘻笑怒罵跟著走了段路。後來，她們朝磚石路走向墓地去了。

《老師》說，事情經過就是這樣，他不太確定霍斯頓的事，但他絕沒動她們。

在利瑪醫院的八天好像地獄一般，他說：「我要把這兒發生的事寫下來，我會寄給你。」

探訪結束時，《老師》走過金屬偵側器，這是爲了檢查來訪者是否留下違禁品或其他物品而設的。他轉身揮手告別，「十一月底見，就是下次的公聽會，但在這段期間裡我會寫信給你。」

作家試著要與林德納醫師談談，但電話那頭的反應卻充滿了敵意。「我相信就治療層面而言，媒體的公開是不適宜的。」

「我們並不像他們那樣大肆渲染公開。」作家說。

「我不想再談了。」林德納說完後將電話掛斷。在十一月公聽會之前，作家有機會加入參觀利瑪醫院設施的團體視察，雖然申請之初得到核准，但就在參觀日期的前一天，他接到了一通電話，告訴他說林德納醫師以及安全部主管何巴達取消了他的申請，而且安全部門說他們被告知作家將永遠禁止進入利瑪醫院。

作家詢問原因時，檢察總長畢大衛說，醫院主管們懷疑作家爲威廉·密里根攜帶毒品，後來這項理由又更改爲「對於治療不利」。

(3)

十一月三十日的天氣很寒冷，大地披上初雪。利瑪市的亞倫地方法院是一幢古老的建築。雖然第三法庭大到可以容納五十人，但大多數的椅子是空的。這次的公聽會不對大衆與媒體開放，因此電視台記者就在法庭外守候。

《老師》戴著手銬坐在兩位律師的中間。除了律師之外，只有桃樂絲、戴摩與作家被允許出席作爲公聽會的旁觀員。同時出席的還有富蘭克林郡的歐傑士助理檢察官、來自俄亥俄州假釋局的代表詹威廉，以及哥倫布市西南心理復健中心的律師韓安先生。

金大衛法官有張修飾得乾淨俐落的臉，是位相貌堂堂、五官分明的年輕人。他審閱一九七八年十二月四日公聽會的記錄；當時比利是以精神異常的理由獲判無罪，另外還有其他多次公聽會的記錄直到現在，時間前後約有一年之久。

畢大衛檢察總長請求隔離證人，結果獲得核准。湯普森律師申請由於遷移至利瑪醫院作業上的瑕疵，因此要求將當事人遷回雅典醫院。這項請求遭到駁回。

上述申請案審理完畢之後，公聽會正式開始。

第一位州政府的證人是六十五歲的麥弗德精神科醫師，矮胖的身材穿著寬大的毛衣及褲子。他搖搖擺擺從畢大衛身旁走到證人席上（他同時也是州政府專門技術顧問）。麥弗德醫師作證說，他曾見過威廉．密里根兩次，第一次時間很短，是在一九七九年十月廿四日，當時病人已轉至利瑪醫院由他負責照料；第二次是十月三十日，當時是為了審查他的治療計劃。同時，今天早晨在公聽會之前，他被允許觀察威廉．密里根半個小時，以確認一個月來是否有任何改變。根據醫院記錄，麥弗德醫師說他曾判斷威廉．密里根的病症是人格障礙，也就是說他具有反社會傾向，而且是由於精神性神經症式的焦躁所帶來的沮喪與分裂的特性讓他痛苦不堪。

畢大衛有張娃娃臉和一頭捲髮，他開口問他的證人：「今天他與一個月前是否完全相同？」

「是的，」麥弗德說道：「他只是精神有病而已。」

「他的癥狀是什麼？」

「他的行為讓人無法接受，」麥弗德說，眼睛盯著比利，「他是個罪犯，被控強暴與搶劫的罪名，他對社會不滿，處罰對他們而言並不能起什麼作用。」麥弗德還說，他也曾考慮多重人格的病症，但是在比利身上，他並未發現任何徵兆。因此，在回答畢大衛的問題時，他認爲比利有高度自殺的傾向，而且是個危險人物。

「這病人沒有進展，」麥弗德說：「他傲慢而且不合作，相當自我。」當畢大衛問他如何治療該病患時，麥弗德的回答是：「技巧性的忽視。」

麥醫師說他曾開了五毫克的 Stelazine 處方，並無任何不良影響，但也未見任何良性效果，因此他停止使用抗精神藥物。他告訴庭上，依據他個人的意見，比利需要的是最大安全的防護設施，而利瑪醫院則是俄亥俄州最好的地方。

在湯普森以及戈愛蘭的交叉詢問之下，麥醫師說他拒絕做出多重人格判斷的原因是，他未曾見到相關的癥狀。他自己本人並未接受第三版《精神障礙的診斷與統計手冊》（Diagnostic and Statistical Manual）中對於多重人格所下的定義。麥醫師說道：「我拒絕考慮他是多重人格分裂的病狀，就好像我說他沒有梅毒一樣，因爲在他的血液檢驗報告中，它並不存在。」

「你見到了什麼樣的徵兆？」湯普森問。

「生氣、恐懼。凡事若不依當事人所想的進行時，他就會發怒，他的行爲非常衝動。」

湯普森皺著眉頭，「你的意思是說，當一個人生氣或情緒陷入低潮時，就是精神上有病囉？」

「是的。」

「每個人不都會有生氣和情緒陷入低潮的時候嗎？」

麥弗德張望法庭四週，聳聳肩說：「每個人在精神上都有病。」

湯普森盯著證人，然後在筆記本上寫了一些字。「比利是否相信你？」

「不相信。」

「如果由他相信的人來爲他治療的話，他的進展是否會比較好？」

「是的。」

「庭上，我對這位證人已經沒有其他問題了。」

公聽會進行到中場休息之前，戈愛蘭提出三天前由郭醫師所提出的證言。戈愛蘭希望在他傳喚其他證人——喬哈丁、柯絲薇醫師以及譚如茜之前，能將郭大衛醫師的證言列入記錄。

在證言當中，湯普森律師詢問郭大衛醫師有關多重人格者最好的治療方法。他問：「醫師，你能否告訴我，對於一位被判斷是多重人格的病人，最有效的治療方法是什麼？」

郭醫生依記事本唸出來，包括他在十一月十九日寫給戈蘭愛律師的信，非常詳盡的提出回答：

對於任何一位多重人格病患的治療，主治醫師必須是心理健康方面的專家，而且最好是能符合下述各項條件的精神科醫生：

第一：他（或她）必須接受病患有此病症的事實，絕不可由不相信的人來負責。

第二：如果精神科醫師本人並無經驗，但只要願意的話，可以在另一位有經驗的醫師襄助下治療病患。

第三：他必須有催眠技巧，作爲治療方法的一種輔助，雖然不是必要的，但最好能夠具備。

第四：他必須讀過許多有關此項病症主題的文獻書籍，同時還必須不斷進修。

第五：他必須要有幾乎無休止的耐心、忍耐以及執著，治療此類病患需花很長的時間、耗費體力而且困難度極高。

目前有經驗的醫師在處理被認爲是多重人格病患時，他們採取的治療方法有下列幾項原則：

第一：必須找出並認定所有的人格。

第二：必須確認這些人格存在的原由。

第三：接下來，醫師要對所有人格予以治療，期望能加以改變。

第四：醫師必須專注在那些被找到的正面人格上，並加以辨認，然後在其他變化人格中試著找到某種妥協性，尤其針對可能會對自己或他人造成威脅的人格，就顯得非常重要。

第五：病患自己必須完全知道問題的性質及範圍，必須透過治療得到幫助，俾能產生正面的解決。換言之，病患必須知道治療的程序，而不再只是被動的接受醫療。

第六：必須避免採用抗精神藥物，因爲我們知道，這種藥物會對患者人格產生人格分裂，再加上副作用對治療也有不利的影響。以上只是多重人格治療上的部份問題，並非是所有治療過程的完整描述。

證言更繼續深入探討類似的相關基準。

當畢大衛在進行交叉質詢時，他暗示這是否就是治療多重人格的最理想條件，郭醫師則尖銳地回答：「先生，你這麼問是不對的，我從未說過這些基本條件是最理想的；我甚至會說，那些只是最低要求。或許這對第一次治療多重人格病患的醫師而言，這就是全部。否則最好就讓病患獨處，要不就是不要隨便治療他。」

吃過中飯後，當比利再被帶回法庭時，他已換了一件襯衫。作家懷疑《老師》已經消失了。戈愛蘭和湯普森要求傳喚喬哈丁醫師到證人席上。在他簡短介紹自己參與比利的案件之後，他向庭上表示，他仍認爲雅典醫師是最適合比利治療的場所。

「喬醫師，」在交叉詢問時，畢大衛問道：「多重人格的案例是否很罕見？」

「是的。」

「我們每個人內心該不會也都有其他人格的存在吧？」

「兩者不同之處在於記憶喪失。」喬哈丁說道。

「要如何證明記憶喪失？可能做假嗎？」

「我們一直都非常小心，」喬哈丁說：「我們不斷調查，而且是用持疑的態度去看待，他的確有記憶喪失的現象，並未做假。」

「喬醫生，」此時由戈愛蘭質問，「你是否曾以病歷和其他醫院的記錄作為診療的依據？」

「是的，任何能找到的資料我都會參考使用。」

「你是否認為一位精神科醫師必須使用過去的記錄以及其他醫師的意見作為治療的根據？」

「我認為那絕對是很重要的事。」

當喬哈丁看見戈愛蘭律師出示郭醫師所寫關於治療多重人格病患的醫師應具備的資格時，他告訴庭上，他認為那是一份完美的意見，而且同意那是最起碼的基本條件。

接下來，出庭作證的是譚如茜博士。她作證說，在比利接受審判前，她幾乎每天與他在一起，並且曾為他做過幾次的智力測驗。

「測驗的結果如何？」戈愛蘭問。

「其中兩個人的智商是六十八到七十，有一個人是一般水準，另外一個人則非常優秀——智商是一百三十。」

「這可能嗎？」畢大衛問：「這些智力測驗的商數一定是假的！」

「絕對不假！」譚博士的話中帶著怒氣，「我絕不懷疑測驗的真實性！」

柯絲薇醫師出來作證，說她與譚如茜博士、吳可妮博士以及喬哈丁醫師，分別參與治療過比利的病症。她曾在今年四月、六月以及七月見過比利，認為他仍然處於人格分裂的狀態。

「如果有其他問題時該怎麼辦？」畢大衛質問。

「首先要治療的是多重人格，」柯醫師說：「他或許有其他精神方面的問題——不同人格或許有不同的病症——但整體性的病症應先予以治療。」

「妳認爲他在雅典醫院接受的治療正確嗎？」

「是的。」

戈愛蘭將郭大衛醫師的文件遞給柯絲薇看，她點頭說那是最低的要求條件。

當證人供述證詞後，獲准留在法庭內聆聽會議的進行。

在他一生中這是他第一次的經驗。當天下午三點三十分，比利獲准爲自己作證。由於戴手銬，他必須吃力的將左手放在聖經上，將右手舉起。當他彎下腰試著這麼做時，只見他面帶微笑宣誓。宣誓之後便坐下來，抬頭看著法官。

「威廉·密里根先生，」金大衛法官說：「雖然你有權參加這次的公聽會，但你也有權保持沈默，無須回答提出的問題。」

比利點點頭。

戈愛蘭開始用低柔而且確定的態度直接詢問：「比利，你是否還記得十月十二日在法庭上說過的話？」

「是的，我記得。」

「我想問你有關在利瑪醫院接受治療一事。你是否接受過催眠治療？」

「沒有。」

「群體治療？」

「沒有。」

「音樂治療？」

比利看著法官，「他們帶我們進入一個房間，房間裡有一架鋼琴，我們被要求坐在那兒，房裡沒有醫師。我們只是坐在那兒好幾個小時。」

「你對麥弗德醫師有任何信心嗎？」戈愛蘭問題。

「沒有，他開 Stelazine 給我服用，那種藥讓我混混沌沌的。」

「你如何描述自己受到的治療？」

「當我到達那兒時，被送進廿二號病房，一位醫師對我非常粗魯，我就去睡了。」

「比利，你什麼時候才知道自己有多重人格的現象？」

「哈丁醫院。但是，直到我在雅典心理健康中心看到錄影帶，我才眞正知道。」

「比利，你認爲這種現象爲什麼會發生？」

「因爲我繼父對我做過的事。我不想當自己，我不想當威廉．密里根。」

「當你轉換成了另一種人格時，你可否舉個例子告訴我們發生了什麼事？」

「有一天，我正站在我房裡的鏡子前刮鬍子。當時我有很多困擾，才剛搬到哥倫布市；而且我並不是在很和諧的氣氛下離家的，所以那種滋味不好受。我站在那兒刮鬍子，突然就好像燈被關掉一樣，四周變得很平靜。當我張開眼睛時，發現自己正坐在一架噴射客機上，我真的是嚇壞了，我不知道自己要去哪兒。直到飛機降落，我才知道那兒是聖地牙哥。」

法庭上鴉雀無聲，法官很專心的在聽，負責錄音的小姐抬頭望著比利，嘴巴大張，兩眼露出不可置信的神情。畢大衛站起來進行交叉詢問。

「比利，你為何相信郭醫師而不相信利瑪醫院的醫師？」

「從我第一天見到郭醫師開始，我就對他有一股很奇怪的信任感。一年多前，當警察載我去那兒時，手銬銬得我很緊。」他將手上的手銬舉起來給大家看，現在的手銬銬得很鬆，「郭醫師指責他們銬得我太緊了，要他們將手銬打開。我很快就知道他是站在我這邊的。」

「在利瑪醫院裡，如果你合作的話，不是會有更好的治療嗎？」畢大衛問。

「我無法自我治療呀！」比利說：「A病房好像是菜市場——人來人往的。在雅典醫院，我也曾有過惡化的經驗，但我必須學習如何自我糾正，院方人員也知道如何處理——那不是懲罰，他們重視的是治療。」

最後，畢大衛說，站在州政府的立場，只需證明當事人是否有精神病、是否必須入院，不需證明診斷過程如何。他還說，目前唯一的最新證詞是來自郭醫師以及麥弗德醫師。郭醫師強調比利有精神病；麥弗德醫師則說，利瑪醫院是治療此患者最少限制的環境。

「我請求庭上，將當事人安置在利瑪醫院。」畢大衛說。

湯普森律師最後辯論中指出，今天出席法庭作證的證人，全是精神醫學界上的權威，他們全都同意當事人是多重人格者。「這件事一旦確定之後，主要的問題在於我們該如何治療他？」湯普森繼續說：「依目前比利的精神狀態看來，上述的專家們同意，他應被送往最適合的地方——雅典心理健康中心去接受治療。他們也全數同意，這必須是長期的治療。十月四日，比利被轉移到利瑪醫院，負責治療的醫師表示，他不必參考以前的病歷，而且該醫師做下的結論是，比利對他自己與其他人是一種威脅。請問，他是如何做出這樣的結論的？依照以前的判決，法官先生，以及目前在公聽會上所提出的可笑證據，麥弗德醫師說比利有反社會行為傾向，還說比利並無改善的跡象；明顯的，麥醫師並非多重人格方面的專家。眞正的專家意見，都傾向於支持比利。」

法官宣佈，十天之內會做出決定。在此之前，比利仍將留在利瑪醫院。

一九七九年十二月十日，法院做出以下的判決：

1　被告的思想、情緒、理解力、適應力、記憶力均處於相當混亂的狀態中，導致損害他對現實的判斷、行為與辨認，因此診斷被告為精神病患。

2　被告的精神病屬多重人格。

3　被告為精神病患，本庭令其入院接受治療。由於被告患有精神疾病，從最近自殺事例看來，他對自己可能會造成身體上的傷害；同時，他近來的暴力行為，有可能影響周圍其他人員的安全。因此在保護他人與他本身的前題下，入院治療是刻不容緩之事。

4 由於被告患有精神病，可能對自己以及別人造成傷害，因此必須在設有最大安全設施的醫院中接受治療。

5 由於被告被診斷爲多重人格者，因此治療方法必須針對該病症加以治療。

本庭裁定被告應在利瑪市的州立利瑪醫院接受治療，治療的病症爲多重人格，過去的所有病歷資料均應轉至利瑪醫院。

金大衛法官
亞倫地方民事訴訟法庭
保護觀察組

(4)

十二月十八日，比利從利瑪醫院男子療養所打電話給作家，說他曾被一位醫院員工嚴厲鞭打，眼睛和臉頰都被打得瘀黑，而且兩根肋骨也斷了。

醫院管理部門向外宣佈的則是：「在一場與戒護人員發生的口角」之後，比利被發現除了自己造成的傷痕之外，並無任何傷痕。

第二天，湯普森律師探望之後，利瑪醫院高層修正了原先的聲明，對外證實比利「受到嚴重的傷害」。聯邦調查局與公路警察局稍後被請來調查此案。

湯普森對於有關比利與利瑪醫院所發佈的報告非常生氣，於是透過廣播電台，對外發佈了一項聲明：「即使是被判坐牢的人，仍然還保有他的公民權。」他告訴記者，「在俄亥俄州的法律中，病患也有病患的權利；在美國聯邦法律之下，他們也應受到公民權的保障。」

一九八〇年一月二日，利瑪醫院在「第三次每月例行治療計畫檢討會」中，做出如下決定：

對於該病患的病情，我們採用的治療計劃既有效又適當。

病患的症狀是：(1)由於假性精神質性精神分裂症（DSM－Ⅱ、二九五．五）而造成分裂症狀；(2)R／O（特殊診斷）反社會人格，有敵意傾向（DSM－Ⅱ、三〇一．七）；(3)自病歷得知，過去有酗酒的習慣（DSM－Ⅱ、三〇三．二）；(4)自病歷得知，過去有服用毒品及興奮劑的習慣（三〇四．六）。

幾個星期前，由於該病患在男子療養所中有暴力行爲，因此被送至加護病房……我相信由於媒體的報導對病患已產生不良影響，因此病患有「明星態度」的心態……威廉．密里根的精神病症特徵相當顯著，比任何其他相同性質的病患更難處理……除此之外，病患還經常顯示出歇斯底里性格的特徵，雖然這種失序現象多半發生在女性身上，但也有不少男性歇斯底里性格的病例。此一病症現象不可一概否定。

林德納　醫學博士

駐院精神科醫師　八〇／一／四

馬金修 哲學博士 心理學家 八〇／一／四

杜仁 文學碩士 心理學助教 八〇／一／七

由於利瑪醫院並未依照金大衛法官的裁示，採用多重人格的病症治療比利，因此湯普森與戈愛蘭在盛怒之下，向法院及心理健康局提出申訴，施壓要求比利轉至管制較不嚴格的醫院治療。

(5)

被關在以精神病罪犯為主、戒備森嚴的利瑪醫院的比利向戒護人員借來鉛筆，開始寫一連串的信給作家。以下是第一封。

突然，一位戒護人員走進門來，威脅似的向廿二號病房的所有病人下達命令。「聽清楚！你們這些該殺的懶傢伙，通通給我滾到活動大廳，快點！」停下來喘了一口氣，調整口中的香煙位置，口齒不清地又說道，「玻璃擦乾淨之後，我要你們這些狗養的立刻給我滾回自己的房間！」

在那兩眼放冷光的戒護員前，一小群人離開硬板凳，像殭屍一樣走向活動大廳，隨後就傳來身後鐵門一一關上的巨響。身上垂掛像圍兜般的毛巾，臉上又毫無表情的一群男人，行動十分緩慢，但那些高大粗壯的戒護人員卻在一旁揮舞寬皮鞭發出尖響趕著前行，好像趕鴨大隊，病患們毫無尊嚴可言。市面上能買到的鎮靜劑，在這兒就像糖果一樣，爲了讓病患聽話服從，所以就不停給他們服用。人性不復存在，但我忘了，我們早已經不是人了。匡噹！

步入八×十呎寬的房間，拉上門，匡噹！我立刻感到封閉與窒息，身上每一處關節似乎全都僵硬了，我強迫自己去適應塑膠床墊。由於沒有任何工具，所以我決定用自己的幻想在對面的牆上作畫，哀求般地試著能勾繪出一幅圖案。今天，我見到的只是一些臉孔，是年老而醜陋的惡魔般臉孔。雖然害怕，但我容許這樣的幻想。牆壁在嘲笑我，我痛恨那座牆，去他的牆！它愈來愈靠近我，笑聲也愈來愈大。眉際流下的汗珠刺痛了眼睛，但是我仍盡力張開。我必須提防那座嘲笑的牆，否則它會擠過來將我壓碎。我會好好看住它的！四一〇名精神病罪犯如幻影一般被上帝遺棄在這有如黑暗洞穴毫無盡頭的大廳。我痛恨州政府將這鬼地方取名爲醫院。利瑪州立醫院。匡噹！

廿二號病房內是一片沈寂，除了清掃碎玻璃的聲音，因爲有人打破活動大廳的小窗。大廳靠牆的木頭長椅又重又硬，我們都坐在那裡。坐著時可以抽煙，兩腳平放，但不准說話，否則日子就難過了。是誰打破玻璃？現在那些戒護人員發火了，因爲這件事掃了他們玩牌的興緻。如果我們要求走出小房間，就只能留在活動大廳裡。

……我無法聽見任何聲音了，我處於昏迷狀態之中，全身麻木，那座嘲笑我的牆已經不再笑了，牆是牆，裂縫是裂縫；雙手發冷，心臟在空洞的體內重擊，焦慮不斷啃噬我，企圖鑽出我的軀殼。我只是躺在床上動也不動，瞪視那片安靜得毫無感覺的牆發呆。我是一具什麼都不是的行屍走肉，躺在空無一物的洞穴裡。從乾裂嘴唇溢出的唾液，是抗精神藥物正與我的精神、靈魂、肉體進行支配戰鬥的癥候。我能與藥物對抗嗎？藥物會戰勝我嗎？或是爲了逃離鐵門外的悲劇現實而委身於第三世界？無法適應的靈魂被丟在社會的垃圾筒裡，是否還有繼續生存的價值？在這鋼筋水泥的箱子裡，面對一座不斷發出嘲笑、逐漸逼近的牆壁前，我對人類能有什麼貢獻？放棄算了？就像三十三轉的唱片放在七十八轉的唱盤上，有愈來愈多的問題在我心中旋轉，速度也愈來愈快。突然，恐怖的震憾貫穿全身，現實隨之衝向眼前，我猛然一醒，活動僵硬的關節。似乎背脊有什麼東西在爬。是我的幻想嗎？那種感覺還在，我知道那不是想像，確實有東西在我背上爬行。一瞬間，釦子也沒解，倏地將襯衫從頭上猛力脫下。這種目眩的恐怖感覺，讓我顧不了那麼多。掉了三顆釦子。襯衫一丟在地板上，背脊上怪異的感覺也立刻消失，我查看襯衫，發現了入侵者。原來是一隻三公分長的黑蟑螂在我腰背上跳舞。這隻大蟲雖然無害，卻嚇壞了我。也因爲這隻蟑螂，我下定了決心。儘管返回了現實，但是我仍在思考內心的爭辯。那隻討厭的蟲逃掉了。我暗自滿足於自己的知覺，因精神與肉體的勝利而感到驕傲。在精神上我並非無能，仍然還有戰鬥能力。我沒輸但也沒贏。我打破一扇窗，但甚至不知道自己爲何要這麼做。

作家收到從利瑪醫院另一位病患寫來的信，信上的日期是一月三十日：

敬啓者：

打開天窗說亮話。在比利的律師探訪過後，比利已從第五集中治療室被移轉到第九集中治療室，第九號比第五號房更堅固。

轉移的決定是在每天的晨間會議中，由該會議的「小組成員」做出的。這對比利而言，是意外也是打擊。但他處理得很好……

現在，只有在活動時間我才能與比利交談，當時我才發現比利的壓力幾乎快到達極限了。他說除非開除他的律師，否則一直會被禁止會客、寫信、打電話。他被要求不得再有任何出書的念頭，戒護人員不斷羞辱他（我也因爲協助比利出書而遭痛斥，這裡的人不願該書出版。）有人告訴我，比利會被永遠關在那間最堅固、最嚴苛的病房裡。

（匿名）

三月十二日作家收到利瑪醫院寄來的信，使用的是塞爾維亞·克羅地亞語。原文與譯文如下：

Subata Mart Osmi 1980

Kako ste? Kazma nadamo. Zaluta Vreme. Ne lečenje Billy je spavanje. On je U redu ne brinite. I dem na pega. Učinicu sve šta mogu za gan možete ra čunati na mene "Nužda ne poznaje zakona."

Nemojete se

Ragen

一九八〇年三月八日　星期六

你好嗎？希望一切都還順利。我遺失了時間。由於比利在沈睡中，所以無法接受治療。他很好，別擔心。我將負責管理這兒的一切。爲了他，我會盡我所有的力量做該做的事。你可以信賴我。「衣食足而後知榮辱」。

雷根

尾語

接下來的幾個月，我藉著信件、電話繼續與比利保持聯絡。他仍對法院抱有希望，希望法院推翻以前的判決，讓他轉回雅典醫院由郭醫師治療。

一九八〇年四月十四日，法官仍拒絕律師申訴的內容——利瑪醫院不以多重人格的療程治療比利——法官依舊裁定比利必須在利瑪醫院接受治療。

一九七九年大部份時間，俄亥俄州議會都在檢討修改因精神異常而不予治罪的條文。依照「新法」得知，在罪犯被轉送到較無嚴格限制的環境前，犯罪所在地的檢察官可要求舉行公聽會。病患要求再審的權利，將從九十天改爲一百八十天。同時，公聽會將允許社會大衆及媒體記者參加。這項新修改的條文，立刻成了衆人口中所稱的《密里根法》。

曾經參與比利案件的蔡伯納檢察官事後向我表示，他曾在起草新法的俄亥俄檢察官協會分科委員會任職，蔡伯納說道：「我猜想那些委員之所以召開委員會議，主要是爲了因應社會大衆對比利案件的抗議聲浪……」

一九八〇年五月二十日俄亥俄州通過了新法。佛傑法官告訴我，這是由於比利案件的緣故，因此快速通過該法。

一九八〇年七月一日，我收到一封來自利瑪醫院的信件，信封的背面寫有『急件』二字。當我拆開時，發現那是一封長達三頁用阿拉伯文撰寫的信函。依翻譯人員的說法，這封信的阿拉伯文非常流利，部份內容如下所譯：

有時候我不知道我是誰或我是什麼樣的人，甚至不知道四週的人是誰。在我的意識中仍然有些聲音，但這些聲音已經不具意義了。在我眼前，我可以見到好幾個面孔，那些面孔似乎來自黑暗，但因爲我的意念已完全分裂，因此這現象令我感到非常恐懼。

實際上，我「腦海中的家人」並不再與我聯絡，我已經很久沒見到他們……過去幾週，這兒的情況並不很好，我已不負完全責任，我痛恨四週的事物，但無法制止，也無法改變……

信上的署名是「比利．密里根」。幾天後，我又收到一封信，信上說明上一封信是誰寫的：

再次抱歉寄給你的是一封非英文的信件，每次事情做錯了都令我很難爲情，亞瑟明明知道你不懂阿拉伯文，卻寄給你一封如此愚笨的信。

亞瑟從未嘗試過去認識其他人，因此他一定很混亂，而且忘了所有的事物。亞瑟教賽謬爾學習阿拉伯文，但賽謬爾從未寫過信。亞瑟說自誇自擂不是好事。我希望他能與我說話，令人不快的事正在發生，但我不知道發生的原因。

亞瑟也會說斯瓦黑利語，他在利巴嫩監獄時讀過不少有關阿拉伯語文的基礎書籍。他想研究金字塔和埃及文化，所以必須學習他們的語言，以便知道牆上寫的文字代表什麼意義。有一天，我問亞瑟他爲何對三角狀的巨型石堆感興趣，他說他的興趣並非在於墓穴中的種種，而是想瞭解墓穴爲何會出現在那兒。他自己甚至還造了一個小金字塔，但被大衛給毀了。

比利U

在醫院的這段期間，依照比利的說法，護理人員常有毆打病患的情形發生。但是，除了雷根之外，在所有的人格中，只有凱文曾挺身爲病患們說話。由於這種英勇行爲，亞瑟已將凱文從《惹人厭的傢伙》名單中剔除。

一九八〇年三月廿八日，凱文寫信給我，內容如下：

糟糕的事情發生了，但我不知道是什麼事，我只知道是完全分裂那段期間裡，比利完全沈睡時的時間問題。亞瑟說比利的人生非常短暫，但很不幸的是，他短暫的人生全充滿了苦澀。在這兒，他一天比一天更虛弱，他無法瞭解這地方的管理人員所表現出的仇恨與嫉妒。他們會挑逗其他病患與雷根打架，雖然被比利給制止住了……但是下不爲例。醫生對我們說一些令人難過的事情，但傷害我們最深的，是他們說的沒錯。

我們——也就是我——是個怪人，是無法適應環境的人，是生物學上的怪胎、失敗之作。我們痛恨這裡，但這兒卻是我們的歸屬之地，儘管我們在此並不受歡迎。

雷根再也不管事了，他說如果不說話，就不會對外在或內在的人造成任何傷害。沒有人會再責怪我們了，雷根不再聽人說話了。

由於不理會眞實世界的事物，因此我們可以在自己的世界裡和平相處。我們知道，沒有痛苦的世界就是沒有感情的世界……但是，沒有感情的世界也正是沒有痛苦的世界。

凱文

一九八〇年十月，心理健康局向新聞界發佈：州立利瑪醫院將不再是醫院，將改制為監獄。比利是否應當轉出利瑪，再度成為各報頭條新聞。由於比利被送回雅典或其他限制較鬆的醫院可能性大增，因此佛傑法官同意再召開一次公聽會。

公聽會的原訂時間為一九八〇年十月三十一日，後來經過協調，公聽會延後至選舉日後的十一月七日舉行。這是爲了避免政客與新聞媒體利用比利的公聽會，變質成爲政治事件。

但是，心理健康局的官員卻利用延後的時間進行一些動作，他們通知檢察官，要求將比利送往新成立的戴頓司法中心，戴頓司法中心四月才成立，四周有兩層圍牆環繞，還架上帶刺鐵絲網，安全設施甚至比大部份的監獄都來得嚴格。公聽會被取消了。

一九八〇年十一月十九日，比利被轉送到戴頓司法中心，亞瑟和雷根感受到比利U的絕望，他們擔心他會自殺，因此又讓他沈睡了。

除了會客時間之外，他都將時間花在讀書、寫作以及素描上面，他並未獲准畫油畫。當初也曾在雅典醫院接受治療，後來痊癒的瑪麗來探望他。爲了能每天來探視比利，她搬到戴頓市居住。比利的表現良好，他說他頗期待一百八十天後的公聽會，希望佛傑法官會裁定讓他回雅典醫院。如果郭醫師治療他，他會再次讓融合的《老師》回來。他說，由於比利U已陷入沈睡狀態，因此目前的情況與當初吳可妮博士叫醒他之前一樣。

他說他可以感覺到自己正在惡化，好幾次在會客時，他都不知道自己是誰。當部份的人格融合時，他就成了沒有名字的人。他還說雷根已經失去了英文能力，他們之間已不再互相溝通。因此，我建議他，凡是在《聚光燈》下出現的人就在留言簿上寫下一些東西，好讓後面的人知道曾經發生過的事情。剛開始的時候還好，但後來記入的內容愈來愈少了。

一九八一年四月三日，公聽會舉行了。在參加的四位精神科醫生與兩位心理學者當中，只有那位未曾診療比利的林德納醫師認爲，比利應被安置在設施嚴厲的地方。

檢察官向庭上提出一封信函作爲證物。在這封信裡面，比利對另外一位打算殺害林德納的病患說道：「你的方法完全錯誤……你是否考慮過不是所有的醫生都願意承接你的案件？因爲他們擔心可能說錯話而遭到指責。但是，如果你認爲林德納曾經因爲傷害你、誤了你的治療，而讓你一生都得待在鐵窗中的話，那麼我就贊成你的做法。」

當比利被傳喚到證人席上立完誓，被詢及姓名時，他回答：「湯姆。」湯姆解釋亞倫寫那封信是爲了說服那位病人別做傻事，不要因爲有人在法庭上作出反對你的證詞，你就要幹掉對方。雖然林德納醫師今天反對我，但我也絕對不會殺他。」

佛傑法官將裁決延後宣佈。各報新聞、社論以及各專欄，無不反對將比利送回雅典醫院。

在等待宣判的期間，比利在戴頓司法中心裡，大部份的時間都花在有關他的新書封面繪圖上，他打算多畫幾幅讓作家挑選。但是，某個早晨他醒來時，發現那幾幅畫已被「某個小孩」趁他睡著不注意時，用橘色蠟筆亂塗一通。稿件截止日的當天早晨，亞倫拚命工作，幸好及時完成。

一九八一年四月廿一日，俄州第四區法院裁定當初判決將比利送往利瑪醫院的決定是錯誤的。他們發現，當初將比利自雅典醫院遷往限制嚴格的利瑪醫院「並未通知當事人或當事人的家屬，而且也未允許當事人在公聽會中出席、未傳喚證人……這些都嚴重侵犯了當事人的權利……必須恢復非法移送當事人之前的狀態。」

雖然第四區法院發現了誤失，但他們認爲這項誤失並非故意，而且仍然不同意將比利轉移至雅典醫院。因此，戈愛蘭律師和湯普森律師不服，繼續向俄亥俄州高等法院上訴。

一九八一年五月二十日，距離一八〇天公聽會後的六個半星期，佛傑法官完成了裁決書。裁決書中有兩項說明：第一，「法庭從一號證物（州檢察官提供的信件）及林德納醫師的證詞中，認爲威廉・密里根缺乏目前社會一般道德標準的道德控制能力，而且具有犯案意識，對人類生命也不重視。」第二，法官發現郭大衛醫師的證詞中有這麼一段：「他不願接受法院提出的限制條件。」由於上述原因，「本庭認爲雅典醫院並不適合。」

在裁決書中，並無隻字片語提到其他出庭作證的心理專家及精神科醫師的證詞——他們作證比利並不具危險性。佛傑法官以「爲了被告的治療與大衆安全」爲由，命令比利繼續在戴頓司法中心接受治療（該單位毫無治療多重人格病患的經驗）；除此之外，戴頓司法中心還請求法官下令比利必須支付所有的治療費用。此刻距離被逮之日由佛傑法官接手此案起，已有三年半；距離比利因精神異常獲判無罪，則爲兩年五個月。

比利對於法院作出不利的判決似乎並不覺得痛苦。我有一種感覺，他已厭倦這所有的一切。

比利與我經常以電話聯絡，我也常到戴頓司法中心去看他。有時他是湯姆、亞倫或凱文；其他時間裡，他是個沒有名字的人。

有一次我去看他，我問他是誰，他回答：「我不知道我是誰，我只覺得一無所有。」

我要他告訴我那是什麼感覺。

「不睡覺或未出來時，我好像是臉朝下，躺在一塊沒有邊際的玻璃上，我可以透過玻璃看到遙遠的彼端，那兒就像星光閃耀的外太空。但也有圓形的光圈，就在我面前，我們之間的一些人躺在光圈四周的棺木裡，並未封棺，因爲他們還沒死。他們在睡覺，似乎在等待什麼。同時，也有一些空棺，因爲有些人還沒來。大衛和一些年輕孩子對生命還抱有希望，年紀大的已經放棄了。」

「那是什麼地方？」我問他。

「大衛爲它取了個名字，」他說道：「因爲那是他創造的，大衛稱它是死亡之地。」

國家圖書館出版品預行編目資料

24 個比利：多重人格分裂的紀實小說／丹尼爾
·凱斯(Daniel Keyes)作 ；小知堂編譯組譯.
-- 初版, -- 臺北市 ： 小知堂出版；1994[民 83]
面； 公分（當代文集；7）
譯自：The Minds of Billy Milligan
ISBN 957-9278-91-1(平裝)

1.密里根(Milligan. Billy)- 傳記

785.28 83005935

知 識 殿 堂 · 知 識 無 限

當代文集⑦

24 個比利——多重人格分裂的紀實小說

作　　者　丹尼爾·凱斯（Daniel Keyes）
譯　　者　小知堂編譯組
發 行 人　孫宏夫
發 行 所　小知堂文化事業有限公司
地　　址　臺北市康定路 62 號 4 樓
電　　話　(02)2389-7013
郵撥帳號　14604907
戶　　名　小知堂文化事業有限公司
法律顧問　永然法律事務所
書店經銷　凌域國際股份有限公司
登 記 證　局版台業字第 4735 號
發 行 日　1994 年 7 月 初版 1 刷
　　　　　2001 年 6 月 再版 1 刷
售　　價　300 元
原著書名　The Minds of Billy Milligan

ISBN 957-9278-91-1

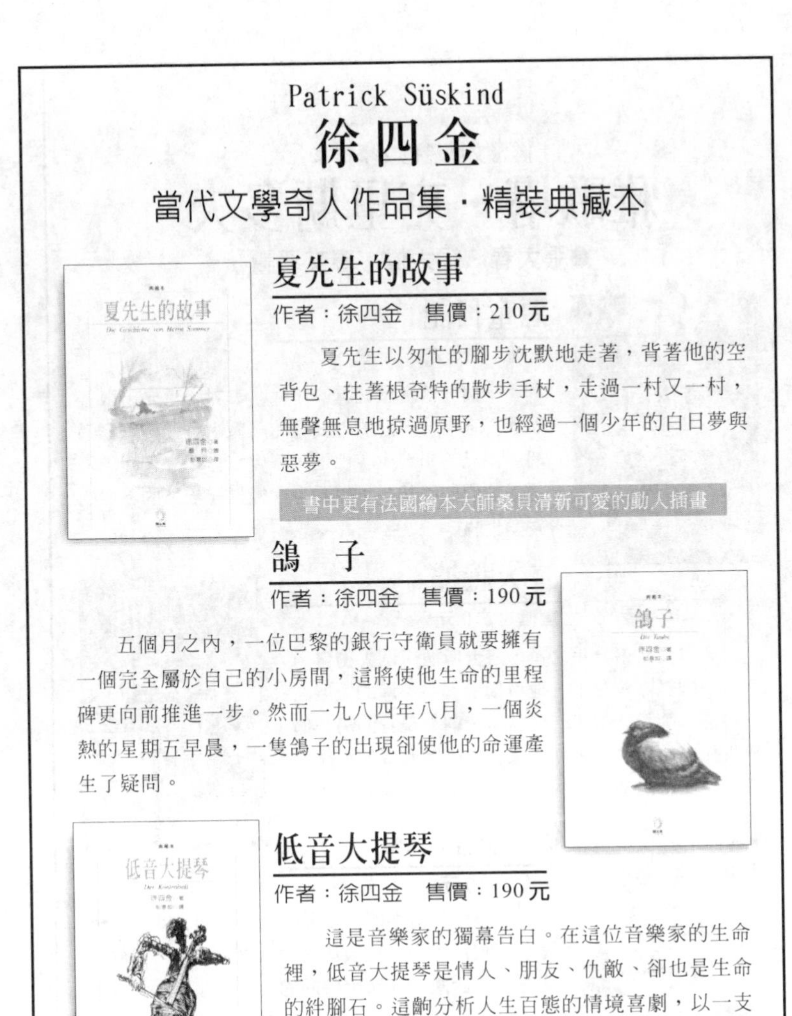
Patrick Süskind
徐四金
當代文學奇人作品集·精裝典藏本
夏先生的故事
作者：徐四金　售價：210元
夏先生以匆忙的腳步沈默地走著，背著他的空背包、拄著根奇特的散步手杖，走過一村又一村，無聲無息地掠過原野，也經過一個少年的白日夢與惡夢。
書中更有法國繪本大師桑貝清新可愛的動人插畫
夏先生的故事
Die Geschichte von Herrn Sommer
鴿　子
作者：徐四金　售價：190元
五個月之內，一位巴黎的銀行守衛員就要擁有一個完全屬於自己的小房間，這將使他生命的里程碑更向前推進一步。然而一九八四年八月，一個炎熱的星期五早晨，一隻鴿子的出現卻使他的命運產生了疑問。
鴿子
Die Taube
低音大提琴
作者：徐四金　售價：190元
這是音樂家的獨幕告白。在這位音樂家的生命裡，低音大提琴是情人、朋友、仇敵、卻也是生命的絆腳石。這齣分析人生百態的情境喜劇，以一支緊繃的琴弓，用獨白的方式演奏出人與人之間交流的互動關係。
低音大提琴
Der Kontrabass